D1134433

SAMMLUNG DALP
BAND 88

©

A. Francke AG. Verlag Bern 1958
Alle Rechte vorbehalten

Gemsberg-Druck der Geschwister Ziegler & Co., Winterthur
Printed in Switzerland

WILLI FLEMMING

ERNST BARLACH

WESEN UND WERK

FRANCKE VERLAG BERN

ERSTES KAPITEL

Persönlichkeit

Es geht wohl jedem Beschauer so, der unvorbereitet einer Plastik von Ernst Barlach gegenübertritt, daß er betroffen stillsteht. Keine gefällige Schönheit spricht ihn schmeichlerisch an, keine bewährten Wendungen berühren ihn vertraut. Alles schaut so anders aus, als wir es gewohnt sind; alles widerstrebt so schroff unseren ererbten Vorstellungen von Schönheit und Idealität; das Ganze steht so fremd vor uns, als ob wir es nie verstehen könnten. Dennoch vermögen wir nicht daran vorbeizusehen, immer wieder lenkt sich unser Blick zurück, wie aus einem Bann müssen wir uns losreißen, aber die Erinnerung bleibt uns eingebrannt. Eine eigentümliche Macht steckt in diesen Gestalten, welche uns zieht, direkt in sie hineinzieht, sehr im Gegensatz etwa zu den Statuen des Barock, aus denen es heraussprüht; sehr im Unterschied aber auch zu klassischer Kunst. Ihr bleiben wir in ruhigem Genießen gegenüber, finden eine achtungsvolle Distanz als wohltuend, ja notwendig. Dagegen mag man den Barock als zudringlich, Barlach wiederum anders, als beunruhigend empfinden; er läßt uns nicht in einem interesselosen Wohlgefallen schweben, er fordert wirkliche Vertiefung, ein Hineingehen in Tiefen! Folgen wir dem, so beginnt in uns ein Erleben, welches tatsächlich anders geartet ist als das uns sonst vor Statuen geläufige. Dieses stammt ja von der Renaissance her, wie Kunstübung und -theorie an ihr immer von neuem sich gebildet und befestigt haben. Was aber bringt uns eine Figur wie der berühmte «David» von Donatello? Die Gestalt des Jünglings in ihrem vollen Sosein als naturhaftes, organisches Gewächs. Das ist ein schönes und befreiendes Fühlen, der Körper ist nichts minderwertig Sündhaftes sondern an sich Edles. Seinen Sinn trägt er in sich, ist er doch keine tote Materie, sondern pulsendes Leben, lebendiger Leib. Darum bieten die verschiedensten Stellungen immer neue reizvolle Motive, die stets wieder uns bewegen, weil das Spiel der Glieder die Harmonie des Ganzen erst recht deutlich macht, es als in sich geschlossenen Kosmos bewundern läßt. Das Erlebnis des Leibes erscheint uns drum als das zugehörige Grunderlebnis der Plastik schlechthin. Gehen wir in solcher Einstellung an ein Werk von Ernst Barlach, so versagt dieser Maßstab. Es fehlen überhaupt Aktfiguren, er meidet sie offenbar, wo doch all seine berühmten Zeitgenossen sie nicht missen können. Schwere Stoffmassen umhängen stets den Körper und verdecken seine Bildung im einzelnen, während in der klassischen Kunst die Glieder gelockert und gelöst in Freiheit spielen. Eingekerkert scheint der Mensch Barlachs, umschlossen von der Materie. Am meisten fällt wohl auf, wie selbst die Geste der Arme gefangen wird, schwerer Mantel sie niederhält, und wo einmal ein freier Arm sich reckt wie beim Joseph («Ruhe auf der Flucht» 1924), da holt er nur aus, um schützend das dicke Tuch um die Mutter und das Kind zu breiten. Kein Erlebnis des Leibes vermitteln diese Gestalten! Sollen wir sie deshalb aus der Kunst streichen? Dann müßte auch die ganze mittelalterliche Kunst fallen, die Bamberger Propheten, die Naumburger Stifter. Gerade mit diesen aber haben Barlachs Figuren Verwandtschaft; nicht so, daß sie formal ihnen nachgingen, doch innerlich, dem Wesen nach. Wie bei jenen vermittelt nicht der Körper das Erleben, sondern der Kopf, das Gesicht. Was hat das bei Kolbe oder Maillol für eine Bedeutung; es ist nur ein Glied wie die andern, höchstens ein schöner Akkord in der Symphonie des Gesamtleibes. Wie ergreifen uns die antiken Torsi, denen das Haupt fehlt! Bei Barlach dagegen scheint durch die Massigkeit des umhüllten Körpers alles zusammen- und emporgepreßt zum Gesicht, aus dem das Erlebnis wie ein Schrei bricht. Von diesem vermöchte ein Torso nichts zu sagen, der Sinn artikuliert sich erst im Antlitz. Auf den Sinn kommt es dabei offenbar besonders an. In der klassischen Kunst hat jedoch der Leib keinen Sinn außer sich. Eine Sitzende oder Kniende, Springende oder Tanzende wurde nur wegen des Spielens der Gliedmaßen geschaffen, die Leibhaftigkeit umschließt allen Sinn. Das dagegen hat Barlach mit mittelalterlicher Kunst gemeinsam, daß jede Statue einen geistigen Sinn oder Gehalt hat, um dessentwillen sie überhaupt vorhanden ist. Daß sie uns als Beschauer zumutet, diesen zu suchen und auf ihn einzugehen, das macht das Unge-

wohnte aus in Barlachs Werken und erschwert ihr Erfassen.
Obschon ein Etikett, ein Kennwort uns Hilfe bietet, meist
hilft es uns nicht mehr als der Name irgendeines Heiligen an
einer romanischen Figur. Einen Ansporn gibt uns das höchstens, zum Erleben zu kommen, und die Bedeutung, welche
der Künstler in die Bildsäule gebannt hat, in uns lebendig
erwachsen zu lassen. Das also wäre das Entscheidende und
Eigene, daß Barlachs Plastik auf dem Bedeutungserlebnis
beruht im Gegensatz zum Leiberlebnis aller klassischen
Kunst. Aber auch von mittelalterlicher Art hebt sie sich ab.
Denn dieser lieferte der feste Schatz kirchlicher Vorstellungen und dogmatischer Lehren bedeutsamen Gehalt. Woraus
schöpft Barlach? Aus eigener geistiger Schau! Das erschwert
selbstverständlich die Eingängigkeit seiner Schöpfungen. Im
Mittelalter war der geistige Sinn der Standbilder allen gemeinsam und jedem geläufig. Vom heutigen Beschauer verlangt Barlach soviel geistige Versenkung, bis sich auch ihm
das Bedeutsamkeitserlebnis erschließt. Wenn ihn die erste
Sicht des Werkes betroffen macht, so muß er schließlich von
einer Schau getroffen werden, die eine Begegnung bedeutet
in Tiefen, in welche des Alltags Licht nie zu dringen vermag.
Solch Aktivwerden des Betrachters ist notwendig, aber zugleich auch möglich. Warum, das sagt Barlach selbst in einem
Brief (18. 10. 32 an Pastor Zimmermann): die Gestalten
«reden aus sich, nicht aus mir, und so sind sie verständlich –
je nach der Empfänglichkeit des Betrachters.»

Dieselben Erfahrungen machen wir mit seinen Dramen.
Wie anders berühren sie als alles, was wir aus Klassik und
Romantik, aus Antike oder Barock, von Realismus oder Naturalismus gewohnt sind. Dennoch ist das kein hilfloser Dilet-
tantismus, der sich nicht auszudrücken versteht, obschon uns
auch die Sprache oft fremd klingt. Urworte, orphisch scheinen sie eher, kein geläufiges Literaturdeutsch, das nach
Goethes Meinung für den Dichter schon denkt. Wenn wir
auch zunächst nicht recht verstehen, worum es eigentlich
geht, so treffen uns doch bald Aussprüche wie Blitze; es ist,
als ob das Alltägliche des Tuns und Sagens birst und eine andere Welt durchschimmere, nur momenthaft, doch unvergeß-

bar. Und auch die Figuren, die sich da zahlreich durchein-
anderschieben, ohne daß wir vorerst Sinn und Zweck ihrer
Bewegung erkennen, sind irgendwie umwittert von einem
Hauch, der nicht von dieser realen Welt stammt. So glauben
wir in eine Spukwelt zu starren wie im Albtraum, nicht so
fieberhaft wie beim «Traumspiel» Strindbergs, doch noch
bannender mitsaugend. Es geht uns ähnlich, wie Hebbel es
vom Nibelungenliede aussagt: «Ich schlug es auf, und wie
der Höllenzwang, der, einmal angefangen, wäre es auch von
einem Kindermund, nach Teufelsrecht, trotz Furcht und
Grauen geendigt werden muß, so hielt dies Buch mich fest.»
Zunächst ängstigt uns wohl solche Welt; doch läßt sie uns
dadurch nicht in uns und unserer Seelenträgheit verweilen,
treibt uns weiter, daß wir uns vorwärts tasten, hinein in die
fremden Gänge und halbdunklen Gewölbe. Dann wird uns,
als gewöhnten sich unsere Augen und begännen deutlicher
zu sehen; unser Instinkt erwacht und spürt und wittert Dinge,
welche tiefer sind, als der Tag sie dachte. Gewiß, was uns
sonst stets half, psychologisches Mitfühlen, das versagt hier;
diese Figuren brauchen unser Mitleid nicht. Sie reizen nicht
unser Interesse für ihre personalen Belange; sie sind hinter-
gründig, sind mehr als empfindungsvolle Seelen. So rollt die
Handlung nicht auf der Ebene des Psychischen, sondern hebt
sich in die Luft des Geistigen. Da wieder genügt der bloße Intellekt dem Leser nicht, um sich zurechtzufinden, er muß selbst
geistiges Erleben aufbringen, in sich lebendig werden lassen.
Mählich erschließt sich der Sinn des Stückes und am Ende zurückblickend werden wir gewahr, daß wir nicht in einem La-
byrinth umherirrten, vielmehr sinnvoll zum Ziel geführt wurden. Jedoch geschah es nicht in rationell klarer Analyse, die
nacheinander alles systematisch auseinanderfaltete, noch in
einfachem Fortgang Schritt für Schritt. Denn kein reales Geschehen hatte sich abzurollen, keine seelischen Zustände waren zu entwickeln; nein, Geistiges gilt es erlebend aufzufassen.
Auch die dramatischen Gebilde Barlachs leben also wie seine
Plastiken aus dem Bedeutungserlebnis. Damit soll nicht etwa
behauptet sein, daß sie allegorischer Natur sind. Diese hält
sich vielmehr nur im Bereich des Verstandes und kleidet Ab-

straktionen in Sichtbarkeiten ein. Man braucht des Rätsels
Lösung, um ihre Geheimschrift recht lesen zu können. Bei
Barlach dagegen hilft nur das Erleben auf der Basis unseres
ganzen und tiefst menschlichen Bestandes bis hinab in jenes
Urgestein, da das Fünklein des Meister Eckhart glüht.

Bildet Barlach einen hockenden Bettler, ein frierendes
Mädchen, immer verrät ihr bloßes Dasein, So-stehen ein Etwas, das über ihren realen Bestand hinausragt, ein Größeres
schimmert hindurch, ein Letztes verrät sich. Menschenelend
und Weibesnot empfindet das erschütterte Herz unmittelbar
bei solchen Gestalten; fragt nicht nach volkskundlicher Echtheit der Tracht, sucht nicht nach interessantem Spiel der
Linien und Bewegungen. Ein geistiger Mensch erlebt hier
Deutungen unseres Daseins, Wesenszüge unseres Seins; Ver-
borgenes wird offenbar! Menschsein und Künstlertum klafft
bei Barlach nicht auseinander, so wenig seine Werke auch aus
dem Privatleben ihres Schöpfers ausplaudern. Sein «Selbsterzähltes Leben» läßt alle biographische Neugier ungestillt
und weist uns nur die Etappen des wesentlich werdenden
Künstlers auf. Der geistige Mensch sucht in diesem Wirr-
wesen der Welt nach Sinn. Daß er sich offenbare, ringt er
mit dem Leben wie Jakob mit dem Engel, daß er ihn segne.
Da zucken dann wie Blitze Sätze auf, die das Grauen der
Nacht erleuchten; wie Sterne flackern Erkenntnisse, bald
hier, bald dort. Tropfenweise sickert Tröstung aus der Hand
des Allmächtigen. Dann ballen sich die brauenden Nebel zu
Gestalten, die mehr sind als Alltag und doch keine leichtbe-
schwingte Märchenphantasie. So ballen sich Barlachs Gestalten, werden seine Werke, auch die Dramen. Nicht um des
Resultates willen wurden sie geschaffen, keine weltanschauliche Tendenz propagieren sie, keinen Lehrsatz wollen sie
beweisen. Das Ende eines Stückes ist nicht das Ziel, um dessentwillen es geschrieben wurde. Ringen enthüllt es, keine
strahlende Erleuchtung; sonst hätte Barlach Hymnen schreiben müssen. Als Weg, als Bewegung wurden seine Dramen
geboren. So wirken sie nicht erlösend, aber sie pflügen uns
auf und lösen den Krampf unserer gefalteten Hände. Leidens-
stationen am Kreuzweg ringenden Menschentums stehen sie da.

Der Vorgang also, wie der Geist in das dumpfe Menschenleben hineindringt, bis er es von innen her zu durchglühen beginnt, das bilden Barlachs dramatische Dichtungen ab als quellende Bewegung. In den Ketten der Worte zittert ihr Pulsen. Solch Ringen als Prozeß kann nimmermehr die Plastik geben. Sie birgt nur das Ergebnis, faßt die Erleuchtung in geschlossener Schau. Das Wunder ist da, das Wesen leuchtet wie ein feuriger Busch dem Erschauernden auf. In wuchtiger Geladenheit steht die Statue da, ein Sinnbild; ihr Sein ist ihr Sinn. Sie ist die Begnadung, die Erlösung. Geist ward Fleisch. Wie Votivbilder ragen sie aufgestellt am Wege eines im Geist ringenden Menschen. So ergänzt sich also in Barlachs Schaffen Plastik und Dramatik, ja wird noch erweitert durch die Aussagen seiner Graphik. Immer ist ein Bedeutungserlebnis der treibende Impuls.

Darum handelt es sich bei Barlach nicht um einen in der Literatur dilettierenden Bildhauer, der deshalb Unbefriedigendes schafft. Auch nicht ein seltsames Naturspiel gilt es zu bestaunen, das zwei künstlerische Begabungen ein und demselben Liebling in den Schoß warf. Gewiß hat schon der Knabe Verse geschmiedet und der Jüngling gedichtet – wie tausend andere. Mehr verheißt schon das Verhalten des Knaben bei seinem Puppentheater: Barlach bekennt selbst, es fuhr dann etwas in ihn, «so daß das Ding einen selbsttätigen Verlauf einschlug, daß die hölzernen Köpfe von Kasper, Tod und Teufel durch meinen Mund ihre Sprache rappelten und daß da überhaupt Vorfälle sich schoben und miteinander tanzten, deren Anstifter zu sein ich mir nicht bewußt war. Es brauchte keine Mühe, höchstens einen gewaltsam hervorgestoßenen Anfang, und das Stück bekam Fortgang und Ende». Das verrät gewiß besondere Anlage – wie gar mancher sie mitbekommt. Für den wirklich schaffenden dramatischen Dichter bleibt das Entscheidende der geistig ringende Mensch; aus diesem Wurzelgrunde quellen Barlachs plastische wie dramatische Visionen. Es ist der tiefdurchpflügte Seelengrund eines um den letzten, religiösen Sinn ringenden Daseins, aus welchem Barlach den Stoff zu Drama wie Statue schöpft. Es ist das Sehnen und Ringen eines Gläubigen, der da bekennt: «alle haben ihr Blut von einem unsichtbaren Vater, sonderbar nur, daß der Mensch nicht lernen will, daß sein Vater Gott ist.»

Kein Artist ist Barlach, der abseits vom Leben nur neuen Kniffen nachjagt, noch ein Bewunderer jeglicher Wirklichkeit, dem alles, was er vorfindet, gleich wichtig erscheint. Mit scharfem Blick sieht er das Leben, um sich und in sich; doch dieser Blick durchschaut zugleich. Nur zu gut erkennt er Schein und Wirklichkeit, Wesen und Unwesen. Tief zerrt die ganze Problematik des Menschenherzens an seiner Seele, alle Brüchigkeit unseres Wollens, alle Bedürftigkeit unseres Daseins steht nackt vor seinem Auge. Er glaubt sich nicht besser, erleidet es als Menschenlos und vermag sich für die andern mitzuschämen. «Das unbewußte Wissen vom Einssein mit allem Menschwesen und der Unentrinnbarkeit vor dem mit ihm verketteten Fluch», bekennt er selbst als sein eigen. So schwer er am Leben trägt, ist er doch kein resignierter Pessimist; so unverbrüchlich ihm die geistigen Forderungen stehen, ist er kein fortschrittsträumender Optimist; ein Kämpfer ist er, der mit unerschrockenem Blick Tod und Teufel neben und hinter sich umfaßt, ihnen aber sein männliches «trotzdem» entgegensetzt, voll Ernst und Demut. Was das Wort ursprünglich bedeutete: Dienstmut erfüllt ihn; denn nichts liegt Barlach so fern wie Schlaffheit. Schleckeriges Lungern auf die Glücksstunde ist seine Sache nicht. Selbst sein Warten hat Energie, hat beschwörende Kraft.

Betrachten wir doch jene Statue, die er 1924 schuf, den «Wartenden». Auf stämmigen Beinen steht breit, wie verwurzelt im Sockel, ein untersetzter Mann im Mantel. Welche Energie liegt in den überm Bauch verschränkten Händen, gewolltes Warten verklammert sie. Der massige Kopf ist etwas nach hinten geneigt, als wittere die breite Nase fernher streifenden Hauch. Die Unterlippe stülpt sich herrisch vor voll Trotz und Bereitschaft, drohenden Ansturmes und Überflusses gewärtig, während die Augen halb geschlossen schräg emporblinzeln in ferne Weiten, die nicht von dieser Welt sind. Selbst das Warten also ist für Barlach Ringen um Erhörung. Lauschende Demut und zäher Wille paaren sich in ihm zu

eigenartiger Ehe. Jedes Werk enthält innere geistige Klärung,
ist Antwort auf ein Gebet, Begnadung dem Ringen. Nur zer-
legt sich das geballte, reine Weiß der Erleuchtung nicht in
bunten Regenbogenglanz durch das Prisma des Verstandes,
sondern es setzt sich unmittelbar um in Gestalt, Statue oder
dramatische Figur. Wie ein Block steht sie da, dem Gefühl
unmittelbar erlebbar, doch der Verstand vermag sie nicht in
seine dünne Begrifflichkeit zu fassen.

Einen Mann, dessen Werk so eindeutig vom Bedeutungserlebnis getragen wird, kann man nur erfassen als geistige
Persönlichkeit. Es nutzt daher gar nichts, beim äußeren Ab-
lauf seines Lebens zu verweilen. Was er selbst von der Zeit
seiner Entwicklung im «Selbsterzählten Leben» berichtet,
also von seiner Geburt am 2. Januar 1870 bis zur Übersied-
lung nach Güstrow 1910, sollte genügen. Es zeigt das Ringen
und Reifen seines Künstlertums. Denn das eben bildet die
Achse seines Seins und Wesens. Das weiß und will er. «Daß
ich kein Theologe bin, wissen Sie», schreibt er an Pastor
Zimmermann (18. 10. 32); «ich bin auch kein Philosoph...
Es bleibt übrig, daß ich Künstler bin, doch wohl ausschließlich. Meine Möglichkeiten des Ausdruckes sind daher
die künstlerischen. Ich kann – gestalten.» Das bedeutet kein
lebensfremdes Ästhetentum. «Was ich für mein Teil, als
Mensch und Zeitgenosse, meine und denke, hat natürlich mit
meinen Gestalten zu tun, sonst würde ich sie nicht in mir lebendig werden fühlen. Ich bin also *in ihnen allen* mit drin.»
Damit wird kein selbstherrlicher Subjektivismus gemeint, im
Gegenteil. Ergänzend heißt es (12. 2. 33): «Der Künstler
ist kein anderer als andere Sterbliche; immerhin als
Künstler... eine Sonderexistenz. Grade weil er gedrängt ist,
ganz und gar sein Menschentum durchlebt, durchleidet, oft
mit der Verschärfung, tiefer leiden zu können, schwerer leben zu müssen, ist der Künstler, was er ist.» Streckt der
Künstler seine Wurzeln hinab ins Fundamental-Menschliche,
so reckt er sich auch empor zum Göttlichen in «dem Bedürfnis des ‚Über-sich-hinaus'. Seine Gabe und Neigung zum
Gestalten beweist einen Zusammenhang mit der allwirken-
den schöpferischen Freude». «Was er auch unternehmen

mag, nichts kann außerhalb des Wesens sein, dessen Teil er ist, wenn auch ein ,Armer Vetter'». Barlach betont, daß er den Namen Gottes aus Ehrfurcht vermeide.

Zu solcher menschlicher Artung gehört auch eine besondere Struktur des Künstlertums. Nicht ansprechende Wirklichkeit, reizvolle Beobachtungen bringen ihn zum Schaffen. Solch Erfahren liefert nur Notizen, wofern es nicht im Schatz des Formgedächtnisses versinkt. Produktion erfolgt nur auf höheres Geheiß, Konzeption ist Inspiration! Wie ein Blitz trifft es, ein Muß. «Es ist auf mich gestoßen wie eine Schlange und hat mich gestochen, daß ich's für immer ins Blut bekam»; so erleben auch die Personen der Dramen plötzlich Erleuchtungen. Daß dieses die ihm gemäße Erlebnisweise ist, bestätigt Barlach selbst. Seinem Vetter schreibt er (3. 11. 30): «Die Würze des Daseins ist immer doch der einzelne Augenblick, der Einen überkommt und mit Segen überhäuft, ein Schauen in das Land der Farben oder ein Gehobenwerden ins Reich geistiger Aufschlüsse oder ein Innewerden der mehr als persönlichen Verbundenheit mit einem in höherem Sinne zwecklosen Geschehen». Selbstverständlich steht voran die künstlerische Konzeption, die Schau einer Gestalt auch von seinem Drama «Der Findling» gesteht er: «es ist meiner Dienstbereitschaft herrisch aufgedrängt» (17. 2. 36). «Ich sehe Gestalten und das Wandeln wunderbaren Geschehens. Dies Schauen erfüllt mich zur Genüge» (23. 9. 15; ähnlich an Schaper 10. 5. 26). Aber auch geistige Einsichten erlebt er so blitzartig: «Ich bin manchmal nahe dran, aus einer blitzartigen mystischen Erleuchtung heraus zu sagen: Die Glücklichen sind die Guten, aber der Spalt, durch den dieser Einblick geschieht ist sehr schmal, und schon weiß man nicht mehr so recht, wie es gemeint war» (14. 10. 22). In der «Sündflut» (III, 2) gebraucht Sem das gleiche Bild, wo er von Gott spricht: «Er verbirgt sich hinter Allem, und in Allem sind schmale Spalten, so dünn, daß man sie nie wieder findet, wenn man nur einmal den Kopf wendet.» «Aber solch schnelle Vergänglichkeit», so bekennt er, «kann mich nicht hindern, zu wissen, es war ein Lichtblitz Jenseits, das ,Ich' war unpersönlich, unbegrenzt

gewesen und ist doch geblieben, nicht zersprengt.» (23. 9. 15).
Sorgfältig bewahrt er in seinem «Selbsterzählten Leben» die
Erinnerung an solche Vorgänge schon in seiner Knabenzeit
auf. «Beim Streifen durchs Fuchsholz aber fiel mir die Binde
von den Augen, und ein Wesensteil des Waldes schlüpfte in
einem ahnungslos gekommenen Nu durch die Lichtlöcher zu
mir herein, die erste von ähnlichen Überwältigungen in dieser
Zeit meines neunten bis zwölften Jahres, das Bewußtwerden
eines Dinges, eines Wirklichen, ohne Darstellbarkeit – oder
wenn ich es hätte sagen müssen, wie das Zwinkern eines
wohlbekannten Auges durch den Spalt des maigrünen Buchenblätterhimmels». Dem Knaben fehlt natürlich noch der
geistige Inhalt des Erlebens, doch dessen Struktur verrät sich
umso deutlicher. Ein andermal bezeichnet sie Barlach direkt
als «eine Erschütterung, die im Augenblick durch mich ging
und ganz sinn- und gegenstandslos war». Beim Jüngling mangelt es schon nicht mehr an Substanz: «Ein andermal stand
ich an der Nordecke der Insel am großen See hinter dem
Gymnasium bei einem ganz artig heranfahrenden Winde und
erlebte im Augenblick des Zerfließens einer Welle ein ähnlich übermächtiges Gefaßtwerden. Dabei muß mir eine auf-
fällige und ziemlich lächerliche Gebärde entfahren sein...»
Offensichtlich haben wir es hier bereits mit einem echten
Bedeutungserlebnis zu tun. Nicht der Schmelz der Farben,
der Zug der Linien in der Landschaft packt sein Auge, sondern sein Gefühl wird getroffen in der Tiefe des Gesamtbe-
standes, so daß der ganze Körper antwortet, und so stark ist
diese Ergriffenheit, daß sie bis in eine sichtbare Geste hinein-
läuft und sich damit entlädt. Von hier ist es nur noch ein
Schritt bis zum Kneten der Hände in Ton, bis zum Formen
in Gips der Modellskizze. Denn auch später erlebt der reife
Meister seine Schauungen in der visionären Art seiner Jugend. Er schreibt darüber: «Ich erkannte, daß alles bewußte
Zielen mir nichts eintrug, ich mußte mich dem von mir und
meinen Wünschen unabhängigen Geheimnis unterwerfen,
einem Bestimmen, das mir eine Art innerer Passivität auf-
zwang; so kommt es also heraus, daß ich Handlungen und
Gestalten wahrnehme, für die ich nur noch ein übriges tun

mußte, um ihre Worte zu erlauschen und ihrem Gang die Wege zu ebnen.» Im Brief (26. 9. 26) heißt es: «Je älter ich werde, um so... mehr wird mir Arbeit und Produktion zum Geschehen trotz meiner.» Er schreibt von der «Arbeit, zu der es mich zwingt» und ist «überzeugt, in meiner dramatischen wie plastischen Tätigkeit einem gleichmäßig wirkenden und verpflichtenden Gesetz zu gehorchen.» Und faßt zusammen: «Ich arbeite eigentlich ahnungslos... Wenn man einem solchen Zwang unterliegt, ... so wächst man in das Gefühl von einer Notwendigkeit hinein, der man gerne vertraut.» Ähnlich schrieb er schon früher (30. 9. 12): «Eigentlich ist das Ganze ja nicht meine Sache; man wartet, was mit einem geschieht... es ist eine mystische Sache.» Da kann es denn geschehen, daß der Künstler beim Suchen in Skizzenblättern plötzlich anhält und auf eine Zeichnung weisend sagt: «Da kommt die wandernde Hexe. Die werd ich einfach nicht los. Immer wieder erscheint sie mir»; seine Stimme klingt wie aus weiter Ferne und seine großen Augen blicken nach innen in eine andere Welt.

Kommt die Konzeption mit so ekstatischer Wucht über den Künstler, so drängt sie mit atemlosem Muß, die Vision zu bannen im Werk. Nicht der Lichtgott Apollo steht dem Schaffenden mit lächelnder Güte zur Seite und spendet ihm hilfreich frohe Gewährung. Nicht zu geschmäcklerischem Bilden, zu selbstgenugsamem Bosseln bleibt Barlach behagliche Muße. Dionysos, der Dunkle, jagt ihn rastlos; rotglutend sprüht des Rauschgottes eruptive Lohe durch Nacht. So ging es ihm schon als Vierzehnjährigem mit seiner Dichterei, wie er selbst berichtet: «Zugleich rüttelte ich die Schwingen und warf mich in den Äther, wo er sich am grenzenlosesten breitet. Mein Raptus einer ungeschorenen Reim- und Versschreiberei regte sich bald in wutartigem Schuß». Diese besessene Art des Produzierens teilt er, um nur einige Große der Kunst zu nennen, mit Michelangelo und Beethoven, nicht zuletzt auch mit Deutschlands größtem dramatischen Genie, Heinrich von Kleist. Als Barlach in seinem großen Rechenschaftsbericht an Pastor Zimmermann (12. 2. 33) von der «Gnade zu schaffen» spricht, fügt er hinzu: «Die ‚Gnade'

ist so oft ein Fluch mehr als Segen; der Zwang zu
oft eine Peitsche». Dennoch ist für ihn persönlich ein Zusammenhang mit dem Göttlichen da. Doch «die Ehrfurcht vor
einem Höchsten erübrigt sich zu analysieren». Ein andermal
berichtet er (27. 12. 24): «... ich arbeite. Der Tyrann
hinter mir will es, und wenn er mir ins Gedärm steigt
und mich mauschelliert werde ich hitzig und tu werken, als
gälts das Leben. Keine Frage, die große Freiheit des Künstlers ist, daß er keine hat, verstehs wer kann». Diese besondere Existenzweise des Schaffens erlebt Barlach wie jeder
Berufene als die eigentlich gemäße, als eigentliches Leben.
«Ich verwandle mich in Arbeit und bin dabei vollkommen
zufrieden» (21. 12. 23). «Übrigens arbeite ich und sehe mit
leisem Staunen, daß die Arbeit eigentlich ein selbsttätiges
Wesen in mir ist, das sich selbst schafft und ‚mich‘ nur als
Handlanger braucht.» (18. 5. 22). Man fühlt sich enthoben
von den kleinlichen Hemmungen des Alltags und entwach-
sen der subjektiven Verkrampfung, weil «sein besserer Teil
bei Lesen oder Arbeiten sich auftut» (18. 12. 23). «Ich rede
immer viel von Selbstvergessen, wohl zu viel, es ist bitter
ernst gemeint», betont er gelegentlich (31. 7. 23). Denn Barlach litt leicht unter den Widerwärtigkeiten des Alltags und
wünschte sich «erlöst von dem Leiden an sich selbst, seiner
begrenzten Persönlichkeit» (4. 2. 30). Er stellt sich in bewußten Gegensatz zu Goethe. «Der Fluch des Individualismus liegt auch auf mir; ich pflege zu sagen: ‚die Persönlichkeit ist eben doch *nicht* das größte Glück der Erdenkinder‘,
aber dieses Fegefeuer muß doch wohl von der Welt erlitten
werden» (3. 12. 32). Keinesfalls kann dies das Letzte sein.
«Das größte Glück sei das Übersichherauskommen, das momentane Eingehen in ein Übergeordnetes» (4. 2. 30). Solchen Zustand beschreibt er (17. 12. 22): «Mein Zustand hat
eine Art Unpersönlichkeit, die ich mit freudigem Bewußtsein
als eine schöne Unbegrenztheit bezeichnen möchte. Erlöstheit
von sich oder wie man sowas ausdrücken soll, Aufgehen,
nicht Bedauern über das Hinterlassene, sondern Freude am
Verlassen geringerer Zustände, Aufgehen im reicheren Wesen
braucht keine Unwesentlichkeit zu bedingen – am liebsten

rede ich nicht von mir, bin da oder nicht da, je nach dem Wert, den ich darbringe oder bedeute, und möchte vor allem mich und andere nicht betrügen. Jener Zustand des Nichtmehrseins, des Versetztwerdens oder Durchsetztwerdens mit dem Glück der großen Gelassenheit, die nicht abschließt, sondern weitet, ihm möchte ich nicht wieder entzogen werden. Nicht ich ist so verstanden mehr als – ich». Das ist die alte Grundposition (24. 8. 13), daß ihm «das Künstlerische überhaupt im Zusammenhang mit dem Überpersönlichen, Vor- oder Nachpersönlichen zu stehen scheint». Damit hängt zusammen «eine Gläubigkeit gegenüber dem Schicksal». So «grundlos wie sie zu Zeiten sein mag, (sie) ist ein Glück, das mir von Zeit zu Zeit doch immer wieder zufällt; oft bleibt mir davon nur eine Spur zurück in Form eines trotzigen Fatalismus. Da will ich dann die Güte des Geschehens keineswegs erkennen und versteife mich in Hohn und Lästerung. Aber sie kommt doch immer wieder und ganz hübsch wie selbstverständlich und nicht als Folge von Spekulation. Es gibt Fluten und Ebben des Geistigen». Darin besteht ja echte Genialität, daß der Künstler sich getragen weiß von einer höheren Gesetzlichkeit und sein Werken keine subjektivistisch willkürliche Konstruktion ist. «Je mehr man von innen heraus arbeitet» (8. 8. 11), scheint es als «blindes, instinktives Machen» (30. 9. 12) «das Ganze hat seinen Zusammenhang im Unbewußten. Das es eine Einheit ist, sagt mir der Umstand, daß ich nur ratend und tastend ins Blinde hinein arbeite und doch Einheitlichkeit erziele» (4. 2. 30). Das künstlerische Schaffen ist Barlach eben Dienst, über individuelles Mögen oder äußeres Sollen erhabenes Jasagen, sich Hineingeben.

Das schöne Wort Inbrunst bezeichnet schlagend diesen Zustand inwendigen Brennens, das wie Opferbrand auf dem Altar loht. So finden wir denn unsern Künstler im schmutzigen Werkkittel, wie er gleichsam wütend Messer, Schläger, ja Axt führt. Abgerungen wird das Kunstwerk dem zähen Stoff Span für Span. Drum ist es kein Zufall, daß Barlach sich gerade als Material das Holz wählte, wozu es schon den Knaben zog. Auch seine graphischen Blätter zeigen dieselbe

Art des Herausholens, und nicht minder merkt man es seiner Sprache an, daß sie aus tiefen Zisternen nicht ohne Anstrengung geschöpft wird. Es geht eben nicht an, so ungefähr, wie es dem Alltag genügt oder die Konversation es fügt, zu schreiben und zu formen. Mit rasch hingeworfener Improvisation oder Vorläufigem gibt sich der Künstler nicht zufrieden. Unverdrossen und zäh, mit aller handwerklichen Solidität schafft Barlach an der Verwirklichung. Die Vision steht mit absoluter Forderung richtend und verpflichtend vor dem geistigen Auge. Ihr Leib zu schaffen, vermag kein mechanisches Übertragen des Modells in Holz, aus diesem muß die Schau emporsteigen, und das ist persönliches Gebären, ein hartes Ringen. Wenn da unbefugte Lauscher Worte des rastlos Werkenden wollen erschnappt haben, die ihnen wie Flüche klangen, so waren es, von innen her gesehen, Bann- und Zaubersprüche, die endliches Gelingen beschwören und herbeizwingen wollen. Denn kein Strohfeuer ist diese Arbeitswut. «Der mir eingegebene unermeßliche gute Wille, die schicksalhaft mir gehörige Zähigkeit, eine Art Fluch zum Wollen, dem ich untertan bin», bekennt der Künstler selbst, lassen ihn sich nicht mit Halbgarem zufrieden geben. Drum bleibt auch alles Gelingen nur einmaliger Sieg, da in immer neuer Ursprünglichkeit sich Aufgabe um Aufgabe stellt, Vision nach Vision sich drängt. Jede Arbeit bedeutet neues Gerichthalten und Begnadetwerden: jedes Werk ist Mark- und Denkstein geistiger Klärung. So dürfen wir wohl mit des Künstlers eigenen Worten bekennen; sein ganzes Schaffen kommt uns «wie Not und Drang zu gesolltem Wollen vor, gegliedert durch Atempausen der Stille und des Ruhens in Freiheit, Dürfen und bewegtem Schweigen».

Eine so bedingungslos als Dienst gelebte Künstlerschaft muß den Alltag mit seiner absaugenden Geschäftigkeit von sich abwehren. Neugierige Betrachter, kennerhaft schwätzende Besserwisser werden als Störenfriede konzentrierter Werkstimmung ferngehalten. Nebenbei bemerken wir, daß Barlach kein Säulenheiliger ist. Flieht er die Menschen auch nicht, so fühlt er sich doch auch nicht «inmitten», ob er schon unter ihnen weilt. Seine Situation schildert der Dichter selbst treffend in einer Szene des autobiographischen Romans «Seespeck»: «Die Nachmittage des Festes saß er im ‚Jenseits' und fühlte sich im Gedränge der Kaffeeschlacht, mitten im Gewühl der sonntäglichen Allerweltsmenschlichkeit zugleich gerettet und verloren. Ohne Freunde erlaubte er seinen Augen im Versteck der Einsamkeit Freundschaft mit aller Dinglichkeit, mit jeder Farbe und Form, und das Licht der Welt wurde eigentlich erst in diesen trüben Wintertagen zum Bruder seiner Seele». Seine Skizzenbücher beweisen, er hat die braven Kleinstädter um sich herum gar genau aufgenommen, ihre Eigenart so scharf erfaßt, daß er sie bis in Geste und Lautform nachzubilden versteht, allerdings nie ohne ein gewisses Lächeln, dem jedoch die übliche Künstlerüberheblichkeit fehlt. Seine Einstellung verrät die Formulierung im «gestohlenen Mond» (100): «er lebte am zufriedensten als stiller Zuschauer der kleinen und großen Dinge, und der Humor des Betrachtens eigenen und fremden Wesens verließ ihn selbst in den grauesten Tagen nicht ganz». Selbst in der Plastik zeigen Statuen wie die «tanzende Alte» (1920), «lachende Alte» (1937), oder das Relief der «Tänzer» (1923) die charakteristische Art Barlachschen Humors mit den «unvermeidbaren skurrilen Verschnörkelungen» (1.2.33), die Graphik und Dichtung so markant prägen. Unvermutet blitzt er auf in der Stumpfheit des Alltäglichen, selbst im Düster des Angstvollen, Bedrückenden. Er schildert in vielfältiger Abtönung vom derben Spaß bis zum bärbeißig Tiefsinnigen und grausig Grotesken. Die empfindliche Seele des Künstlers schafft sich so Abstand von der Bedrängnis, schwingt sich darüber. Ihm war eben die Gabe «des zweiten Gesichts» gegeben, wie es im «Seespeck» (75) heißt: «Dann pflegte er nicht mehr diejenigen zu sehen, die da gegenübersaßen, sondern die er, um dem Überdruß des Kritisierens zu entgehen, an Haupt und Gliedern schöpferisch umgestaltete... In der Gewalt seines zweiten Gesichts hätte er es mit noch ganz anderen Leuten beliebig lange ausgehalten». Es erfolgt dabei keine bösartige Verzerrung, eher ein Ahnen, ein Hineinsehen von Menschlichem, das darin verborgen steckt. Im «Seespeck» (55) spricht er direkt von der Neugier,

«diese art-verlassenen Menschen anzusehen und ... sie durch
Anstarren wesentlich zu machen». So holt er sich Menschen
und Dinge «mit den Augen wie mit dem geistigen Fangorgan
an seine Seele» (Sp. 83).

Er gesteht (Güstrow 7. 12. 13): «Das Leben selbst des
Alltags fängt an, mir unheimlicher, sage dreist mythischer
zu werden als andern die Visionen». Noch gegen Ende
seines Lebens mahnt er: «Wehe dem, der vergißt, wie unendlich ewigkeitsträchtig die kleinen und kleinsten Dinge
sind» (24. 11. 36). Immer bildet dabei der Ernst und die
Achtung vor dem Menschen das Fundament. Von hier her
bekommt auch das Satirische gegenüber allem Spießbürger-
lichen die rechte Perspektive. Es handelt sich um eine ernste
Lebenstatsache, deren menschlichem Fundament er nach-
geht. «Bürger und Künstler und seine (vielleicht besseren)
Verwandten im Geist stehen sich doch wohl gewaltig fremd
gegenüber». Satte Selbstgenügsamkeit steht der «Sehnsucht
über sich hinaus» entgegen. Den Schöpferischen treibt der
Gott vorwärts, anders beim Bürger, «sein Gott soll ihn be-
glücken» (12. 4. 16). «Sie mögen sagen, innere Nöte, seelische Geburtswehen gibt es auch da, wo äußerlich, bürgerlich, alles nach Wunsch geht. Aber ich glaube doch, daß
grade diese parallele bürgerliche Bodenlosigkeit die richtige
Verlorenheit um einen wie einen allseitigen Abgrund und
ewige Finsternis breitet» (14. 4. 19). Er kennt auch «die
Bastardnaturen, die von jeder Seite etwas haben, äußerlich
ist man oft das eine, innerlich und unbewußt das andere».
Als Beispiele erinnert er an «Tonio Kröger» von Thomas
Mann und an «Rameaus Neffe» von Diderot in Goethes
Übersetzung.

Auch im Leben hält er sich schlicht, abhold aller genia-
lischen Aufmachung. Zu tief fühlt Barlach sich allem
Menschlichen wurzelhaft verknüpft. Nach außen aber bleibt
er ein Einsamer. Selbst die Wahl seines Wohnsitzes bestätigt
das. Was führte ihn, den Holsteiner, nach Mecklenburg und
gerade nach Güstrow (1910)? War es nur ein Zufall, weil
dort seine Mutter ihren Wohnsitz genommen hatte? Er selbst
war ja kein Großstadtkind, sondern ganz in der Kleinstadt

erwachsen. Hatte er doch in Wedel an der unteren Elbe 1870
das Licht der Welt erblickt. Dann hatte der Vater seine ärzt-
liche Praxis nach Schönberg und schließlich (1878–84) nach
Ratzeburg verlegt. Nach seinem frühen Tode zog die Witwe
wieder nach Schönberg zurück und erst, als Barlach acht-
zehnjährig die Hamburger Kunstschule bezog, betrat er
Großstadtboden. Darum spielt der «Arme Vetter» in der
Elbniederung und auch «Seespeck» in und um Hamburg,
die «Sedemunds» und der «Blaue Boll» sind in die mecklenburgische Landstadt versetzt. Was sollte Barlach überhaupt
in die Großstadt ziehen? Ein so Eigener hat in den bekannten Kunstzentren mit ihrem Marktgetriebe nichts zu suchen;
er, der keiner Schule verschworen, keiner Moderichtung ver-
kauft war. Lange genug hatte er den üblichen Kunstschul-
betrieb mitgemacht, in Hamburg zunächst (1888–91), dann
in Dresden bei Robert Diez (1891–95), danach in Paris und
später in Florenz erging es ihm wie dem Dithmarsen Friedrich Hebbel, er fühlt sich nur auf sich geworfen; der Aufenthalt hatte ihn nicht zu beschwingen, zu lösen vermocht. Anders wirkten die sieben kurzen Wochen bei seinem Bruder
Hans in Rußland (2. 8.–27. 9. 06). Da schüttelte den Sechs-
unddreißigjährigen «die Beglücktheit des selig Erwachen-
den». Er berichtet in einem Brief (9. 12. 06): «Übrigens war
ich jetzt einige Monate im südlichen Rußland, habe da unendliche Anregung, sagen wir gleich, Offenbarungen empfangen. Hoffentlich gelingt es mir, in Zeichnungen und Plastik einiges zu gestalten». Er blieb nicht lange in Charkow,
denn er wollte keinen neuen Stil den Russen ablernen, er
wollte nicht ihre Volkstypen kopieren. Was ihn mit Fieber-
glut ergriff, bezeichnet er endgültig (Leben 65) als «nichts
Fremdes oder Bestürzendes – alles war mir wie lang vertraute Kunde, aufgeschlossen, preisgegeben, widerstandslos
meinem Gefallen und Belieben erbötig». Sein großes Auge
dürstete nach «plastischer Wirklichkeit»; was er mitbrachte,
war sein «bisher unbefriedigtes Bedürfnis», seine «Bereitschaft und Fähigkeit zum Sehen nicht der andern (etwa malerischen), sondern der plastischen Werte».
Früh hat man an Barlachs Kunst etwas «Russisches» spü-

ren wollen, ihn später auch persönlich in diskriminierendem Sinn hinsichtlich Gesinnung und Artung so bezeichnet. Er hat dagegen in zunehmendem Maße heftig ablehnend mündlich und schriftlich reagiert. So schreibt er an Dr. Boris Pines, einen gebürtigen Russen (26. 1. 26): «Es wird mir jedesmal leicht schwül zu Sinn, wenn ich den Begriff ‚russisch‘ mit mir in Verbindung gebracht sehe... Zwar habe ich einige Anschauung – aber was will es besagen, daß ich mich 2 (zwei!) Monate, allerdings im Zustand einer unerhörten Aufgewühltheit, in Stadt, Steppe und Dorf im Donezgebiet herumgetrieben habe (1906). ...Tatsächlich habe ich wohl ein Leben gespürt, das in entsprechender Form mir entgegen kam und in dem jede Möglichkeit, die Tiefe, die Erbauung, die Verworfenheit, die schrecklichste Fürchterlichkeit enthalten war. Und habe mich rücksichtslos in dieses Meer von Formen gestürzt. Meine innere Bereitschaft, meine mir gegebene Verfassung brachte ich mit – denn das alles war auch in mir, und das alles ist wohl enorm russisch, aber auch enorm deutsch und europäisch und allmenschlich. Ich sagte mir später bewußt: Im deutschen Leben versteckt sich das Wesen in konventioneller Form, und diese Form ist für mich unbrauchbar. ... In der Folge habe ich fast alles, wozu mir die Außenwelt dienen konnte, hier in Deutschland gefunden, auf dem Lande, an der Küste, in der Kleinstadt». Es wird bei diesen Erörterungen wieder besonders klar, wie charakteristisch für Barlach ist, daß das Bedeutungserlebnis nach gemäßer Form trachtet. Er schreibt seinem Vetter (6. 10. 20): «Ich fand in Rußland diese verblüffende Einheit von Innen und Außen, dies Symbolische: so sind wir Menschen, alle Bettler und problematische Existenzen im Grunde. *Darum* mußte ich gestalten, was ich sah; und natürlich wuchs in mir unter den leidenden, simplen, sehnenden, aus sich herausverlangenden und darum lasterhaften Menschen ein brüderliches Gefühl. Dieses Gefühl aber gilt allen denen, die so, d. h. verfallen, verflucht in sich zerfallen sind, und ihrer sind unendliche überall, bloß: Der Slave scheint es, es scheint aus ihm, er zeigt es, wo andere verbergen, und so kam es, daß mir das Slavische beim ersten Kennenlernen als das mir Nähere erschien». Ein andermal spricht er von der Grenzenlosigkeit, die er in Rußland erlebte: «Eine Grenzenlosigkeit, in der sich das Menschliche nur als kristallisierte festgeformte Gestaltung behaupten konnte, wollte man das Menschliche überhaupt festhalten» (10. 5. 26). Genau genommen begann der «große Anstoß» schon vor seinem Eintreffen in Rußland, wie er selbst berichtet (8. 8. 11): «als ich ... durch Warschau fuhr, da sah ich die Menschen, wie ich mir einbildete, sie plastisch zwingen zu wollen». Der nach eigenem Ausdruckstil unbefriedigt Suchende fand also hier eine seiner Sehform angemessene Wirklichkeit. Was er an Konzeptionen heimbrachte, ist bereits echt Barlachsches Eigentum, nämlich zwei «Bettler, die nur Symbole für die menschliche Situation in ihrer Blöße zwischen Himmel und Erde waren». Das war ein gewichtiges Bedeutungserlebnis, der Beginn seiner Meisterschaft, denn nun fand es seine ihm zugehörige Form. Keine äußerlich-formale Manier nahm er sich an; nein, er sagt selbst: «Die unerhörte Erkenntnis ging mir auf, die lautete: Du darfst alles Deinige, das Äußerste, das Innerste, Gebärde der Frömmigkeit und Ungebärde der Wut, ohne Scheu wagen, denn für alles, heiße es höllisches Paradies oder paradiesische Hölle, gibt es einen Ausdruck, wie denn wohl in Rußland eines oder beides verwirklicht ist» (SLP 41). Also wohl gemerkt, nicht ein Formschema wird von außen her übernommen, vielmehr eine Stufe innerer Entwicklung wird erreicht, beschritten: Das Innerste des Künstlers vermag seine ihm gemäße Gestalt zu finden.

Schon in Hamburg auf der Gewerbeschule hatte der Jüngling sich für die Plastik entschieden und war später auf der Dresdener Akademie mit einer silbernen Medaille (1893) ausgezeichnet worden. Es wäre einfacher gewesen, wie zunächst beabsichtigt war, als Zeichenlehrer zu existieren denn als Plastiker. Zwar wurde er schon zwei Jahre nach dem Verlassen der Akademie an einem großen Auftrag beteiligt, an dem Figurenschmuck für das Hamburger und für das Giebelfeld des Altonaer Rathauses. Daneben entstanden Zeichnungen für die «Jugend» und den «Simplizissimus». Auch literarische Niederschriften reißen nicht ab. Aber zum freien

künstlerischen Schaffen blieb wenig Muße. Der Plastiker war
notgedrungen vom Auftrag abhängig und damit vom vorge-
schriebenen Motiv. Es handelte sich doch überwiegend um
irgendein Denkmal, ein öffentliches oder privates, besonde-
res Grabdenkmal. Er fand sich «für Bauplastik nicht geeig-
net» (Brief 1909). Daneben war nur die kleine Keramik bis
herab zum Aschenbecher. Da war es für das äußere Leben
ein Glücksfall, daß Paul Cassirer (1907) einen Vertrag mit
dem Künstler abschloß, der ihm ein zwar bescheidenes, doch
gesichertes Dasein und freies Schaffen ermöglichte, dafür
allerdings außer der Graphik alles Geschaffene, auch das Literarische für sich beanspruchte. Der Berliner Künstlerbund
die «Sezession» nahm gleichzeitig Barlach als Mitglied auf
und zeigte zwei seiner Terrakotten. Weitere Porzellanfiguren
verkaufte Cassirer. Auch die ersten Holzplastiken erstanden
nun. Von 1905 bis 1909 lebte Barlach im Berliner Vorort
Friedenau. Er verabscheute den Rummel und Betrieb des
Kunstlebens, fluchte auf «die Berliner Hetzpeitsche» und
spürte «das Zähneknirschen meiner Absonderungslust»
(1909). Hinzu kam noch etwas ganz Persönliches. Ihm war
im Mai 1906 ein Sohn geboren (Klaus), unehelich. Er prozes-
sierte gegen die Mutter auf Herausgabe des Kindes. Das gelang 1909. Er übergab es seiner alten Mutter (Luise geb. Vol-
lert 1845–1920) und zog selbst zu ihr 1910 nach Güstrow.
Die getreue Albertine Heidbruch sorgte für einen geordneten
Haushalt. Die mecklenburgische Kleinstadt bot ihm genug
zu sehen mit ihren Originalen und den ländlichen Besuchern,
mit ihren gemächlichen Gassen und dem markigen Back-
steindom. Seine Skizzenbücher halten solche Eindrücke fest.
Hier konnte er leben und arbeiten nach seinem Geschmack,
«ungeschoren». Im Halbdunkel eines Pferdestalles auf dem
Hof schlug er seine Werkstatt auf. Hier fühlt er sich hinge-
hörig. Als ihn jemand «einen plattdeutschen Bildhauer
nannte» (8. 8. 11), fühlt er sich «im Moment heftig berührt ...
wie von einer kühnen Wahrheit». Er erläutert dann: «Das
mit dem Plattdeutschen sehe ich so an: Daß es eine naiv-saf-
tige, hartmäulige, allem Menschlichen und Ungelehrten pas-
sende Sprache ist. Ich möchte plastisch wirklich ausdrücken,

was an Elementarem in dem mir von frühester Jugend an bekannten plattdeutschen Menschenschlag steckt». Damit
meint er keine billig humorige Heimatkunst mit ihren Schnur-
ren, wie die Nachahmer von Fritz Reuter, etwa der viel zitier-
te Tarnow, fabrizierten. Nicht naturalistisch die Außenseite
will er wiedergeben, dazu sind ihm die Leute «gegenwärtig
zu verbürgerlicht», «sondern ihr Erbteil an Seele, ihren Gehalt an Mythischem, das reicht in alle Höhen und Tiefen».
Seinem Vetter schreibt er (27. 1. 14): «hier gibt es eine etwas
rückständige aber gesunde Primitivität. Das Landleben gibt
dem Geringsten eine aristokratische Form. Leute, die einsam,
vereinzelt, unmassiert, unsummiert sind, haben schon als Erscheinung etwas Plastisches». Hier vollendete er auch sein
erstes (gedrucktes) Drama, «Der Tote Tag», das er «aus einer
plattdeutschen Eddastimmung herausgeholt» bezeichnet (5.
11. 12).

In der Tat war Barlach Niederdeutscher nicht nur geogra-
phisch durch Geburt und Umwelt seiner Jugend, sondern
auch durch Abstammung von Vater- wie Mutterseite her.
Seine Sippentafel ließ sich bis zum Dreißigjährigen Krieg
herab aufstellen (von Dr. Friedrich Droß in Mecklenburg.
Monatsheften 1934) und zeigt eindeutig die Verwurzelung im
Holsteinischen. Darüber hinaus findet sich in den Matrikeln
der Universität Rostock der Eintrag, daß im Mai 1652 zwei
Brüder «Henricus und Johannes Barlach fratres, Otterndor-
fia Holsati» immatrikuliert wurden (Hofmeister Bd. 3,
S. 170); bereits im November 1585 wurde «Etho Barlagius
Frisius orientalis» eingeschrieben. Diese Namensform weist
deutlich auf einen Ort hin, und tatsächlich gibt es bei Osna-
brück ein Barlage. Auch der berühmte holländische Baumei-
ster Berlage trägt einen analogen Herkunftsnamen. Die
zweite Hälfte ,-lage' ist ein bekanntes altgermanisches Wort
(lagu), das ein stehendes Gewässer bezeichnet und im heutigen «Wasserlache» (= Pfütze) noch gebräuchlich ist. Zur
Namensformung verwendet findet es sich schon zur Völker-
wanderungszeit. Hygelac ist ein berühmter historischer König
der Gauten (gest. 518) in Jütland; er kommt im Beowulfslied
vor. Die Schreibung ,-lach' entspricht der holsteinischen Aus-

sprache. So findet sich auch heute noch (beispielsweise in Flensburg) der Name bei anderen, die nicht zur Sippe von Ernst Barlach gehören. Dagegen wäre es unmöglich, für diese zweite Hälfte des Namens einen Sinn zu finden, wenn man die erste Hälfte mit dem syrischen «Bar» (= Sohn) gleichsetzte. Man hat es tatsächlich getan und daraus eine jüdische Abstammung des Künstlers beweisen wollen. Bereits 1912 heißt es ingrimmig in einem Brief an Piper (5. 11. 12): «Das Neueste, um einen Spaß aufzutischen, ist, daß ich allgemein als russischer Jude gelte. Name, russische Sujets, Berliner Secession ... wie kann man zweifeln? Ich sehe Sie grinsen». Die Beimischung des Verärgerten merkt man der Formulierung deutlich an. Doch zwanzig Jahre später war eine solche Abstempelung schon gefährlich und wurde bald lebensgefährdend.

Inzwischen war Barlach ein bekannter Name geworden. Seit 1917, wo im November Cassirer die erste größere Ausstellung gemacht hatte, waren Kenner und Kritiker auf den neuen eigenwilligen Künstler aufmerksam geworden. Nach Kriegsende machte die neu organisierte Akademie der Künste 1919 ihn zum Mitglied; 1937 erhält er den Rat, freiwillig auszuscheiden. Die eigentliche Zeit seines Ruhmes sind die zwanziger Jahre. Die Ausstellungen vom Februar 1926 in Berlin, dann in Dresden übten tiefe Wirkung. Zehn Jahre später mußten aus der Ausstellung der Akademie in Berlin seine vier Plastiken wie die von Lehmbruck und Käthe Kollwitz entfernt werden. Die Münchener Akademie der Künste hatte ihn 1925 zum Ehrenmitglied gemacht und die Verleihung des Kleistpreises im November 1924 bedeutete auch eine Anerkennung seiner Dramen. Bereits 1912 war das erste mit Lithographien erschienen, der «Tote Tag», und 1918 (am 22. Nov.) wurde es in Leipzig uraufgeführt. Mehr Aufsehen erregte die Uraufführung des zweiten Stückes in den Hamburger Kammerspielen im März 1919, während gleichzeitig die Lithographien dazu herauskamen. Die Buchausgabe vom «Armen Vetter» war schon ein Jahr vorher erschienen. Sogar Berlin setzte sich 1921 für das nächste Stück ein, die «Echten Sedemunds» zugleich mit Hamburg, und unternahm noch mehrmals Versuche mit den weiteren Dramen. Doch Uraufführungen überließ man Mutigeren. Stuttgart brachte die «Sündflut» im Erscheinungsjahr des Buches (1924) und den «Blauen Boll» (1926); Königsberg (1928) den «Findling» (Buch 1922); das Reußische Theater in Gera (1929) das letzte Stück, die «Gute Zeit» (1929 auch die Buchausgabe). Man könnte die Ausstellung in der Berliner Akademie der Künste zur Feier des 60. Geburtstages (Januar-Februar 1930) als den Gipfel des Ruhmes bezeichnen. Rasch folgten Ausstellungen bei Flechtheim und im Folkwangmuseum in Essen, im nächsten Jahr in Hannover.

Zwar vermochten die Bühnen Barlach nirgends durchzusetzen. Selbst der volle Einsatz eines Heinrich George als Blauer Boll (Berlin Dez. 1930) schaffte es nicht. Doch als größter Plastiker der Gegenwart in Deutschland galt Barlach wohl bei den Kunstverständigen, jedoch nicht beim großen Publikum. Gewiß, seine Statuen machten es nicht leicht, ihre Bedeutung zu erfassen und doch legte er es keineswegs bewußt darauf an, den Spießer vor den Kopf zu stoßen. Im Gegenteil hatte er eine Hochachtung vor dem echten Publikum als legitimen Partner des Kunstwerkes. Er freute sich an dem verständnisvollen Betrachter, er wünschte sich ihn im Stillen, ja er brauchte ihn eigentlich. Er hat öfter die fundamentale Situation der Kunst ausgesprochen in der lapidaren Formulierung: «zu jeder Kunst gehören zwei: einer, der sie macht, und einer, der sie braucht», innerlich braucht, aber nicht etwa jemand, der sie beschwätzt, kritisiert oder bestellt und bezahlt. Wie bezeichnend heißt es in einem Brief an Piper (8. 4. 14): «Daß ich arbeite und zu meinem Ziel komme, ist ja eine Sache für sich, aber daß andre, deren Urteil man anerkennt, ihrerseits darin suchen und etwas finden, ist höchst sonderbar. Man fühlt in Augenblicken solcher Erfahrung, daß man doch nicht so ganz ein Ding für sich ist, fühlt sich als Organ am größeren Leben und ist doch mit seinem Egoismus und Bewußtsein so ganz für sich». Wie charakterisiert der Künstler hier sich wie auch sein Werk so überaus treffend! Ein Bedeutungserlebnis gibt den eigentlichen Gehalt, die Substanz, und muß sich übertragen, im Aufnehmen-

den erstehen. Es handelt sich um kein rasch faßliches For-
menspiel und seine Reize. Gegenüber der gängigen formali-
stischen Kunstkritik bekennt er (12. 6. 14): «es kommt ja
garnicht darauf an, ob man ‚gute‘ oder ‚schlechte‘ Sachen
macht, sondern ob mein Wert einen Wert für Andere hat, ob
das Notwendige, das ich fühle, auch ein Notwendiges für
andere ist». Viel später noch (12. 2. 28) findet er, «daß meine
Arbeit überhaupt Menschen bewegt, ... nur möglich zu erklären dadurch, daß ähnliche Gedanken und Fragen, die allein
mich zum Schaffen bringen, in vielen schlummern, so daß
meine Arbeit nichts ist als eine stückweise Erfüllung des Notwendigen». Ein solches das Menschsein deutende Erlebnis
steht in höherem geistigen Zusammenhang, hat letztlich religiöse Bedeutsamkeit. Deshalb kann der Schaffende sich als
Organ des Allumfassenden, also Gottes fühlen. Nicht unkri-
tische Verhimmelung wünscht sich drum der Künstler, sondern eben produktives Mitfühlen. Beglückt schreibt er dem
Jugendfreund Düsel am 25. 4. 25: «es gibt doch Lohntage,
wo man reichlich belohnt wird. Ich gestehe gern, daß ich
immer vom frischen erstaunt bin, wenn meine Arbeit – weniger darüber, daß sie verstanden, sondern daß sie aufgenommen, empfangen wird». Er meint damit, daß das Werk
«selbstverständlich in Klarheit vor Augen steht» (27. 7. 27),
oder «ein Erlebtwerden durch das unmittelbare Gefühl» (10.
1. 31). Denn auch als Schaffender wollte Barlach «ein Grundgefühl absolut und radikal aussprechen», wie er bei Gelegenheit der Uraufführung 1919 des «Armen Vetters» an seinen
Vetter schreibt. Er beteuert, «daß die Sehnsucht in mir lebt,
die einfache Linie meiner Plastik und die Simpelheit des Gefühls in meinen Holzarbeiten zu gewinnen, um das auszusprechen, was ich nur im Drama sagen kann» (13. 8. 21). Als
er sich 1921 doch aufgerafft hatte und an Jeßners Inszenierung seiner «Sedemunds» im Berliner Staatstheater teilnahm,
notiert er als das ihm Wichtigste «das Erlebnis der Gegenwart einer vielköpfigen teils gegen teils für mich erhitzten
Menge» (13. 8. 21). Daß in dem fundamentalen Wechsel verhältnis zwischen den Aufnehmenden und dem Hervorbringer
zugleich eine verwunderliche Widersprüchlichkeit waltet, hat

Barlach einmal sehr treffend analysiert (31. 7. 23). Das echte
Schaffen bringt dem Künstler ein «Selbstvergessen», ein Ver-
sinken des Nur-Persönlichen, des kleinlichen Alltags. Die
dabei «vollzogene Operation» besteht darin, «daß das Ich
sich in die Wesen saugt, ohne sein Wesen zu verlieren; die
Welt in sich, sich in die Welt verwandelt». Aber das ergibt
«eine Unpersönlichkeit, die die Empfangsstation, Publikum,
als Höchstpersönlichkeit empfindet; es sieht, daß sein Selbst
dargelegt ist, es findet seine Sache, und also interessiert es
sich, nimmt auf, begeistert sich und hat doch das Bewußtsein der Fortgerissenheit von einer persönlichen Gewalt, die
es zwingt. Wie in der Liebe gehen Ich und Du ineinander
über». Das allgemeine Gefühl der Verbundenheit, ja ein stellvertretendes Erleiden der Lebenspassion, ähnlich wie schon
im ersten Drama es der zurückgekehrte Vater (Kule) für den
Sohn auf sich nimmt, konkretisiert sich im Einzelfall zur
Verbundenheit mit dem Besteller und dem vorgesehenen
Standort. Das zeigte sich besonders bei den Denkmalsauf-
trägen. Da reist er nach Kiel, nach Hamburg, auch nach
Magdeburg, studiert die örtlichen Verhältnisse und sucht den
Kontakt mit den Auftraggebern. «Man arbeitet ja nicht nur
für sich, aus Freude am Schaffen, sondern auch in Verbindung mit der Vorstellung einer Wirkung am bestimmten
Platze, aus dem Wunsch heraus, daß Ort und Werk ein Ganzes werden möge und daß, was man vermöchte, vor allem
dem Empfänger und Besitzer Freude und Genügen bereite.
Der stille Raum im hiesigen Dom, der Ort nahe dem Altar
in der Nikolaikirche zu Kiel, das Pfeilereck an der Universitätskirche ebenda und andere, nicht zum wenigsten der Denk-
malsplatz in Hamburg, waren mir, indem ich an die Aufgabe
heranging, mit einer Arbeit ihrer Würde zu entsprechen, Helfer am Werk, Förderer und Ansporner» (15. 10. 34). Er
machte dabei zugleich wertvolle menschliche Bekanntschaf-
ten. Hervorgehoben sei der Hamburger große Architekt,
Prof. Fritz Schumacher, der Oberbaudirektor der Stadt und
Anreger des Reliefs am Gefallenendenkmal auf dem Rat-
hausmarkt. Oder der Kunstgelehrte Dr. Karl Georg Heise,
damals Museumsdirektor in Lübeck, der ihm die so reizvolle

Aufgabe stellte, am Giebel der Katharinenkirche zu Lübeck die leeren Nischen mit Statuen zu füllen. Diesen beflügelnden Lebenszusammenhang faßt er noch einmal zusammen in einem Brief an Schumacher (4. 2. 37) in jenem Unglücksjahr 1937, als seine Arbeiten aus den Museen entfernt und er selbst aus der Akademie der Künste «herauskomplimentiert» wird: «Was ist das eigene Erleben – sicher sehr wenig ohne das der Freunde und Nächsten und schließlich der ganzen Welt, insofern man sich ihr zurechnet in weitauslangender Verbundenheit. Sogar die Feinde verdienen oft, daß man ihrer in Sorge gedenkt, da man ja seltsam oft sie nur zu gut versteht, wobei dann wohl Mitleid ein bißchen hochmütig mit unterläuft und oft nichts übrig bleibt, als sich stellvertretend für sie zu schämen».

Im Gegensatz zu solchen Empfindungen steht Barlachs «Neigung zur persönlichen Zurückhaltung», die ihm wohl bewußt ist. Das ist Anlage und inneres Bedürfnis zugleich. Die innere Vereinsamung auch inmitten des Menschengewühles ist ein wichtiges, immer von neuem gemachtes Erlebnis. Es spiegelt sich in den Dramen und wird im Romanfragment «Seespeck» nachdrücklich geschildert und gerade dieser Abschnitt (aus Seespecks Wedeler Tagen) wurde allein veröffentlicht (in den «weißen Blättern» 1920). Seine empfindliche Seele brauchte diese Distanz zu den anderen, seine inneren Gesichte forderten ungestörtes Weben und Wachsen. Er braucht «die ersehnte Arbeitsruhe», vermag nur «Arbeit in der Stille» zu leisten (17. 10. 34). «Die Inanspruchnahme durch Aufmerken und Teilnehmen an den Außendingen... würde mich an manchem hindern, für das ich die Arme freihalte. Diese Fragen des Ausstellens, des Sorgens um eingebildete oder wirkliche Verantwortung gegenüber der Welt, die mich möglicherweise braucht, würde mich, wollte ich sie anerkennen, allzuoft im entscheidenden Augenblicke am Besseren hindern. Ich fühle mich verantwortlich gegenüber Leistungen, nicht in bezug auf Resonanz; ich halte es für nötiger, etwas zu schaffen, als etwas Geschaffenes bekannt zu machen. Meine Gleichgültigkeit, ich sage gern: Pomadigkeit gegen fertige Arbeiten ist grundsätzlich» (26. 4. 26).

«Muße und Ungeschorenheit», darauf, betont er immer wieder, kommt ihm alles an. «Ich bin nicht weit davon ab, überhaupt und gänzlich in einer gewählten und erträglichen Einsamkeit nicht unglücklich, sondern zufrieden, aber ein bißchen – apathisch zu leben. Ich kann arbeiten, mehr wünsche ich mir nicht; mein Leben ist gründlich unbehaglich,ᵖ aber so mag es dabei bleiben» (14. 10. 22). Aber so ganz einfach war solche Einsamkeit auch wieder nicht. Denn Barlach war ja keine in sich harmonisch ruhende Natur. Inneres Ringen mit sich und der Welt, mit Gott und Teufel bildete Stoff und Grund seiner Erlebnisse. Es sind ja eben Bedeutungserlebnisse, die ihn produktiv als Künstler werden lassen. So gesteht er: «Die tiefe Ruhe solcher Einsamkeit ist gewiß ebensooft beglückend wie schmerzlich. Ich entschließe mich leicht, sie, ob beglückend, ob schmerzlich, als segensreich zu berufen. Das alter ego weiß alles meistens am besten, spricht am bittersten und tröstet am süßesten. Ihm kann man alles anvertrauen und ist nie allein» (22. 10. 37). Einen eigentümlichen Ausweg fand Barlach aus diesem Zwiespalt zwischen dem «Absonderungsdrang», dem sich Verbergen und dem Bedürfnis nach Teilnahme. Das sind seine Briefe. Er war ein eifriger, ja pflichtbewußter Korrespondent, aber eben kein regelmäßiger. So entstammen viele dem momentanen Äußerungsdrang und sie geben wirklichen Einblick in sein Inneres, offenbaren seine menschliche Wärme, seine geistige Tiefe.

Das ganze Leben hindurch hielt die Freundschaft mit Friedrich Düsel (1869–1945). Im «Selbsterzählten Leben» schildert Barlach voll Humor den imposanten Eindruck dieses Primaners: «Einem jungen Goethe gleich, uns alle mühelos überstrahlend, siegend durch raschen und regen Geist und... Betonung seiner Persönlichkeit». Barlach hatte wirklich «den Freund gefunden, nach dem ich mich unbewußt lange gesehnt habe», wie er (13. 1. 88) in seiner ersten Antwort schrieb. Er gedenkt dann «so vieler trauriger Stunden, ...wenn ich mich meinen Kameraden fremd fühlte... und sie mich dann stets verkannten». Sofort gesteht er dem Freund seine «Neigung zur Kunst» als das Entscheidende. «Es ist weniger die Malerei als die Bildhauerei, die mich besonders

anzieht, und ich kann mir schmeicheln, zum mindesten nicht
weniger Talent für diese als für jene zu besitzen». Auch das
dritte Talent und Interessengebiet kam zur Sprache und zwar
ganz besonders ausführlich: die Literatur. Denn Düsel hatte
sie ja als Studium und Beruf erkoren. Wie heilsam die Kritik
des Freundes auf seine Dichterei wirkte, schildert Barlach im
«Selbsterzählten Leben»: «Wir schifften mündlich und brieflich zu Werke gehend flott auf die Höhen der Literatur,
schaukelten lustig auf und ab, hegten uns willig in gutmüti-
ger Gegenseitigkeit, und ich durfte mich, alles in allem, be-
glückwünschen zu einer kritischen Vormundschaft, die mir
das Genügen an meinem bisherigen Daherklappern mit Wort
und Reim dergestalt eintränkte, daß ich anfing, meine beste
Kunst als Spiel zu beargwöhnen und überrascht mit der Nase
an die unterste Sprosse einer Leiter stieß, die das bequeme
Schlendern auf platter Erde nicht weiter zuließ. Freilich blieb
ich einstweilen da unten hocken, aber der mir eingegebene
unermeßliche gute Wille, die schicksalhaft mir gehörige Zähigkeit, eine Art Fluch zum Wollen, dem ich untertan bin,
im Verein mit der Länge der Jahre, nötigten mich unerbitt-
lich auf zur zweiten, andern und weiteren Sprosse» (24).
Zwar konnte der «Mann, der Druckerpressen befehligt», den
schriftstellerischen Versuchen Barlachs auch nicht die Wege
ebnen und ihm «das Schloß vom Munde knüpfen» (Herbst
99); aber der Dr. Düsel blieb ihm treuer Beistand, als der
Freund nach Berlin kam (1899–1901) und auch in seiner
Nähe, in Friedenau (1905–09) wohnte. Wertvoll wurde Barlach die bald gemachte Bekanntschaft (1899) mit dem ange-
sehenen Kunstkritiker Karl Scheffler (1869–1951), der später
Paul Cassirer auf ihn aufmerksam machte. Auch trifft er
Reinhard Piper, was dieser ja in seinen Lebenserinnerungen
schildert. Mit ihm blieb er (seit 1906) sein Leben lang, durch
verständnisvolle Anteilnahme und anregungsreiche Buch-
geschenke immer aufs Neue erfreut, in stetem brieflichen
Zusammenhang. Bei dem Aufenthalt in Florenz (1909) ge-
noß er die Gespräche mit dem Kulturkritiker Arthur Moeller
van den Bruck (1876–1925). Von Barlachs Holzplastiken,
denn nur solche arbeitete er sogar in Florenz, schrieb er

einen begeisterten Aufsatz im «Tag» (Berlin). Auch mit dem
Fachkollegen der Villa Romana blieb er in freundschaftli-
chem Zusammenhang, mit Adolf Schinnerer (1876–1949),
der später als Professor an der Münchner Kunstakademie
Barlachs Ernennung zum Ehrenmitglied veranlaßte. Das
eigentümlichste Ereignis war das Auftauchen von Theodor
Däubler (1876–1934) dort. Der bekannte Kopf in Gips
stammt wohl von dem Besuch in Güstrow 1912. Seit 1914
verbindet Barlach eine rasch intensiv werdende Freundschaft
mit seinem Vetter Karl Georg. Der Altersunterschied von
acht Jahren hatte natürlich zunächst sich trennend bemerkbar gemacht, obwohl Ernst und seine Brüder häufig und gern
die Ferien beim Onkel in Neumünster zugebracht hatten.
Jetzt lebte dort nun Karl als Rechtsanwalt und nebenbei
malte er Landschaften und schrieb Erzählungen. «Es gibt
tatsächlich Menschen, die einem nahestehen», schrieb Ernst
Barlach (12. 4. 16), «eine sonderbare Art seelischen Spiegels,
aus dem das Anderssein seiner selbst dich bitter deutlich an-
schaut». So enthalten die zahlreichen Briefe an den Vetter
viele und höchst aufschlußreiche Äußerungen über seine
Werke und Anschauungen. Recht ergiebig erweist sich auch
der Briefwechsel mit seinem etwas jüngeren Bruder Hans
(geb. 11. 7. 1871), der Ingenieur geworden war. Er war 1905
nach Südrußland gegangen, wo Ernst zusammen mit seinem
Bruder Nikolaus ihn 1906 besuchten, und war während des
Weltkrieges interniert. Stark mitgenommen war er 1919 zurückgekehrt und hatte zunächst in Güstrow Aufnahme gefunden. Er fand (seit 1920) in Berlin eine Tätigkeit auf
seinem Spezialgebiet der Wärmetechnik. Die geistige Gemeinsamkeit erlaubt ein unmittelbares Aussprechen des innerlich Bewegenden in Leben, Denken und Schaffen.

In Güstrow lebte Barlach bewußt zurückgezogen. Nur
Friedrich Schult (geb. 1889), der seit 1914 am Gymnasium
dreißig Jahre lang Zeichenlehrer war, wurde näheren Um-
gangs gewürdigt. Eine Gipsbüste formte Barlach schon 1920.
Das Gemeinsame lag auch hier in der Doppelbegabung und
Betätigung sowohl in der Graphik wie in der Dichtung.

In Güstrow vertauschte Barlach endlich im Herbst 1926

das alte düstere Pferdestall-Atelier mit einem neuen: «Der Raum ist sehr hell, fast zu sehr, da ich gewohnt war, nur einseitiges Licht zu haben, so daß also meine Arbeiten jetzt nicht so wirken wie im früheren Raum» (1. 12. 26). Auch beim Werken fand er nun Hilfe durch zwei begeisterte junge Menschen, aus dem Rheinland hierhin verschlagen, ein Bildhauerehepaar. Bernhard A. Böhmer nahm ihm nicht nur die Vorbereitung der Holzblöcke ab, auch deren Beschaffung und was sonst noch zum Betrieb gehörte, so daß er sehr rasch die gesamte, dem Meister so lästige Geschäftsführung versah. Seine wohlmeinende, fixe und gewandte Art findet sich im «Gestohlenen Mond» ja mit so verständnisvollem Humor vom Betroffenen selbst geschildert. Die freudige Aufopferung von Frau Marga verewigt Barlach mit einem prächtigen Schnappschuß in einem Brief an seinen Bruder (2. 6. 29). Es handelt sich um die Herstellung des Magdeburger Denkmals: «Das zweite Stück ist auch schon in der Arbeit, Frau Böhmer hat sich dabei gemacht... und bringt ihre ganze Zähigkeit zur Anwendung, so daß ich sie vor Überarbeitung nur abhalten kann, indem ich meine Finger unter ihren Meißel lege. Heute ist Sonntag, es regnet und wir sitzen im Hause beim warmen Ofen, haben aber doch schon vor und nach Pfingsten eine ganze Reihe warmer Tage gehabt. Dann zogen wir zu Wald mit Proviant und lebten von Luft, Liebe und Mundvorrat bis es Abend wurde... Frau Böhmer schält Spargel und grüßt bestens». Man war in das kleine Haus am Heidberg hinausgezogen und bald erstand daneben das große Atelier. Es war die Zeit der großen Aufträge: Der Entwurf zum Beethovendenkmal (1926 und 1927) mit den Einzelfiguren, die später zum Fries der Lauschenden verwendet wurden. Im Güstrower Dom (1927), an der Universitätskirche in Kiel (1928) und schließlich im Magdeburger Dom (1929) wurden Ehrenmale errichtet; der Entwurf für Hamburg (1928 und 29) wurde nicht gewählt, doch ein Relief an der zur Ausführung bestimmten Stelle in Auftrag gegeben (1932 ausgeführt). Malchin und Stralsund planten Ähnliches und erhielten Skizzen. Das Grabmal für Luise Dumont (1932) und für die Fürstin Reuß in Gera (1931) entstanden. Der große Plan für

Lübeck (seit 1929) fand die ersten Verwirklichungen mit dem Bettler (1930), dem Sänger (1931) und Frau im Wind (1932). War mit den Ausstellungen von 1930 auch Barlachs Ruhm allgemein anerkannt, so begann zugleich doch eine Gegenbewegung sich bemerkbar zu machen. Sie ging von den Kreisen aus, für welche jene Denkmäler als Ehrung der Gefallenen des Ersten Weltkrieges gedacht waren. Über Kiel (der Geistkämpfer) berichtet Barlach (22. 1. 29) «Die Aufnahme der Gruppe ist wie die des Engels im Dom (von Güstrow) frostig und ablehnend. Man hatte zwei Tage vorher sogar das Schwert abgebogen in der Nacht; alle Rechtsparteien ziehen gegen mich vom Leder. Jede Art Dummheit wird laut und mit Behagen austrompetet. Schlimmer ist die Hetze gegen mich von Seiten der vaterländischen Vereine, speziell Stahlhelm hier. Meine Entwürfe für ein Ehrenmal in Malchin sind dadurch zu Fall gebracht, daß man mich als Jude denunzierte, als auch daß man behauptet, ich hätte das kommunistische Volksbegehren gegen den Panzerkreuzer unterschrieben... Der Stahlhelm ist zahlreich, also quantitativ übermächtig und seine Hetze greift polypenartig weit im Lande herum. Die Direktiven geschehen vertraulich, niemand wills gewesen sein!» In der breiten Öffentlichkeit gab es um das Magdeburger Denkmal einen allgemeinen Entrüstungssturm. Das schien Defaitismus, Verhöhnung der nationalen Ehre «entartete Kunst». Gleich 1933 stellte der Kirchenrat der Magdeburger Domgemeinde den Antrag auf Entfernung des Werkes, das 1934 der Nationalgalerie in Berlin überwiesen und dort nach längerem Zeigen magaziniert wurde. Noch stand ja im Kronprinzenpalais die große Fassung der Lesenden Mönche. Das Kieler und das Güstrower Denkmal wurden 1937 abgebrochen. Im Sommer dieses Jahres wurden sämtliche Werke Barlachs aus den Beständen der öffentlichen Sammlungen entfernt. Auf der Ausstellung «Entartete Kunst» (Juli 1937 in München) wurde auch «Das Wiedersehen» gezeigt. Dieses Werk war bereits 1935 aus dem Landesmuseum in Schwerin entfernt worden. Denn der Reichsstatthalter war enttäuscht, daß sein Wunsch, Barlach möge nun zeitgerecht «nordische» Gestalten statt der «ostischen» schaffen, nicht

beachtet wurde, ja Barlach einen nicht eben undeutlichen
Brief an ihn sandte mit der Frage, «welche Rechte ich als
Künstler denn noch im Lande habe und... um Schutz gegen
gewisse Vorkommnisse» bat (25. 11. 34). Eine rechte Freude
war es dem so Bedrängten, als im Sommer 1934 Hermann F.
Reemtsma ihn besuchte und ihm den Auftrag gab, im Anschluß an die drei Statuen zu einem Beethovendenkmal für
sein Musikzimmer diese und weitere zu liefern. So erstand
der «Fries der Lauschenden». Die letzte Figur, der Blinde,
wurde schon 1935 vollendet. Aber die Figuren blieben im
Atelier und waren ein Trost für den Schöpfer. Nicht die
äußeren Bedrohungen, die inneren Bedrängnisse waren das
Schwerste. «Ich wehre mich gegen Verbitterung und Eingehen in die Bereiche der Bösartigkeit, die ja solche der gänz-
lichen Unnützlichkeit sind», schreibt er noch im Todesjahr
(21. 3. 38) an den Bruder. Ebenso menschlich tief ist seine
Ablehnung der Emigration (23. 10. 37): «Ich gehe gewiß
nicht außer Landes ... Ich sehe draußen kein Heil für mich,
selbst bei Erfolg ... Man kann zur Flucht genötigt sein, aber
man kann nur schaudernd erwägen, daß man in der Fremde
sich selbst entfremdet wird – oder in Heimatlosigkeit vergeht». Abschließend heißt es: «man wählt immer gemäß dem
unerforschlichen Wollen». Alles was an innerer Not in ihm
fraß, verkörperte sich in seiner letzten Holzplastik «Der
Zweifler» (1937). Ein Aufenthalt im Harz (ab Dezember
1937) brachte keine Besserung. Im September 1938 erfolgte
der Zusammenbruch, am 24. Oktober verschied er in der
Privatklinik von Prof. Ganther in Rostock. In der Güstrower
Werkstatt veranstalteten die Freunde am 27. Oktober eine
Trauerfeier. Beerdigt wurde Ernst Barlach nach seiner Ver-
fügung am 28. Oktober 1938 in Ratzeburg, wo er eine fröh-
liche Kindheit genossen hatte.

ZWEITES KAPITEL

Weltanschauung

Jegliches ‚Erlebnis‘ als produktiver Anstoß zum Schaffen deutet auf eine Spannung im Innern des Menschen hin. Handelt es sich wie bei Barlach gar stets um Bedeutungserlebnisse, so muß eine geistige Spannung zugrunde liegen als dauernde Quelle. Sie liefert die Inhalte dieser Erlebnisse und wird sich deshalb aus den Werken erschließen lassen. Scheinen die Plastiken zunächst rätselhaft, so besitzen wir doch in den literarischen Formulierungen den eigentlichen Ansatz. Hinzu kommen die zahlreichen Aussagen der Briefe zur Erläuterung und Ergänzung. Besonders aufschlußreich sind die Dramen und sie ergreifen uns ja grade durch ihren geistigen Gehalt. Kein philosophisches System wollen sie uns aufnötigen, keine neumodische Moral oder Unmoral propagieren. Aber eine geschlossene geistige Persönlichkeit ringt darin um Deutung des Weltwirrwesens, um Erkenntnis des Rätsels Mensch. Dieses Ringen um Erkenntnis beschreibt der Dichter einmal im «Gestohlenen Mond»: er «tauchte unter bis zur Atemlosigkeit in Meerweiten der Erkenntnistiefen vom Beweisbaren und Unbeweisbaren». Er ruhte nicht aus «auf dem Kissen der Selbstgerechtigkeit», sondern zog es vor, «in eigener Nacktheit entblößt vor den eigenen Augen dazustehen, weil er dann wenigstens das Eine gewinnt, das Wissen vom Verlaß auf die zugleich unbeträchtlichsten wie imposantesten der Erkenntnisse, nämlich der eigenen Eigenheit». Nicht seelisch Interessantes, sondern geistig Entscheidendes vermögen uns daher auch die Dramen zu künden von einer Tiefe und Wesentlichkeit, die in der heutigen dramatischen Literatur nicht ihresgleichen findet. Jedes Stück trägt in eigener Weise dazu bei, daß sich eine innerlich geschlossene geistige Welt uns enthüllt, die eine Sinndeutung der Wirklichkeit darstellt. Diese nicht intellektuell konstruierte, nein, eingeborene Einheitlichkeit dessen, was man als ‚Weltanschauung‘ zu benennen pflegt, entspringt der Wurzelechtheit von Barlachs Persönlichkeit. Jedes einzelne Problem, jede einzelne Antwort entstammt dem tragenden Fundament seiner geistigen Existenz.

Und dieser geistigen Grundspannung Barlachs werden wir unmittelbar ansichtig in einem der berühmtesten Werke, in den «Lesenden Mönchen» (1933). Mit Recht hatte die Sammlung der modernen Kunst im Berliner Kronprinzenpalais grade diese Gruppe in vergrößerter Fassung als repräsentativ herausgestellt. Da ist einmal die Doppelheit der beiden Köpfe und ihre Bezogenheit auf das Buch. Dieses ruht in breiter Schwere auf beider Knien. Es besteht also eine Spannung zwischen Mönchen und Buch, eine Polarität zwischen Mensch und Bibel oder Wort Gottes. Das ist jedoch kein ausschließender Gegensatz, vielmehr eine Bezogenheit, denn das Buch aber auch die Köpfe gehören zum Ganzen der Gruppe. Die Schwere der Gewänder unterstützt die Zusammengerücktheit der Körper und schließt alles mit ungemeiner Wucht zu einer Ganzheit zusammen. Es gibt eine ganze Serie von Statuen und Vorzeichnungen mit diesem Motiv. In ihnen allen schwingt dasselbe Grunderlebnis einer polaren Spannung zwischen Ich und Gott.

Die Größe und Schwere des Buches ist eben nicht lediglich visuell gemeint, auch seelisch empfunden. Barlach hat keinen Hehl daraus gemacht, daß er kein Kirchenchrist war. Als er in Güstrow versehentlich ein Rundschreiben vom Gemeindekirchenrat erhielt, weshalb er sich am kirchlichen Leben nicht beteilige, antwortete er Pastor Schwarzkopff als einziger von etwa 180 Befragten ganz eindeutig: «Zunächst geht mir das verpflichtende Empfinden für Kirche und Gemeinschaft nicht aus Gründen, sondern von Natur her ab. ...Ein Bekenntnis zu miteinander verbundenen, ein Ganzes ausmachenden, ein System begründenden Glaubensartikeln kann von mir nicht erbracht werden». Auch ist «die christliche Heilslehre mir eine immer geringer werdende Notwendigkeit seelischen Besitzes». Doch folgt daraus keine atheistische Abwendung. Vielmehr «was man als Kind und junger Mann inbrünstig gefühlt, behält einen Gemütswert». Barlach fühlt eine «Ehrfurcht gegenüber der inneren und äußeren Gestaltgebung jeder der großen Weltreligionen», und fühlt sich «äußerlich heimisch unter der mir von den Eltern angewiesenen, gewohnt gewordenen Kirchenkuppel, freilich... als Namenschrist» (3. 12. 32). So konnte er doch die Gestalt des «lehrenden Christus» (1931, Ton, P. 42) und das Modell zum «Gekreuzigten» (1916, Bronze 1931 in der Elisabethkirche zu Marburg, P. 43) schaffen.

Was sagt nicht alles die Gruppe «Das Widersehen» des Erstandenen mit dem Jünger aus! Am ergreifendsten aber zeugt die Lithographie Christus im Gebet am Ölberg von tiefem Nachfühlen.

Dem Wort und Begriff ,Gott' gegenüber mahnt Barlach zur Bescheidenheit, ja Vorsicht und gesteht Pastor Zimmermann (12. 2. 33), «daß ich mich scheue seit langem, von ,Gott' zu reden, obgleich das Wort immer wieder plötzlich da ist». So formuliert er im gleichen Brief auch seine Grundüberzeugung: «Ohne den ,göttlichen Funken' kein Mensch». Wir begegnen hier also einer Grundposition: zwischen dem Pol Mensch und dem Pol Gott besteht eine echte Beziehung, kreist der Strom des eigentlichen Erlebens; eine echte, lebendige, innerliche Religiosität.

Im «selbsterzählten Leben» weist er darauf hin: sein Großvater wäre ja Pastor gewesen, und er selbst war ein «gewiß nicht scheinfrommer Jüngling». «In voller Lauterkeit wandelte ich auf dem Pfade eines kreuzbraven Pietismus» (SLP. 29), wie er ihn in der «Sündflut» dem Noah beilegt. Ja, mehr noch: «Ich hatte schon als Kind das Glück des Einklanges in überpersönliches Sein geahnt.» Auch der reife Meister noch besitzt wahrhaft persönliches Gotterleben. Aber seine «Gläubigkeit» trägt er in sich, «das Bedürfnis nach Zweifeln und Prüfungen ihrer selbst». «Sie bedurfte es, zeitweilig gänzlich in Frage gestellt zu werden, um sich auch dann als echt und recht bestätigt zu sehen» (Mond 30). Seine Gläubigkeit... hat nichts mit Glaube zu tun». Sie ist unmittelbar, aber auch fern aller theosophischen Spekulation oder theologischer Theorie. Deswegen wird er immer wieder als ,Mystiker' bezeichnet. Doch trifft diese Abstempelung ihn nicht, leitet unser Verstehen vielmehr irre. Die Struktur seines Gotterlebens ist gerade anders geartet. Wie sie beschaffen ist, können wir aus einem seiner ergreifendsten Bildwerke ablesen, aus der einzigartigen Figur des Beters (1925). Welch

heilige Stille strömt diese stumpfsepiabraune Statue aus und
umfängt uns wie die dämmerige Weite einer hohen gotischen
Halle. Überwältigt von der Gnaden Überlast, neigt der Kopf
sich leicht nach hinten; hingenommen vom Einstrom des
Göttlichen, läßt er sich ganz hinabschlingen in die tiefsten
Kammern des Heiligtums. In höchster Intensität hinein, in
uns hinein, führt der geheimnisvolle Pfad. Was die Skulptur
als fertigen Zustand verkörpert, legt das Drama in Worten
auseinander. Es ist das nicht etwa «Hilarion, ein christlicher
Asket» im «Graf von Ratzeburg». Er «sitzt in der Sonne»
und meditiert (VI, 1). Gegenüber Moses, dem rastlos Suchenden betont er: ich, «behage mich meines Sitzens. Und sitzend
besitze ich das versteinte Wort deines Suchens» (VI, 2). Das
ist äußerlich wie innerlich eine prinzipielle andere Haltung
und Einstellung wie die Statue des Knieenden sie zeigt. Ganz
die gleiche Hingenommenheit erfüllt dagegen den «regungslos stehenden, in sich versunkenen Beter» im «Schlußspiel»
des «Findlings», und diese Szene bietet uns die authentische
Deutung der Holzfigur. Wir erinnern uns an Barlachs Selbst-
berichte, wenn wir dieser im Stück sonst nicht vorkommen-
den Gestalt nun begegnen. Mitten im Gewühl der nach Erlösung suchenden Menschen steht der Beter, regungslos und
völlig entrückt da. Als ihn einer fragend anstößt, entgegnet
er (314): «Armer Freund, mußt du mich auch arm machen?
Ich war drauf und dran, im Wohl zu ertrinken und nun rettest
du mich in die gemeine Gewöhnlichkeit?» Es ist das ewig-alte
Erlebnis des Menschen, daß er nicht bei Gott zu bleiben vermag, daß der Alltag ihn neidisch zurückreißt auf die graue
Erde. «Und euch taugt einzig Tag und Nacht», so drückt es
ja Mephisto aus. Wie war nun der Inhalt des Erlebnisses:
«ich fing da an, womit das Ende abschließt; ich merkte was
davon, worauf es bei allem hinausläuft» –. Keine theosophischen Lehrsätze, ein seelischer Zustand voll geistiger Ahnun-
gen. Als der Alte ihn an der Gurgel packt und den Verstum-
menden zum Reden zwingen will, da macht er sich mit ein-
fach-großer Handbewegung frei, «als schöbe er alles bei
Seite». Es läßt sich das nicht sagen: «Kein Anfang, Freund,
und kein Ende – es geht nicht mit Worten zu (tippt sich auf

den Mund), es fängt mit Stillschweigen an. Die Zunge ist dabei das Allerüberflüssigste, und was am letzten gilt – es läßt sich nicht sagen, hinter der Zunge und hinter den Worten fängt es an». Diese ganze Erlebnisweise entspricht offensichtlich ganz jener von Barlach bei sich selbst beobachteten Art. Aber ‚mystisch' darf man sie nicht nennen; im Gegenteil! Die Berichte unserer großen Mystiker sind klar genug, um einen grundsätzlichen Unterschied von Barlach erkennen zu lassen. Bereits die Bewegung der Seele nimmt ganz entgegengesetzte Richtung. Wie der Pfeiler eines gotischen Domes schoß die Hingebung der Seele eines Meister Eckart empor, um sich wie jener, in dem Rippensystem der Decke, voll ahnungsvoller Spekulation in der Herrlichkeit Gottes zu verbreiten. Doch Barlach bleibt auf, ja an der Erde, hingekauert auch in der Stunde der Gnade. Der Mensch kann nicht aus sich heraus, zu Gott; dieser vielmehr muß zu ihm sich neigen. So strömt dem Harrenden die Erleuchtung ein, wie in einen versiegten Brunnen. Die innere Bewegung verläuft also in direkt entgegengesetzter Richtung zur mystischen. Kein Hinaufschießen der Seele, die alle Hüllen und Gewichte der Ichheit abwarf, sondern eine überwältigende Herabkunft. Übermannt, nicht erhoben, sinkt der Getroffene zusammen, gepackt von übermächtiger Last. Dies ist magische Art. Am ausführlichsten wird im «Gestohlenen Mond» (59) diese Art des Erlebens geschildert. «Das Vorkommnis, das ihn im nächsten Augenblick überwältigte und für kurze fast nicht meßbare Weile aus allen seinen Grenzen vertrieb... war ein unmotivierter Überfall aus unbefahrenen und ungekannten Fernen auf seine ganz unvorbereitete Ahnungslosigkeit, ob Belehrung aus jenen Fernen oder umgekehrt momentane Entrücktheit, also Ausbruch seines Selbst in sie hinein, in eine angrenzende Nachbarschaft, mit deren Kenntnis er bisher verschont oder die ihm bisher gar vorenthalten gewesen – er wußte es nicht – nur fand er sich... schwer atmend in der seinem Tisch gegenüber liegenden Ecke..., ohne sich erinnern zu können, daß er aufgesprungen und aus welchem Grunde er die sechs oder sieben Schritte irgendwohin zu tun sich genötigt gefühlt». Weiter wird von «dieser gewalttätig

pressenden Vision» noch ausgesagt: «Es war wie ein Schuß
gewesen, so heftig und auch so durchschlagend» (61). Was
da «vorbeigefahren», «das Bild, der Träger dieser ihn aus den
Bezirken seines bisherigen Erlebens scheuchenden Erfahrung
überfüllte großmächtig, wie es vor den Augen gestanden, mit
wilder Gewalt sein ganzes Wesen. Er hatte gesehen und dann
war der geteilte Vorhang zwischen dem Bild und den Augen
zugeschlagen, und als Rest blieb ein gnadenloses Erkennen
jener Größe und seiner Kleinheit, besser vom Einssein des
Ganzen mit den Teilen» (59). Auch Awah in der «Sündflut»
(351) überkommt die göttliche Gegenwart dergestalt, daß es
sie wie ein Blitz trifft und niederwirft: «Awah kommt mit
einem Krug, steht nicht weit von Calan entfernt still, läßt den
Krug fallen, schlägt die Hände vors Gesicht». Wie auf eine
Beute stürzt sich das Göttliche hier auf den Menschen, den
es braucht, um sich zu manifestieren, um Stimme zu erlan-
gen. Dagegen muß das Ich vom Mystiker durch Askese su-
blimiert und verflüchtigt werden, damit es sich im Augenblick der Gnade fast schwerelos emporziehen läßt, und ver-
strömt im Meer des Göttlichen. Nun schwingt es eingegangen
in den göttlichen Kosmos, als zugehörig erblickt es die hehre
Zentralsonne alles Seins, wird begnadet zur Schau, zur Intui-
tion. Auf den magischen Beter bei Barlach dagegen stößt die
offenbarende Stimme berab, bringt ihm die Inspiration. Des
Magiers Macht beruht in der Begabung, das Göttliche herbei-
zurufen, ja herabzuzwingen. In Barlachs «Sündflut» endet
auf diese Weise Calans Kampf um Gott. Schließlich nämlich
offenbart sich der Herr dem von ihm Geschlagenen und Ge-
straften, der doch nicht von seinem Ringen um ihn lassen
wollte.

Aber Barlachs eigene Erlebnisweise ist nicht so willens-
mäßiger Art, zeigt mehr demütiges Warten, harrende Bereitschaft, hat noch besondere Struktur. Im Brief (23. 4. 16)
teilt er ergänzend mit: «daß ich teils von Erschütterungen
teils von sanfteren Regungen heimgesucht wurde, die ich
nicht anders ansehen kann als Berührung durch ein Lebens-
geheimnis im Unbewußten, das seine Spuren in Form von
(nicht Ekstase, nicht Beglückung, es läßt sich nicht bezeich-

nen) ins Bewußtsein warf». Energisch lehnt er eine Erklärung nach Freudscher Art ab. Er fühlt sich «versucht, sie als den Augenblick einer geistigen Geburt zu bezeichnen». Jedenfalls war es «das Tiefste und Mächtigste..., was mir beschieden gewesen. Auf ihm beruht meine Menschlichkeit, das ist meine Wurzel, aus der bei mir der Drang nach dem Höchsten entspringt.» In der Sündflut überträgt er ihn auf Sem. «Gott ist nicht überall und Gott ist auch nicht alles, wie Vater Noah sagt. Er verbirgt sich hinter Allem, und in Allem sind schmale Spalten, durch die er scheint, scheint und blitzt. Ganz dünne feine Spalten, so dünn, daß man sie nie wiederfindet, wenn man nur einmal den Kopf wendet... Ich seh' ihn oft durch die Spalten, aber es ist so seltsam geschwind, daß es klafft und wieder keine Fuge zu finden ist.» Ganz entsprechend berichtet Barlach in seinem «Selbsterzählten Leben» immer wieder von solchen entscheidenden Augenblikken, wo ihn die hinter den Dingen liegende göttliche Wirklichkeit jäh traf und doch so vertraut berührte, wie «das Zwinkern eines wohlbekannten Auges durch den Spalt des maigrünen Buchenblätterhimmels». Das ist die Stimme des verborgenen Vaters, nach welcher der Sohn seines ersten Dramas schon aushorcht; und ihm wird bezeichnenderweise geraten, nicht nur ein Wandhorcher zu bleiben, sondern ein «Belaurer» zu werden, der durch ein Guckloch sieht, wie der Vater ist. Sich bereit halten, das kann und soll der Mensch, doch, daß ein Ritz sich öffnet, wird ihm geschenkt, ist Gnade. Der damit sich verbindende Gefühlszustand verkörpert sich in der Plastik «die Vision» (1912). Hingenommen liegt unten die gekrümmte Gestalt. Gewaltig darüber schwebt Gott. In schwere Tuchhülle ist er gewandet, die ihm fischähnliche Gedrungenheit gibt, zumal die Bewegung wie ein horizontales Gleiten gelenkt wird. Immer wieder findet sich diese Gestaltung, nicht zuletzt auch in der Holzschnittfolge «Die Wandlungen Gottes» (1922). Offenbar handelt es sich hier um ein ganz persönliches und grundlegendes Erlebnis Barlachs. Dieser gewaltig und lastend über den Menschen schwebende Gott und der unter ihm gebannt liegende Erdensohn verkörpern das Gefühl unüberbrückbarer Polarität, aber auch unent-

rinnbarer Bindung beider, ganz entsprechend der Haltung
lutherischer Frömmigkeit, aus welcher Barlach ja herkommt.
Damit schreiten wir von der Struktur des Gotterlebens
weiter zu dessen Inhalt. Solche Erlebnisweise bewahrt Barlach davor, in vorlauter Vertraulichkeit Einzelheiten über
Gott aussagen zu wollen oder sich in intellektualistischer
Überheblichkeit ein «System» zusammenzuspintisieren. Zu
echt und intensiv erlebt er Gott, um zu gestehen, daß wir mit
unsern Mitteln nichts über ihn zu sagen vermögen. Gott
bleibt uns gegenüber der Ewig-andere! «Ich schäme mich,
von Gott zu sprechen», bekennt der Hirt, der durch sein un-
verschuldetes Unglück zu ihm fand; «auch sonst sprach ich
nie von ihm. Das Wort ist zu groß für meinen Mund. Ich
begreife, daß er nicht zu begreifen ist; das ist all mein Wissen
von ihm». Calan gibt ihm Recht, «ich bin auch nur durch
Noah zum Plappern über Gott gekommen. Es ist dasselbe,
wie wenn die Würmer in meinen Eingeweiden sagen wollten,
Calan muß Fleisch essen, sonst geschieht uns unrecht und
er sei verflucht» (Sündflut 93). In einem Brief (28. 7. 29)
betont Barlach nachdrücklich: «ich begreife wie der Hirt (in
der ‚Sündflut'), der für mich persönlich ein Wörtlein in den
Gottesüberschwall hinein spricht, begriffen hat. Man redet
am besten nicht davon...» In dem Fragment «Dichterglaube»
(1931 EB. Ges. 1950 S. 14 f.) heißt es: «Die Gläubigkeit
meines Wesens möchte um alles Heiligen willen von Befra-
gung verschont bleiben. Sie ist sich ihrer selbst kaum bewußt
und viel zu stolz... es darauf ankommen zu lassen, daß man
sie zu etwas Worthaftem nötigt, mit dem sie ihre nackte Unfaßbarkeit in scheinbare Verständlichkeit kleiden müßte, um
es an notdürftiger Vernünftigkeit nicht fehlen zu lassen». Es
handelt sich eben nicht um phantastische Einbildungen, vielmehr um das Paradox, daß sich «die menschliche Unzulänglichkeit eines zulänglichen Übermenschlichen bewußt ist,
das sie benamst: Die Ausströmung des ewig unbekannten
Gottes, dessen, was eben nicht menschenmäßig ist und darum
nicht von Menschen erfaßbar». An seinen Vetter schreibt er:
«Nimmt man den Begriff (Gott) so hoch, so weit, so tief er
es verlangt, so bringt man die Lippen nicht voneinander,

nimmt man es häufig auf die Zunge, so macht man daraus
ein Backpflaumenmus» (27. 9. 16). Im Drama führt Noah
Gott zwar im Herzen, aber auch ständig predigend und
belehrend im Munde. Seine Formulierungen sind hübsch
brauchbar und runde Scheidemünze. Der gute Vater sorgt
durch allerhand nützliche Einrichtungen und freundliche
Gaben für die braven unter seinen Kindern; die bösen aber
bestraft er. «Betet zu Gott, so befällt euch kein Aussatz; dient
ihm, so behaltet ihr eure Hände; fürchtet ihn, so bleibt ihr
verschont; liebt ihn». So lautet sein Katechismus. Seine naive
Selbstgerechtigkeit meint, die anderen «sind es nicht wert, zu
leben, Awah; wir allein sind es, du mit uns». Das Gefühl der
Auserwähltheit führt ihn zu schmalbrüstigem Quietismus;
alles wird vom «lieben» Gott erwartet; was man braucht, soll
er dem Frommen in den Schoß werfen. Für Gott zu streiten
gegen die Schandtaten der Mächtigen auf Erden, fällt ihm
nicht ein. Darum kommt zwar Gott zu ihm, um ihm zu helfen, doch unter menschlicher Gestalt, und zwar als Bettler,
und Noah erkennt ihn nicht. Awah dagegen schaut ihn als
die Begnadete: «Die Welt ist winziger als Nichts, und Gott
ist Alles – ich sehe nichts als Gott». Und der alte Bettler bestätigt ausdrücklich: «Glaub' ihr, Noah, sie hat Gott gesehen». Awah hält sich die Ohren zu: «Gott ist die große Stille,
ich höre Gott» – «Alles Gott, alles Gott», darin faßt sich ihr
Erlebnis zusammen. Dennoch enthält es nur die eine Hälfte,
die extensive Seite. Dies kommt Noah nahe, der am farbigen
Abglanz den Unendlichen erlebt in der Fülle und Breite der
Erscheinungen. Als Widerspruch und Ergänzung tritt Calans
Erkenntnis hinzu. Seiner Augen beraubt, stürzt er in die un-
ergründliche Tiefe, entdeckt er die Unendlichkeit des Intensiven. «Die Welt ist groß und Gott ist winziger als Nichts –
ein Pünktchen, ein Glimmen; und alles fängt in ihm an, und
alles hört in ihm auf. Er ist ohne Gestalt und Stimme. Nur
Glut ist Gott, ein glimmendes Fünkchen, und alles entstürzt
ihm, und alles kehrt in den Abgrund seiner Glut zurück. Er
schafft und wird vom Geschaffenen neu geschaffen». Darüber entsetzt sich Noah, der die statische Auffassung vertritt
von Gott, dem unwandelbaren von Ewigkeit zu Ewigkeit,

während Calan eine dynamische Gottesvorstellung bezeugt:
«Auch ich fahre dahin, woraus ich hervorgestürzt, auch an
mir wächst Gott und wandelt sich weiter mit mir zu Neuem –
wie schön ist es, Noah, daß auch ich keine Gestalt mehr bin
und nur noch Glut und Abgrund in Gott – schon sinke ich
ihm zu – Er ist ich geworden und ich Er – Er mit meiner
Niedrigkeit, ich mit seiner Herrlichkeit – ein einziges Eins»
(Sündfl. 383).

Wer von beiden, wird man fragen, hat nun recht und vertritt des Dichters eigenen Standpunkt? Völlig keiner von beiden. In den Stücken läßt Barlach den Herrn vielmehr jedem
in der Gestalt erscheinen, die seiner Art gemäß ist und
seinem Fassungsvermögen entspricht. Zu Noah kommt er als
Bettler, dem Blauen Boll begegnet er als Patron der aposto-
lischen Sektierer. Im Brief heißt es: «Übrigens gönne ich
jedem das Recht, die Begriffe des Höchsten seinem selbstigen
Entsprechen anzugleichen. Wie auch ich tue» (28. 7. 29).
Etwas weniger freundlich: «man sagt ‚Gott‘, und jedermanns
Belieben macht sich daran» (18. 10. 32). «Mein Gott, da
haben wir die Bescherung, er ist meine Vorstellung, mein
Spiegel-Idealbild» (Tagebuch 12. 6. 16, EB. Ges. 1953 S. 24).
«Der eine gebiert eine hohe, der andere eine schäbige Deutung der Dinge», heißt es ein andermal (4. 2. 30). Und weiter
«Die Noahs brauchen einen Gottvater Jehova, der ihr Geschöpf ebenso ist wie sie seins. Ein Stück Wahrheit und immerhin eine großartige Gestalt» (4. 2. 30). Milder räumt er
ein: «Da man einmal was für die Sinne der Seele braucht, so
wirds ein Gottvater. Man spiegelt sich selbst in einem All-
gut-Spiegel»..., so wird's «ein Onkel, ein Gevatter, ein beque-
mer Herr, der den ganzen Jammertrödel ansieht und, was
schlimmer ist, ansehen mag» (12. 6. 16 Tagebuch, EB. Ges.
1953 S. 23). An Pastor Schwarzkopff schreibt er (3. 12. 32):
«In meiner Sündflut habe ich dem Bibelgott ja wohl nach
Vermögen das Letzte an Größe gegeben (ich weiß ‚gegeben‘
ist eine Art Lästerung), aber es ist vor meinem Gewissen
doch der Gott –, wie ihn die Menschen als das Erhabenste zu
sehen vermögen; weil sie sehen, sich vergegenwärtigen müssen, den sie so und nicht anders zu erkennen vermeinen».

Stets liegt hinter Barlachs ironisierender Darstellung doch
eine tiefe Meinung, wenn er religiöses Pharisäertum schildert;
denn immer werden sie in ihren handgreiflichen Gottesvor-
stellungen erschüttert. So sehen wir zunächst Frau Boll in der
resoluten Überheblichkeit des ehrenhaften Durchschnittsmenschen. Sie handelt mit Gott nach dem Gesichtspunkt
«Gottes Gedanken sind wie meine Gedanken». Mit naiver
Unverschämtheit behauptet sie zunächst (387): «Dazu versteh ich den lieben Gott viel zu gut, als wollt er wohl was
anderes mit mir im Sinn haben, wie ich einsehen kann». Die
Erlebnisse aber sind stärker als diese Selbstsicherheit, fragen-
des Zweifeln bezeichnet den Anfang innerer Bewegung und
eigenen Wachsens: «Ich versteh beinah den lieben Gott nicht
mehr, denn was könnte er wohl mit uns im Sinn haben, da
er's offenbar anders meint als wir» (432). Ganz verstört muß
sie schließlich bekennen (449): «Nein, ich kann den lieben
Gott wirklich nicht mehr verstehen». Prachtvoll beobachtet
sind die Sektierertypen mit dem Bewußtsein der Erwähltheit
und der Überlegenheit: der engbrüstige, bucklige Uhrmacher
Virgin, der, offenbar dem Noah verwandt, die Lehren des
«Herrn» vom steten Werden getreulich nachspricht; dazu
jene, die, aus dem Bibelstündchen kommend, unsanft von
Elias charakterisiert und entlarvt werden. Mit ironischem
Lächeln wird im «Armen Vetter» beim Kaffee der Disput
der drei Jünglinge und ihre atheistischen Argumente geschildert und die saftige Abfuhr des «Beweises» vom derb-mate-
rialistischen Schiffer Bolz durch Griewank. All diese Fälle
sollten davor warnen, unsere menschlichen Gottesvorstellun-
gen als Erkenntnisse seines Wesens aufzufassen. «Alles Sprechen über ‚Gott' ist Arbeit mit einem ungeeigneten Werkzeug,
dem verstandesmäßig geordneten Wort», heißt es im Brief
(4. 2. 30). Gott webt in allen Welterscheinungen, ist allem
Leben immanent. Dazu braucht er seine Geschöpfe, auch die
Menschen, sogar jeden Einzelnen. Polarität treibt Gott und
Mensch unverbrüchlich zueinander. Gott will wohl nicht
ohne sein Geschöpf, dieses kann schlechterdings nimmer
ohne ihn sein. «Ich empfinde», schreibt er (8. 2. 21), «seit je
und immer mehr, die Einheit von Schöpfer und Geschaffe-

nem; das Gewordene ist die andere Gestalt des Schöpfers, seine Phasen, sein Spiegelbild; der Augenblick ein verwandeltes Stück Ewigkeit». Ja, er geht gelegentlich noch weiter: «und schließlich sind Schöpfer und Geschöpf eins. Des Geschöpfs Minderwertigkeit macht den Schöpfer leiden, es gibt nur *einen* Schuldigen – Gott. Aber das Treiben in uns ist Gottes Treiben – Mühen, Sehnen, Kämpfen, Hoffen, Erbauen, Jauchzen, Wüten – selbst» (20. 5. 16). Noch zum «Goethe Tag» 1932 (EB. Ges. 1950 S. 13) kleidet er dieselbe Überzeugung in die rhetorische Frage: «ob denn nicht grade Schöpfer und Kreatur in einem das herrlichste Ganze bilde». Die Überheblichkeit, daß der Teil das Ganze beeinflussen könne, wird im «Gestohlenen Mond» (105) nachdrücklich abgelehnt. Aber die Überzeugung bleibt, «daß wir alle gleichen Urgrunds sind» (18. 10. 32), ein «Splitterstrahl der geistigen Zentralsonne» (EB. Ges. 1953 S. 25). «Gott stößt mich von sich ab, spritzt mich von sich wie ein kosmischer Gasball seine Tropfen in den Raum schleudert, aber immer anzieht und am Ende in sich reißt» (Tagebuch 12. 6. 16, ebd.). Aber der Mensch erkennt seine eigentliche Wurzel nicht; «sonderbar ist nur», so schließt der «Tote Tag», «daß der Mensch nicht lernen will, daß sein Vater Gott ist». Drum braucht es der Boten, die, durch Leid wissen, ihm diesen Adelsbrief der Sohnschaft bringen. Barlach ruft es in seinen Werken immer wieder den dumpf Dösenden in die trägen Ohren: «Alle haben ihr bestes Blut von einem unsichtbaren Vater» (Toter Tag 95). Unbegreiflich wird uns stets diese Tatsache bleiben, wie sie die Engel mit leise wunderndem Tone andeuten, daß Gott dieses aus Erde erschaffene Ebenbild mehr liebt «als uns alle, die aus Licht und Kraft und Glut geboren sind».

Liebe wird hier das Mysterium genannt, dem Welt und Menschen ihren Ursprung verdanken. Auch im Menschen ist die Liebe die unbegreifliche, schöpferische, wahrhaft göttliche Kraft. In der «Sündflut» handelt aus ihr Chus, der Calan aus Liebe und freier Hingabe dient, nicht als gezwungener Sklave. Dies eben kann Calan, der Machtmensch, nicht nachfühlen, drum vermag er Gottes Wesen nicht zu erahnen. Gewiß verdient seine Ablehnung der Nützlichkeitsgründe in Noahs Gottesliebe all unsere Achtung und Zustimmung. «Gaben und Gnaden? Und er melkt mich wie ich die geraubten Kamele; er macht Käse aus meiner Knechtschaft, Labe aus meinem Lob, Butter aus meinem Dank.» Er reserviert Gott eine vorwiegend negative Achtung als dem Übermächtigen, der sich um den winzigen Erdenwurm nicht kümmert. «Kann ich mich zu ihm erheben, der erhaben ist, da ich es nicht bin? Wenn er ist, so weiß er nicht von mir, und ich gönne ihm seine Gebiete, nur soll er mich in meiner Wüste und meinen Zelten für mich leben lassen». Gegenüber dieser trotzigen Gottentfremdung sucht der Herr ihm darauf nicht durch Lehre das Wunder seiner Gnade und Liebe zu «erklären», sondern die Handlung führt eben die Tatsache des Chus und seiner «unnützen» Anhänglichkeit vor Augen. Die Liebe also schlägt die Brücke über den Abgrund der beiden Pole. Gott streckt die Hand entgegen dem Menschen und überwindet so dessen Gefühl der Nichtigkeit. Gott sucht auch Calan, und schon blitzt in diesem der Gedanke auf, daß der Sohn von der Art des Vaters sein müßte: «frei, wie er, Herr wie er, gerecht und gut wie er». Damit leuchtet das Ideal auf für den Menschensohn, der aus der Fülle göttlicher Kraft lebt und wirkt. Weit aber bleibt der Abstand von diesem Ziel, ja er vertieft sich zur tragischen Polarität wegen Unzulänglichkeit: «Und ist doch unser Tun umsonst auch in dem besten Leben. Vor dir sich niemand rühmen kann...» Gott seinerseits findet die Menschen abtrünnig und verfallen. Sie verdienen nicht, seine Geschöpfe zu heißen; sie sind nimmer, wie sie sein sollen. Sie wollen, was Gott nicht will; sie denken nicht, was der Herr ihnen zu denken verleiht: «Es reut mich, daß ich sie gemacht habe». Fehlgeraten, verpfuscht sind sie, haben sich entartet!

Nicht Gott darf die Schuld dafür in die Schuhe geschoben werden. Das ist der Grundstein, auf welchem Barlach seine ‚Theodice‘ baut. Seine Deutung des *Bösen* auf Erden hält sich fern von allem bequemen Quietismus in Noahs Art und fragt dagegen: «Was hat Gott mit dem Bösen zu tun, nicht er ist Schöpfer des Bösen – soll es besser werden, so mögen

4

sie sehen, woher sie es bekommen haben» (361). Solche Aus-
kunft ist Noah allerdings unbequem. Denn es ist ja so viel
einfacher, alles was da ist, als von Gott zugelassen, ja gesandt,
also gewollt, zu betrachten: «Gott ist auch der Herr des Bösen, er kann es knechten und aus Widerstand Gehorsam machen... Gott kann das Böse verderben, er kann es auch ver-
bessern.» Mit solch billigem Abschieben aller Verantwortlichkeit vom Menschen stellt sich Noah sachlich auf dieselbe
Linie mit dem geiferndem Aussätzigen: Gott sei für alles
Schlechte verantwortlich und sein Werk eine Stümperei:
«Wie kann eine Welt taugen, wenn nur ein einziger in ihr
verdammt ist und verdirbt! ...verflucht ist der Gott, der die
Guten gut und die Bösen böse gemacht hat! ...Ich habe Ekel
vor ihm, nicht vor mir, wie ich sonst dachte: vor ihm, der an
mir schuld ist» (Sündflut 353). Aber Gott schüttelt diese
Giftkröte ab von seinem Mantel: «Sie sind aus falschem Sa-
men entquollen, nicht meine Kinder, nicht meine. In überfließender Liebe ausgeströmt und als frecher Haß geboren,
Bastarde, Bastarde, Bastarde» (Sündflut 336). Die Steigerung
von Gut und Böse zu einem absoluten göttlichen Dualismus
von Gott und Teufel wird also abgelehnt, nur in die Sphäre
des Kreatürlichen gehört diese Polarität. Damit schwächt sich
jedoch ihre Wucht nicht ab, vielmehr steigert sie sich. Denn
auf Gott läßt sie sich nun nicht mehr abwälzen: mag der
Mensch selbst zuschauen, woher sie kommt. So taucht auf
einer anderen Ebene eine neue, gegensätzliche Polarität auf,
voll tragischer Spannung für den Menschen. Selbst die Beru-
fenen, von Gott Begnadeten, dürfen nicht wie Noah beruhigt
sagen: «Wir sind, Calan, so will uns Gott erhalten – wie Gott
will, denke ich, so gut sind wir, nicht besser und nicht böser».
Denn Calan findet darauf die richtige Widerlegung: «auch
ich, wie ich bin, so bin ich geschaffen, und nun sage mir,
Noah, wer hat meiner Beschaffenheit befohlen, sich wie Aussatz unheilbar an mich zu setzen, wer, wenn nicht Gott?»
(Sündflut 366). Nein, nicht von Gott kommt das Böse, sonst
wäre Calans Folgerung unentrinnbar: «Er sagt, das Gute
kommt aus Gottes Güte und das Böse kommt aus Gottes Bosheit – wenn Gott nur gut wäre und nichts als gut, so wäre

auch Gottes Bosheit nicht böse und alles Böse wäre gut»
(Sündflut 361). Im Brief heißt es (4. 2. 30): «Offenbar ist
‚böse' eine menschliche Einteilung wie ‚gut'. Der Mensch,
praktisch lebend, hilft sich mit Kategorien, und so lange er
Mensch ist, braucht er sie, ist ihren Konsequenzen verpflich-
tet». Aber das Übel ist keine Spielerei. Eine gewaltige Macht
ist es, doch welche eigentlich und wo kommt sie her? Die Engel verraten das Geheimnis (335): «Erde ist ein schlimmer
Stoff für Dein Schaffen, es liegt ein Wolfssame in ihr, die
Erde durchdringt den Menschen mit ihrem Wesen, sie nährt
ihn mit wölfischer Milch». Das Verderben zeugt sich ständig
fort. «Was die Kinder aus den Müttern saugen, bricht wie
feurige Wut aus ihren Augen». Rings tönt das «Gebell des
Bösen gegen das Gute». Auch in die neue Welt wird es hin-
übergerettet, eben durch die Söhne Noahs und seine eigene
Lässigkeit. Gott warnt ihn, noch schlummere es in der Stimme der fetten Zebid, einst werde es erwachen und schrecklich
bellen. Noah hofft dagegen, daß Gott das Herz der frechen
Heidin bessern wird, ihr um der andern willen verzeiht. Er
verstößt dabei gegen den von Gott geforderten Gehorsam:
«Vermische dich nicht mit den Gottlosen; wer mit Bösen
haust, dessen Zelte blähen sich vom Schlechten wie schwangere Bäuche!» Auf die Frage, ob Zebid etwas dafür kann,
daß sie so geworden ist, geht er nicht ein. Er warnt nur, die
Gottlosen beieinander zu lassen, und empfiehlt, Japhet zu
Gehorsam und Ehrbarkeit anzuhalten. Da gerade zeigt Noah
sich schwach. Das Söhnlein sei gut, es könne «nicht anders
aus lauter gutem Herzen. Japhet ohne Frau – da gibt's kein
Anhalten – was kann Japhets gutes Herz dafür, daß es eine
gottlose Frau verlangt? Gott hat ihm sein Herz gegeben»
(360). Nicht eindringlicher und ironischer konnte der Dichter
die Schlaffheit unserer Zeit gegenüber aller ethischen Energie
abmalen als in dieser humanitären Selbstzufriedenheit. Der
Mensch entartet und erschlafft dabei. Noah hat Schuld, nicht
Gott, daß dem unschuldigen Hirten die Hände abgeschlagen
werden. Er getraut sich nicht, gegen den mächtigen Calan
anzugehen, und zieht sich auf Gott zurück, der es hindern
soll. All diese Auserwählten haben eben nur «ein fingerlan-

ges Vertrauen» zum Herrn, er ist ihnen nicht ihre Rüstung,
nicht ihr Fels.

Der Mensch also hat den Kampf zu führen gegen das Böse
auf der Welt. Dieses wird als Tatsache von Barlach männlich gewertet. Alles Gerede, woher es kommt, ob es nichts
für sein Vorhandensein könne, verschleiert nicht die große
Gefahr, die seine Existenz bedeutet. Nachdrücklich wird am
Schicksal des Aussätzigen wie Calans die Auffassung von
dem eifernden, rächenden Gott widerlegt, der den einzelnen
Bösewicht mit der Rute bestraft. Bitter heißt es in den «Echten Sedemunds»: «Der Böse wird belohnt, weil er böse sein
mußte, der Gute muß büßen, daß er gut war». Mögen die
Guten wirken gegen das Unheil, es dämmen und bekämpfen.
Aber schließlich geht es an den eigenen Folgen zu Ende, bereitet den Untergang sich selbst. Sind gut und böse nicht letztlich Begriffe, die sich auf das Verhalten im Leben beziehen?
So mahnt Wau im «Gestohlenen Mond» (90): «Besinnen wir
uns darauf, daß wir nichts für uns sind, immer nur das Gute
oder Böse für jemand anders, wie er für uns». Nicht in die
theologische Spekulation, sondern in das Gebiet der ethischen Entscheidung gehört das Problem. Aber da wird es
nicht verniedlicht, sondern höchst ernst genommen.

Aktiv ist die Ethik Barlachs, ein Ruf zur produktiven Gestaltung, zum Ringen und Durchsetzen. Selbstbezwingung
kennt der Künstler, der um sein Werk ringt; er weiß und erlebt fortdauernd, daß Askese keine Phrase, kein verdienstli-
ches Tun ist, sondern pure Lebensnotwendigkeit für den
Schaffenden. Entscheidungen darf man nicht fliehen und
kompromißlich umgehen, kein «außen-herum», sondern mit-
ten-durch! So löst sich Fräulein Isenbarn von dem unwürdi-
gen Verlobten und dient ihrem «hohen Herrn», ihrem eigenen hohen Sinn getreu, ja, sie dient ihm gleichsam wie eine
Nonne: «ihr Kloster ist die Welt, ihr Leben – als Gleichnis»
(Armer Vetter 183).

Mit Neid schauen Menschen, die wie Calan oder der alte
Sedemund zum Bewußtsein ihrer Verworfenheit gekommen,
zu den ‚guten' hinüber. Wie eine Naturanlage betrachten sie
solchen Seelenzustand als Geschenk, für das der Betroffene

nichts könne. Noah erkennt seine bessere Art voll Dankbarkeit, die zwar den philistrigen Anstrich des Mannes nicht aufhebt, aber doch nichts vom Pharisäertum besitzt. Für Barlach ist der alttestamentliche Patriarch weder religiös noch ethisch ein Vorbild. Wie Luther weiß er, geläutert durch das Erleben eines wahrhaft produktiven Künstlertums, daß alle Berufung kein Haben, sondern schwerste Aufgabe und Forderung ist. Beides gehört eben zusammen: Wollen und Werken des Menschen, das keine Mühe klein kriegen kann, und die göttliche Gnade, die endlich die Erfüllung gütig schenkt. Zu folgen muß der Mensch bereit sein voll Demut und in absolutem Vertrauen: «Was dem Gotte beliebt, müssen die Menschen lieben». Denn Gott, der ja nicht der rächende Richter, noch der eifernde Gesetzgeber ist, sondern der gnädige Vater, der ewige Spender, Gott gibt aus Liebe Menschen wie Tieren das Maß für Ihr Müssen, sie brauchen nur zu folgen. «Ich muß mich dem Geheiß eines Sollens fügen, das mich in jedem einzelnen Fall bestimmt», das ist das Fundament des «Dichterglaubens» von Barlach (1931, EB. Ges. 1950 S. 15).

Aber eben um dieses Folgen geht das ganze innere Kämpfen und Ringen. Zwar, «es hat Menschen gegeben und wird wieder welche geben, die mit dem Hauch ihres Mundes sprechen können zu einem Gott: Vater! Und dürfen den Ton in ihren Ohren hören: Sohn!» Gewiß ist ein Mensch nie ein Gott, aber «manche haben doch Götterwesen an sich» (Toter Tag 35). Manchmal steigt uns bei solchen Gedanken wohl die verzweifelte Empfindung hoch, «man muß sie totschlagen, daß der Gott in ihnen nicht vorher zuschanden wird». Schreckliche Wahrheit kennen wir, das Verkommen von manchem, der berufen schien. Wie der Sohn in jenem Drama fühlen wir uns auf der Wanderschaft nach der Heimat, «Vater, könnte ich nur deine Stimme hören. Nur von deiner Hand erfaßt werden, deine Hand fühlen, denn vor dir bin ich klein, wie ein spielendes Kind in der weiten Welt allein. Ich wollte an deiner Hand fühlen, daß du es bist und fröhlich Vertrauen haben» (89). So geht er im Nebel und ruft sehnsüchtig nach dem Vater. «O, er muß meine Mühe sehen

in dunkler Einsamkeit, er muß mir Hilfe senden» (89)...
Doch nur in Gedanken ist er beim Vater und lächelt lustselig.
«Seine Seele schwingt wie im Sonnenlicht, und doch denkt er
nur an ihn!» Er hört die Sonne sausen überm Nebel. Aber
auch aus der Erde dröhnt ihm ein dumpfer Glockenton: er
hört das große Herz der Erde hämmern. In tragischem Dualismus reißen die Echos von oben und von unten sich um sein
Ohr, zerreißen ihn. «Kann ein Vater so lange schweigen und
seines Sohnes Not kennen? Mutter ließe es keine Ruhe...»
Da ruft der andere in ihm «Mutter» und er muß zurück in
den Herddämmer der Hütte. Er ist ein Träumer, «seine Seele
dunstet Sehnsucht, sie schafft keine Taten» (85): «ein Horcher zum Vater, das wäre ein jammerseliger Sohn» (87). Aber
er sollte ein Guckloch hineinbohren in die Wand, die ihn vom
Vater trennt. «Das solltest du tun, daß du siehst, wie dein
Vater ist».

«Ich soll wohl, aber ich kann schlecht», das ist das tragische Motto, das über dem Ringen der Barlachschen Helden
steht. Nicht selbstherrlich steht der Mensch da in freier Wahl,
der «unterscheidet, wählet und richtet», wie es unser klassischer Idealismus empfand. Vom Erdhaften wird er umker-
kert, das Erbe des Fleisches hält ihn im Tale fest. «Ich sah
am Menschen das Verdammte, gleichsam Verhexte, aber
auch das Ur-Wesenhafte», heißt es im Brief (8. 8. 11) und
ich «sehe mit einer... hellseherischen Unerbittlichkeit im
Menschen die Hälfte von etwas anderem» (6. 10. 20).

Unvergeßlich prägt uns Barlachs Umschlagbild zum «Toten Tag» seine Auffassung vom Menschen ein. Hingekauert
hockt dieser Jüngling am Boden, dessen haltende Macht er
nicht zu überwinden vermag. Schwer lastet der halb erhobene Oberkörper auf den Armen, die ihn wohl stützen, doch
nicht emporschnellen können. Krampfhaft falten sich die
Hände zum Gebet, während der Blick in bittender Sehnsucht
gen Himmel ruft. Nicht einmal die Arme vermag er dabei,
wie die griechische Bronze, emporzuheben; all die schweren
Falten laufen bei den Händen lastend zusammen, als hielten
sie sie auf der Erde gefangen. «Was ihr wollt, das könnt ihr
nicht; was ihr müßt, das wollt ihr nicht», wirft der «Teufel»

Elias den Menschen vor. Er ist nicht bange vor sich selbst,
ist ganz, was er muß. Mit der Macht des Beharrens, der Ver-
steinerung, der Statik ringt dagegen der zwiespältige Mensch
verzweifelt, um seine himmlische Bestimmung zu erfüllen.
«Man ahnt das Bessere, Vornehmere... man spürt die Sehnsucht über sich hinaus» (12. 4. 16). «Zum Werden verhilft
einzig bereit sein in ehrlicher Unerschrockenheit» (18. 10.
32).

«Als letzter Halt bleibt die Überzeugung von dem Werden
seiner selbst als Mensch» (12. 2. 33). Alle wichtigen Figuren
in Barlachs Dramen sind verstrickt in Ererbtes oder Gewohn-
tes, worin sie wie in ein heimtückisches Moor zu versacken in
Gefahr sind. Der Sohn ist in den Herddämmer der Mutter
hineingeboren, Boll in seine Gutsbesitzersart, die Sedemunds
in die kleinstädtische Bürgerlichkeit mit ihrer Reputation,
Fräulein Isenbarn ist befangen in den konventionellen Vorstellungen von Verlobung und Ehe, Celestine in solchen über
ihre Ehepflichten; und Calan ist besessen von der Vergötzung
brutaler Macht. Heinrich Graf von Ratzeburg ist «Herr und
Haber, Haber und Heger... Walter und Behalter», er ist besessen von seinem Besitz». Aber als er nächtens von einem
Köter angekläfft wird, «da geschah es mir, daß meine Seele
in sein Gebell einstimmte – es heulte was in mir und es war
schaurig zu wissen, daß dies meiner Seele höhnendes Heulen
über mich war». Das ist das Grundthema aller Dramen. Wie
gegen diese Umklammerung sich der Kern im Menschen
wehrt, bei den einen verdorrt, bei den andern sie sprengt, das
gibt die eigentliche Handlung der Dramen und kennzeichnet
ihre Tragik. Schmerzensreich ist die Geburt des neuen Menschen aus dem Geiste. «Leiden und kämpfen sind die Organe
des Werdens»; aber «Werden, das ist die Losung», und «alle
sind auf gleichen Wegen des Werdens und laufen dem Besseren zu». «Immer voran, immer was Frisches, immer mehr
ins Freie!» (Boll 417). «Der Mensch wird, nicht ist, ... unser
Sein ist nichts als eine Quelle, aber unser Leben ein Strom
des Werdens; und kein Ziel, immer neues Werden», so daß
wir immerfort in die unermeßliche Großartigkeit hinein-
wachsen. Als in dem köstlichen Gespräch vor der Spelunke

der biedere Schuster über solche Äußerungen des Herrn erschrickt und meint, «dann erkennen wir uns ja schließlich selbst nicht wieder», antwortet ihm dieser: «Ist das schade? Wollen Sie ewig Holtfreter sein – lohnt sich das? Aber lohnen tut es sich, so zu werden, daß Sie sich schämen müssen, Holtfreter gewesen zu sein» (418). Es ist des Angelus Silesius Ruf: Mensch, werde wesentlich, der als kategorischer Imperativ des Geistes von Barlach gelehrt wird. Nicht bei quietistischem Zuwarten oder egoistischem Selbstgenuß des Erreichten beginnt inneres Wachstum, sondern durch Übernahme voller Verantwortung, durch Sorgen und Schaffen für andere. Das Gegenstück zur problematischen Natur des Sohnes, dem alle Mutterliebe nur einen toten Tag und das Verkümmern in der Hütte bereiten konnte, bildet der Durchbruch des Werdens bei Boll. Leitmotivähnlich taucht immer wieder die Formulierung auf «Boll muß bald so, bald so», als Zeichen seiner Zwiespältigkeit, des Gegeneinanders des erdhaften Muß und des göttlichen Soll. Den Abschluß der Geburt des Wesens bezeichnen die Schlußworte: «Boll muß? Also – will ich.» Nicht durch fremden Eingriff ist solch Resultat zu erreichen; es muß organisch wachsen: «Boll wird durch Boll», «Boll muß Boll gebären». Auch die Etappen werden genau bezeichnet: «Boll hat mit Boll gerungen; Boll hat Boll gerichtet; und er, der andere, der neue, hat sich behauptet» (455).

Wie ein ferner Hauch weht es zunächst den Menschen an, wie ein Odem aus Gottes Mund. «Die Luft hat's in sich, die Luft holt's her, die Luft gibt's heraus», ist Bolls stereotype Redensart. – Durch Fräulein Isenbarn wird dieser Auftakt zu ihrer inneren Entwicklung genauer beschrieben: «Mir kommt es vor, ... als ob es in meine Seele aus vielen Weiten zusammenströmte, als ob etwas Glänzendes, Mächtiges, das sich verloren hatte, sich wieder heranfindet, als ob ganz altes Fremdes wieder ganz jung bekannt wird. Wirklich, als ob man auferstünde!» (Armer Vetter 100). «Heute fühle ich die Möglichkeit von dem Anderen, dem Besseren» (108). Das ist eben keine moralische Überlegung, sondern eine den Menschen plötzlich überfallende Notwendigkeit: «Ich werde aber

nicht gefragt, ob ich will» (101). Wie ein Blitz trifft die Inspiration den Menschen und spaltet ihn mit jähem Schlag, so
daß sein Kern Luft bekommt. Unter der Kraft des Keimes
zerbirst das Alltagsich wie ein Samenkorn: «Mich hat etwas
aufgeschnitten diese Minute und ich sah mich selbst durchs
klaffende Eingeweide – ich mich, ich mich, das ist noch immer einer den anderen, einer, der's tut, und einer, dem's geschieht; wo aber ist der wahre Eine, wo klafft's so tief, daß
da der Einzige steckt, der nichts mehr von sich weiß; wo ist
das Vergessen zu finden? Ich hab's in mir und kann's doch
nicht; ich bin im Wege, weil ich bin, und wo das Sein aufhört,
fängt das Vergessen an» (Findling 312). Aus der Gefangen-
schaft im Alltags-Ich verlangt es den Menschen heraus nach
seinem eigentlichen göttlichen Selbst: Das ist die allgemeine
Not! «Der Rechte ist der Andere», sagt der Alte im «Findling» (313), «der Andere? Das bin ich und alle nicht, den
such ich». Aber schon dieses rüttelnde Gefühl: «wie ist unser
Wesen verweht und verkrümmt», ist das erste Regen der Geburt, der Ansatz zum Werden; dies selber aber ist qualvolles
Ringen: «je mehr ich Boll ableugne, um so bloßer steh ich da,
nackt und bloß, selbst das Hemd fängt an, mir verdächtig zu
werden» (408).

Das *Gewissen,* das man ja lange Zeit als Rudiment erstor-
bener Moraltradition wegzuerklären sich bemüht hat, wird
von Barlach wieder als metaphysische Tatsache erlebt. Wie
ein Löwe überfällt es jählings den Menschen. Nicht als Mo-
ralprediger wird es natürlich gemeint, sondern als Erschauern
unter dem Bewußtsein der Erstarrung, des Verstricktseins im
Herkömmlichen, des Verkommens im Materiellen. Die «Sedemunds» haben dies zum eigentlichen Thema. Grude kleidet
es folgendermaßen ein (221): «Hast du die Liebe des Löwen
in dir, des guten Löwen, dem der Wüstenlöwe bloß die Majestät nachäfft, gegen den ein lebendiger Löwe bloß ein Affe
ist, also des guten, wahren, einzigen, dann... sperrt er seinen
Rachen in deinem Innern auf und frißt dich mit Haut und
Haar und macht dich zum Teil seiner Majestät. Ohne Löwen
... ist man lieb- und leb- und lustlos.» An anderer Stelle (191)
heißt es: «Wir haben alle einen unhörbar brüllenden Löwen

hinterm Rücken. Das ist noch das Beste an uns, daß uns jemand in Majestät fangen und fressen will – daß wir's verdienen!» «Man bekommt ordentlich Respekt vor sich selbst, daß man einen so brillanten Brüller aus der wüsten Weite hinter sich weiß, der unser Bein und bißchen Seele überschlucken will und darob vor Freude brüllt». «Darum bin ich erst: Ich, ... weil die Majestät die Freude daran hat, mich zu fressen.» «Wir sind eben immer zwei; der Löwe hinter mir ist auch ein Stück von mir, eine Art eigentliches Ich» (192). Übersetzen wir diese Bildersprache, die bei aller Anschaulichkeit doch zunächst auch recht hieroglyphenhaft anmutet in begriffliche Formeln, so ist die dualistische Spannung eben gemeint zwischen der Forderung vom Geiste her, die uns ruft und mahnt, unser wesenhaftes Selbst zu verwirklichen, und unserem seelischen Bestand, der sich gehen läßt, ja an die materiellen Zwecke und Genüsse verliert. Den Durchschnittsmenschen überfällt statt der göttlichen Majestät nur der «Affenlöwe», auch genannt «Kafferngewissen» (221). Das verwandelt den Menschen nicht zum Gottessohn, der freier Herr der Welt ist und kein Sklave mehr; es «beißt wohl, aber der gute Löwe verwandelt dich als Fraß in sich», sagt der junge Sedemund zu seinem Vater über dessen Gewissensqual. Im Geständnis befreit sich der Gequälte von seiner Last. Das ist gleichsam die Feuerlohe, die hoch aufschlägt, wenn das Alte, Erstarrte verbrennt. Das «Kafferngewissen» erschöpft sich in dieser reinigenden Arbeit. Es kommt aber darauf an, ob nun, wo die Schale gesprengt ist, auch der Keim lebendig sich zu regen und zu entfalten beginnt. Bei solchem «Durchbruch eines anderen, neuen» wird dem Schiff gleichsam ein neuer Kompaß eingesetzt (1913, EB. Ges. 1951 S. 53 f).

Getroffen von der Verächtlichkeit seines Ich, tobt Siebenmark vergeblich dagegen: er kann nicht aus sich heraus. Und doch sagt Iver von ihm: «er wird jede Minute anständiger – er kocht langsam, ganz leise, unspürbar, in X-Millionen Jahren ist er da, wo das Wort «nobel» wie ein Veilchen riecht; fast geruchlos noch – aber er zertrampelt es wenigstens nicht – er hat Zeit» (152). Die Durchgeistigung des Menschen wird immer wieder als wachstümliches Reifen gezeichnet, als ob

der Seelenstoff unter dem Einfluß der göttlichen Sonnenstrahlen umgebildet, neu organisiert wird. Den «Blauen Boll»
interpretierend betont Barlach «die Vorstellung des Geschehens, des ‚Werdens', das als dunkle Gewalt schaltend und gestaltend im Hintergrunde der Vorgänge gedacht ist» (26.9.26).

Aber den Menschen schüttelt das Bewußtsein seiner Unzulänglichkeit bis zum Entschluß des Armen Vetters, dieses
verpfuschte Kleid abzustreifen. Auch Boll zweifelt, ob die
Neugeburt in diesem Leben möglich ist. Er richtet sich und
sieht seine Kläglichkeit. Aber der Sprung vom Kirchturm
wird als Ausweg entlarvt. Die Hoffnung, in einem nächsten
Leben es besser zu treffen, enthält noch eine Drückerei vor
der hier verlangten Lösung unserer Aufgabe. Diese bliebe
wohl dieselbe und die Hoffnung auf leichtere Umstände ist
feige (455). Auf den Boll kommt es an, der «über dem alten
steht und über ihn hinaus zum Anfang strebt, der das Enden
verwirft und verbietet». Die Neugeburt in einer nächsten
Wiedereinkörperung wäre nur eine Fortsetzung auf der alten
Ebene. Wahre Wiedergeburt gibt das Erstehen auf höherer
Ebene, Auferstehung im Reiche des Geistes. «Werden vollzieht sich unzeitig und Weile ist nur blöder Schein». Aber
«zum Werden verhilft einzig bereit sein», heißt es im Brief
(18. 10. 32). Auf die rechtzeitige Bereitschaft des Menschen
kommt alles an. Wau im «Gestohlenen Mond» beschreibt
das: «es kam immer auf den Anstoß, ein Signal, den Aus-
klang der Stunde an, daß alles neu und anders wurde – und
wurde es doch immer nur im Auftrag der innewohnenden
Nötigung und als Regung der rechtzeitig eintretenden Bereitschaft» (41 f.).

Für den im Materiellen gefangenen Menschen ist der Tod
eine «Falle, die heimtückisch mit geölten Gelenken und
scharfen Kiefern nach unserem Fleisch und Bein schnappt»
(Boll 392). Jählings sitzen wir drin, und das Ende ist da, das
Ende voll Schrecken. Im Brief (1. 6. 21) heißt es: «Das Grab
ist mir ein gräulicher Ort, will ich gestehen; alle mühsam zu-
sammengeklaubte Philosophie fällt mir manchmal (nicht
etwa bloß beim ‚Grabe') wie ein Kartenhaus ein, und das
bohrende warum und wozu fällt von Frischem ohne Maul-

korb und mit höllisch blanken Zähnen über mich her». Aber
es gibt auch einen Tod als Antrieb zu neuem Werden. Wie
einen Keim zu besserem Sein kann der Mensch wohl am un-
befriedigten Abschluß noch seinen Willen hineinlegen. «Ich
danke dir, Gott», schließt der Arme Vetter seine Rechnung
(174), «daß du alles von mir losmachst. Es gibt bloß noch
hinauf, hinüber, trotz sich – über sich». Der junge Sedemund
schildert das Sterben seiner Mutter (212): «Mutter starb
schwer, sieh mal, ich mag das leichte Sterben nicht (derer, die
in der Materie sich wohl fühlen), obgleich es bitter ist, zu
sterben wie Mutter; aber nobel war es, weißt du, warum? Zoll
für Zoll trat sie hinüber, es verbrannte alles an ihr – schon
hier; sie wollte als durchsichtige Seele drüben neu werden.»
«Könnte man nicht sagen, sie starb einen freiwilligen Feuer-
tod, ging durch ein selbstentfachtes Fegefeuer ins Jenseits»,
gesteht der Alte ihm zu (Sed. 216). Das ist gleichsam das sedi-
mentäre Werden des Menschen; «wir haben Zeit... in der
Hauptsache, da pfuschen wir nicht; da lassen wir's langsam
in uns kochen» (Armer Vetter 152). Barlachs Einstellung
zum Tod drückt wohl am ehesten Wau im Gestohlenen
Mond aus: «Er war des Todes ständig gewärtig und nahm
sein Nahen oder wie jetzt seinen überraschenden Überfall
hin. Nicht eben gleichmütig, nicht ohne Erstarren seines Innern... Aber im tiefsten wußte er, daß es so recht war». Das
Todeserlebnis «senkte und vertiefte» «bis ins Glühen einer
Offenbarheit» «sein Wissen vom Notwendigen und Verhäng-
ten und von der Unerbittlichkeit» des selbst grausam Vollbrachten (146).

Religiöses Vertrauen als der tragende Grund hält all diese
Äußerungen zusammen. Wir legen uns durch unsere ethische
Entscheidung «den Zaum» an und geben die Zügel ver-
trauensvoll in Gottes Hand. Ein starkes Schicksalsgefühl beseelt Barlach, und auch in seinem Leben glaubt er, die len-
kende Hand des Höchsten zu spüren. Schon dem Knaben
wurde «eine Tür geöffnet, und ein sanfter Schub ermunterte
... einzutreten in ein Werkstübchen», nämlich Vögel zu kneten, die Entdeckung der Begabung und Lust zum plastischen
Formen (SL P 21), und «ein hilfreicher Zufall» wies den

Jüngling mit einem «bündigen Fingerweis» auf die Hamburger Kunstschule (SL P 24). Auch fürderhin fühlt sich Barlach «immer wieder vom scheuchenden Pochen eines Fingers aus irgendwelcher dunklen Verborgenheit gestört» und weiter gewiesen (SL P 22). So heißt es im Briefe: «Wenn man so wie ich im Augenblick die Maschinerie des Schicksals knarren höre, so spitze ich die Ohren und laß die Dinge an mich herankommen» (25. 1. 22). «Eine Gläubigkeit gegenüber dem Schicksal, grundlos wie sie zu Zeiten sein mag, ist ein Glück, das mir von Zeit zu Zeit doch immer wieder zufällt; oft bleibt davon nur eine Spur zurück in Form eines trotzigen Fatalismus. Da will ich dann den Sinn und die Güte des Geschehens keineswegs erkennen und versteife mich in Hohn und Lästerung. Aber sie kommt doch immer wieder und ganz hübsch wie selbstverständlich und nicht als Folge von Spekulation» (9. 2. 24). Er weiß, es kann «ein Unbegreifliches greifbar deutlich werden beim Rückschauen und Überblicken der Zusammenhänge» (6. 9. 29). «Man ist doch kein Spielball, und es kommt, indem man sich dem Zufall anscheinend überläßt, doch immer Übereinstimmung: Zusammenhang zu Tage» (25. 4. 25). So bekennt er denn einmal ganz offen: «Solche Sachen geschehen ganz ohne mein Zutun, schicksalhaft und just rechtzeitig; man dürfte, ohne zu lästern, von Fügung sprechen» (27. 12. 30).

So dankbar Barlach solche Wendungen und Hilfen anerkennt, er nimmt sie nicht wie Noah passiv hin. Er verlangt vom Menschen, daß er aktiv dementsprechend arbeitet. Nicht ein Geschick ist zu erdulden, sondern sein eigenes Schicksal hat jeder zu vollenden. Arbeit bedeutet das und Ringen, aber auch Gnade: «Wir werden erfüllt werden, aber nicht mit gefundenem Fressen, nein, mit geschöpftem Schicksal» (Findling 300). Also kein paradiesisches Schleckerdasein, sondern «Duldung und Erfüllung des schöpferischen Zweckes», bis zum Letzten, bis nach Golgatha und ans Kreuz. Mannhafte Gesinnung herrscht in solchen Menschen, die im Vertrauen auf den Vater unerschütterlich ihren Weg gehen, «Geist als Gewissen um sich und in sich». Frau Grude vernimmt die Lehre, die der Gekreuzigte verkörpert; «jeder Geborene wird

einmal ans Kreuz geschlagen. Darum bringe deinen Sohn so
auf den Weg, daß er in der grausamsten Stunde hinaufschaut
und über der Welt schwebt» (Sed 240). Nicht in unserer Will-
kür steht das Schicksal; und doch ist es auch keine nur von
außen uns befallende Macht, wie eine ungeahnte Krankheit.
Gleich einer Braut ward es uns verlobt. Unser Sein zieht es
herbei mit magischer Macht. «Geschöpftes Schicksal», darin
liegt die anverwandelnde Kraft der Seele, die es bejaht und
ausgestaltet. Von Gott aufgetragen, muß der Mensch es verwirklichen. Zu wählen hat er es zwar nicht, es wird ihm zu-
gewiesen, auferlegt, anbefohlen. «Schicksale sind geschickt,
kommen von fern, treten nah, und nie hat ein Mensch ihnen
den Weg vertreten können. Nie hat etwas anderes kommen
sollen, als es kam». Zwar scheint Zufall und Mißgeschick es
oft zu verwirren und zu stören; da zweifeln wir wohl, «hätte
alles nicht doch anders kommen können, als es tat? Nein,
Gedanken müssen ihr Haus im Menschen suchen – und solche Gedanken können im Menschen nicht hausen, sie würden ihn zernagen und aushöhlen» (Toter Tag 93). «Das kann
nicht bereut werden, was das Schicksal selbst gewollt hat. Nur
wer ans Schicksal glaubt, ist sicher, daß er sich nicht selbst
zerreißt» (95). Denn Schicksal, das eben bedeutet Sinndeutung des Geschehenen, alles Geschehens. So bekennt Wau
(Gestohlener Mond 55) von sich: «Die vergangenen Phasen
des Lebens waren keine nichts bedeutenden Ehemaligkeiten,
sie blieben ihm zugehörig wie alle seine anderen mit ihm fort-
wachsenden, ihm zugeteilten oder angeborenen Stücke des
eigenen Wesens. Und wenn er sie allenfalls aus dem Gedächtnis fahren lassen müßte, so waren sie dort seine Einver-
leibungen und Einverlebungen». Ein verborgener Wille wird
von Gott hineingelegt, gegen den kein Mensch und keine
Macht etwas von sich aus vermöchte. Wir müssen uns nur
führen lassen, gehorchend ausführen, was von uns gefordert
wird. Seltsam scheinen die Wege oft, düster, gefahrvoll, leid-
besät. Aber es nutzt kein Sträuben und Fliehen, wir müssen's
annehmen und zur Reife bringen. Gewiß, was oft als Ende
uns erschien, entpuppt sich nur als neuer Anfang. «Alles
bekommt (schließlich) seine Gestalt, und immer, wenn man

dachte, sie wäre durch Unglück und Frevel mißraten – so
war doch endlich alles gelungen. Alles Ende muß ja die rechte
Gestalt haben. Schicksal läßt sich keinen Finger unterschla-
gen, greift nicht vorbei und läßt sich nichts entgleiten» (Toter Tag 92). Nicht vorausberechnen, kausal ableiten kann der
Mensch das ihm zugewiesene Schicksal; erst vom Ende rückblickend läßt es sich überschauen, zusammenschauen; und
wohl dem, der seinen Sinn dann zu deuten vermag! «Alles
trifft zusammen am Ende, wie bei Beginn beschlossen» (Toter Tag 25). Es wird nur erfüllt, also verwirklicht sein, wenn
nicht Eigenwille sich gegen die göttlichen Weisungen
stemmte, sondern sie aktiv ausführte: «Geschicke sind nicht
böse, man selbst ist es» (Toter Tag 22). Auch die Zeiten sind
kein an sich gutes oder böses Geschick, noch durch die Verhältnisse uns aufgezwungen, sondern einzig die Menschen
machen sie dazu durch ihren inneren Zustand. «Die Zeiten
sind in uns und nicht wir in Ihnen», lautet die Grunderkennt-
nis der «Guten Zeit». Die Hauptpersonen reifen zu der Einsicht, daß «wir unserer Zeit mächtig sind, und gleich wie die
Mutter ihr Kind, die gute Zeit und die andere, die böse, in
uns schaffen, zu unserer eigenen Notwendigkeit».

Desto männlicher, tapferer erscheint solch furchtlose
Schicksalsbejahung, als das Leben durchaus schwer empfunden und ernst genommen wird. Mehr noch: als grauen-
voll, fürchterlich. Düster ist Barlachs Lebensgefühl. In seiner
Autobiographie bekennt er (SLP 29): «Ich staunte über die
Seltsamkeit der Tatsache Mensch und erbrach mich gleichzeitig über den Unsinn eines solchen Seins. Ich schämte mich
dieser hündischen Zeitgestalt, als wäre es mein Werk, und
selbst in der Gestilltheit, die mich tröstete, wenn ich mir vor
meinen Blättern wachsendes Können gestehen durfte, spürte
ich den panischen Schrecken vor einem so beschaffenen Dasein.» Noch der Brief vom 24. 4. 38 bekennt: «Die Panik vor
dem So-Sein hat mir von jeher zugehört, selbst in den sogenannten paar glücklichen Jahren, die nur den Leuten als
solche erschienen sind». Wie schreit aus Sibylle (Gute Zeit)
das Erschauern vor des Lebens grausiger Wirklichkeit: «Der
das Leben will und daß gelebt wird, der soll dafür aufkom-

men und es nicht uns Armen überlassen, daß wir daran kranken und darüber verzweifeln... Es muß wohl am Ende alles sein, wie es ist; aber ich habe den Keim eingeboren bekommen, den Keim des Erschreckens, und der wuchs und ich schreie es ihm ins Gesicht, der Leben, solches Leben befiehlt: nein, nein, nein, ewig nein!» Auch der allgewandte Diplomat Korniloff weiß im selben Stück keinen Ausweg und zuckt nihilistisch die Achseln: «Das Leben spielt Hoheit, nicht ich – auch ich bin Karte in der Hand, die nach unbekannten Regeln spielt... Beugen wir uns der über uns gebietenden Notwendigkeit... Das Spiel geht seinen Gang gegen unser Wehren und Wägen – und was der Spieler erspielt, da fragen Sie den Wind am Himmel, der pfeift Antwort und Sie können den Reim darauf machen – am Ende haben Sie sich die Antwort selber gegeben. Wir wissen nichts.» Bitter meint Siebenmark, der egoistische Materialist, es lohne sich nicht, von diesem «Zufallsdasein» solch Wesen zu machen (Armer Vetter 36). Vor der Tat des Selbstmordes schrickt Fräulein Isenbarn zurück als vor fürchterlichstem Widersinn, da das Leben gegen sich selbst wütet; und doch «leben müssen, kann schlimmer sein, als sterben müssen» (Armer Vetter 37). Im Blauen Boll rumort die Frage: «Wie abscheulich unangebracht ist die Kreatur in diesem Dasein – wie ist sie ins Kälberleben hineingebracht – gefragt etwa, mit ihrem Einverständnis?» (15). Man muß sich Mut antrinken, um dies Leben zu ertragen (ebd. 18). Iver philosophiert zu den Sternen emporschauend: «Dein Wackeln am Firmament ist nur ein Frostschauern der Ewigkeit; und Siebenmarks ganzes Leben ist nur ein schneller Frostschauer seines Ewigen, nichts weiter... Juckt euch Ewigen einmal nach einem Flohbiß der Zeit, einen Augenblick, aber dann geknackt» (Armer Vetter 112). Nicht weniger scharf lauten briefliche Äußerungen. «Ich für mein Teil komme von der Vorstellung nicht los, daß wir hier in der Hölle sitzen oder im Zuchthaus, einem ganz raffinierten Zuchthaus mit sehr verschiedenen Strafgraden, in dem aber jeder mehr oder weniger zur Rebellion neigt, da uns der Zustand aasig verschleiert wird, so daß uns der Trost: ist die Strafe aus, so gehn wir halt nach Haus – auch nicht gegönnt ist» (19. 4. 25). Ähnlich schrieb Barlach an Piper (1. 6. 21), daß er sich «diese Existenz nur als Strafanstalt, Verstoßung, Hölle, Degradierung usw. versinnbildlichen kann». Oder ein andermal: «die Veranstaltung im Ganzen (das Leben) will mir nicht anders sinnvoll und zweckmäßig erscheinen als unter dem Gesichtspunkt als Stadium, als Phase, als schlecht gelüfteter Engpaß, in dem alles sehr schlecht organisiert ist» (7. 4. 25). Aber ihn «verlangt instinktiv, elementar nach dem Anzeichen, daß über diesem Pfuhl ein Himmel ist», er «möchte über dem Schauder einen Reflex der ewigen Harmonie spüren» (1. 2. 23). «Der ernsteste Mensch wird wohl zuweilen fühlen, daß alles Spiel ist, nämlich in dem erhabenen Sinne des Aufgehens aller Dinge in der allgemeinen Harmonie» (19. 4. 25). Schmerzlich bescheidet er sich: «ich gehöre eben ins Jammertal und bin da zu Hause. Möchte wohl hinaus, bin aber doch darin verschicksalt» (7. 12. 13). Es bleibt schließlich die Tatsache: «ein tausendfaches, verzweifeltes Menschenelend rings umher» (16. 2. 29). Barlach schließt die Konzeptionsnotiz der «Echten Sedemunds» mit der Bemerkung ab: «Aufgabe: Begriff des ungeheuren Leidens zugänglich gemacht durch die menschliche Angst und Pein».

«Die Welt ist *Leiden*», das ist auch das Ergebnis, das Kule von seiner Weltwanderung nach Haus bringt (Toter Tag 17). Doch «Leiden und Kämpfen sind die Organe des Werdens» (Blauer Boll 455). Weil Barlach das Leben «als einen unablässigen Prozeß» empfindet (11. 9. 32), so wird das Leiden als zugehörig, als Anstoß und Anzeichen gewertet und bejaht. «Das Höchste wird sein, zu erfahren, daß alles gegenwärtige Leid und mit ihm alles Leid der gewesenen Zeiten in Wahrheit kein Leid war», zu dieser Einsicht gelangt schließlich Wau (G Mo 137). Vorher war die Antinomie von den beiden gefallenen Engeln ausgesprochen worden. Voll Trotz gegen Gott meint Marut: alles Leid darf nicht geschehen sein. Dagegen gibt Harut ihm den Rat: «Immer sei Leid der Garten deines nie ermüdenden Fleißes. Pflanze Leid, hege Leid, und du wirst die Ernte der Liebe bereiten» (G Mo 101 f). Nicht hoffnungslos also darf Barlachs Lebensgefühl genannt werden, wenn es auch viel zu männlich ist, um an

Illusionen sich zu verlieren. Realistisch ist es durch und
durch, es kennt die leidvolle Wirklichkeit und bejaht die Pas-
sion des Geistes in ihr. Doch kein bloßes Hinnehmen und
wehleidiges Dulden ist der letzte Sinn. Magisch zieht dieser
Realismus das Geistige herbei: «Das Leibhaftige macht's
nicht, am Geist muß es haften» (Toter Tag 81). Aus dem
Geiste vermag der Weise das Leid der Menschheit mitzutra-
gen, ohne persönlich von den einzelnen Sorgen betroffen zu
sein. Sein Lebensgefühl bleibt wohl voll des Schmerzes, doch
ins Kosmische geweitet: «Fühle ich nicht tief in der Brust,
wie die Götter leiden? Mehr als Väter, mehr als Mütter leiden sie. Fühl' ich nicht tief in der Brust ihre Freuden? ...
Alles Leid, alle Freude, die sie schenken, schmecken sie auch.
Aber der Freuden sind wenige – o, die Götter sind voll un-
endlicher Leiden ... vielleicht ist das Leben, das wir haben,
zugleich das Leben der Götter? – Ja, der Götter Seufzen ist
allein mit unseren Schmerzen und Freuden» (34). Vielleicht
ein Sturm, ihr Weinen ein Regensturz. Und wir sind nicht
die Götter leiden mit, doch nicht die Menschen! Ach, das
macht uns heut ja das Leben so besonders schwer, daß wir
alle so allein sind, so sternallein.

　　Wieder hat der Graphiker diese Seite seiner Menschen-
auffassung so unvergeßlich festgehalten in der Umschlags-
zeichnung zum «Armen Vetter». Ganz einsam steht dieser
am kahlen Strande, hinten breitet sich unbegrenzt das Wasser
in die Nacht. Den Mantel schlingt der Fröstelnde eng um
sich, hat die Arme überkreuz darüber geschlagen. Sein La-
ternchen am Boden ist der einzige Gegenstand auf dem ganzen Bilde und erleuchtet kaum das Fleckchen um den Todes-
bereiten. Der aber starrt voll Sehnsucht zu den Sternen droben. Das gibt Ruhe. «Sternschein erleuchtet aller Wege Lauf
und aller Dinge Anfang und Ende», heißt es im «Graf von
Ratzeburg» (557). Nur dieser Weg blieb dem Menschen frei;
rings Hemmung und Zwang, Mißgunst und Unverstand. Wie
verschlagen auf ferne Inseln leben wir isoliert; nur verwor-
rene Laute schlagen von fernher gelegentlich an unser Ohr;
von andern, von Fernen und Fremden kommen sie, unver-
stehbar. Im «Gestohlenen Mond» (90) heißt es noch: «Man

weiß nichts von einem andern, und was schlimmer ist, man erfährt bei allen Mühen nur das Falsche». Keine Hand streckt sich zu uns; ja käme sie, schauderten wir zurück und fürchteten Beeinträchtigung. Nicht einmal ein Gegner ist uns beschieden, an dem wir wachsen könnten! Keiner vermag uns wahrhaft zu helfen, weder im Leben noch im Sterben! Und in schwerster Stunde bleibt schließlich die Einsamkeit das Letzte, selbst für Mutter und Kind; das schaut Barlach, wohl aus eigenem leidschweren Erleben, verkörpert am Kreuz auf Golgatha. Echt norddeutsch sieht er in ihren Schmerz versunken, «Maria darunter, die Mutter; deren überlebensgroßer Sohn über ihr, abgewandt, nicht achtend ihrer kläglichen Mütterlichkeit ob der Welt hinschaut» (Sed 239).

Wer in dieser Schwere und Verantwortlichkeit das Menschsein erlebt, wird auch zum andern Menschen die gemäße Grundeinstellung finden. Barlach bekennt, schon früh in sich «das unbewußte Wissen vom Einssein mit allem Menschwesen und der Unentrinnbarkeit vor dem mit ihm verketteten Fluch» gefunden zu haben (SLP 29). Im Brief (20. 2. 21) spricht er «von der Pein der Mitverantwortlichkeit», es «ringt das Leiden der andern in mir mit, ein unendliches Mühen will nicht weichen, macht mürbe und verzweifelt». So notwendig findet er «ein bißchen Grundgefühl von notwendiger Lebenskameradschaft gegenüber den Mitmenschen» (6. 6. 22). Jedoch «die unermeßliche Habsucht tötet zuviel Menschlichkeit ab». «Gegenwirker ist einer dem andern im tiefsten Grunde, und die Zeit (1933!), die Gegebenheit, die wir Heute nennen, überhebt uns des Beweises, daß das ganze stramme Verhalten in Reih und Glied nur eine vage und jämmerliche, dazu schematische Reglementierung von Gegenseitigkeiten ist», heißt es in der Rundfunkrede. So dringlich Barlach für Menschlichkeit eintritt – «fort mit dem Wort vom Menschenfraß», heißt es im «Findling» – so energisch lehnt er das Schlagwort von Humanität ab. «Über Humanität und Kultur rede ich überhaupt nicht mehr mit. Dieser Wind bläst durch dürre Blätter. Diese Begriffe sind auf den Hund gekommen» (Gü. Tgb 21 f, ähnlich Brief 26. 12. 11). Nach Barlach liegt «der Grund aller Übel im Nichtwis-

sen um den Menschen» (Rundfunkrede 13). Deshalb fordert
er zu allererst Ehrfurcht vor dem Werden des Andern. Wie
können wir wissen, was in ihm vorgeht, was aus dieser Hülle
keimen will? Während wir über seine Taten zetern, die doch
schon der Vergangenheit angehören, glomm aus deren zer-
borstenem Gemäuer vielleicht schon das Fünklein seines bislang verschütteten Wesens auf. In solcher Lage mahnt uns
der alte Sedemund, unser voreiliges Aburteilen zu lassen!
«Ich möchte mir aber ausbitten, daß diese meine gegenwärtige famose Form nicht Herrn Sedemunds einzige ist! Da ist
noch eine andere, großmächtig wie ein Punkt. Dieser Punkt
Namenlos ist mit Herrn Sedemund eins, so eins, daß es sein
Eigentliches ist, und so kommt es heraus, daß Herr Sedemund eigentlich gar nicht Herr Sedemund ist, sondern der
Punkt, den keine Faust fassen kann; daß Herr Sedemund nur
der Kofferträger seines Selbst ist, das wir ein Punkt ohne
Ohr, ohne Odem, ohne Qual, rein wie das Nichts, sündlos wie
die Sonne – ganz gemütlich drin sitzt. Wohin Herr Kofferträger Sedemund den Punkt abzuliefern hat, das weiß er
nicht, der sogenannte Herr Sedemund» (245). Gut zu den
Menschen sein, hilft allein. Bezeichnend wird Grete auf ihr
Gebet für Boll die Weisung: «er soll sich selbst richten – aber
von mir», fährt sie fort, «sollst du Verzeihung haben» (451).
Die Ehrfurcht vor dem andern gebietet uns ihm gegenüber
eine Haltung der Distanz. Doch das soll nicht die abweisende
Reserviertheit des Egoisten sein, sondern achtungsvoller Abstand. Was der andere braucht, ist so wenig exaktes Verständnis wie Mitleid, aber Ahnung und Achtung, Scheu vor
dem Unsagbaren, Keimenden, Ehrfurcht vor dem Geheimnis des Werdens! Man darf keinen als seinesgleichen behandeln, ohne einen kleinen Mord zu begehen, warnt der Arme
Vetter (129). Alle Neugierde wird die Freundschaft trennen,
vielleicht des anderen schwache Seiten entlarven, uns kritisch und fremd machen. «Wäre nicht das einzige recht und
richtig, rumorte es Wau, daß wir alle einander nehmen, wie
jeder genommen sein will, ohne Naseweisheit, Besserwissen
und auslegende Obacht?»

Nur *Liebe* kann des andern Sinn und Wesen erahnen, ohne

unzartes Zupacken. Was man aber für gewöhnlich so Liebe
nennt, ist meist purer Egoismus, der den andern nicht achtet,
vielmehr ihn sich zu eigen machen will. Erbarmungslos enthüllt der Arme Vetter dem reichen Nebenbuhler, was hinter
dessen Anbetung seiner Verlobten eigentlich steckt: «Wollen
Sie bestreiten, daß Sie in Ihrer Braut nur sich selbst erkennen, nur verkappt, in anderer Gestalt, mit Lock- und Reizmitteln besetzt?... Und es war doch einmal ein Unbegreifliches! In Gedanken haben Sie ein Selbstporträt gemacht aus
Ihrer Braut, noch dazu ein gemeines, geschmeicheltes... Sie
haben Ihr faules Selbst in ein besseres eingezwängt, Sie machen sie trächtig mit Schmutz» (Armer Vetter 165). Und gar
in der Ehe! Da verlangt der Mann, daß die Frau sein Trug-
bild von ihr verwirklicht. So wird das Zusammenleben Ver-
gewaltigung, Sklaverei. Im «Gestohlenen Mond» bezeichnet
der Dichter es bitter als «Fegefeuer der zwiespältigen Einheit», wogegen «ein Dolchstoß mit nicht gerade tödlichem
Ausgang unter die Kinderspiele» gehöre. Solcher Ehe kann
es jäh geschehen, daß sich zwischen den Gatten «ein Abgrund spaltet; alles, weil sie keinen Abstand hielten», bekennt
der alte Sedemund (257) und rät dem Sohne: «lern Dinge
sehen, die sich ohne Laut ins Leben schieben und rücksichtslos Raum schaffen». Echte Liebe drängt sich nicht auf, sie
hält sich geduldig beiseite in hoffendem Warten auf das Werden im andern. – Selbst der Mutterliebe fällt die Entsagung
so schwer; wie leicht glaubt sie, Gegenansprüche stellen zu
dürfen, vom Sohn den Verzicht auf Selbstwerden und Berufung verlangen zu dürfen: «Du hast mein Leben empfangen,
das vergiß nicht; und wenn du fort bist, wer soll mir Leben
schaffen? Alles, was mein ist, hast du im Besitz; wenn du es
mit dir in die Zukunft trägst, so muß ich darben und sterben»
(Toter Tag 23). Nur selten ringt eine Frau sich durch zu der
Anerkennung, «daß ihre Kinder von Geistes Gnaden sind»
(Sed 239). Doch nicht bloßer Verzicht, nein, Schenken kennzeichnet wahre Liebe, Opfern. «Die Leute glauben nur ans
Habeglück; sie sollen auch ans Gebeglück glauben lernen.
Geben gibt Gnade! Sich selbst geben – die größte» (Sed 200).
Sabine verlangt vom jungen Sedemund etwas Gutes, mehr

als Gutes: etwas Wunderbares. Und was tut er? «Vater zu gefallen», geht er eine Zeitlang ins Nervensanatorium und nimmt so alle Anstöße auf sich (264). Stellvertretendes Leiden! Barlach definiert es selbst (28. 12.11): «eine Teilnahme, die so weit im Verständnis geht, daß sie sich an die Stelle der zur Anschauung gebrachten Vorgänge setzt». Was wiegt das eigene Leid im Vergleich zum allgemeinen der Menschheit, daran reift Kule die Erkenntnis: «lieber selbst still leiden, als andere mit so doppeltem Leid beladen. Und endlich wurde es mir deutlich, als hätte es mir eine Stimme ins Ohr gesagt: wer sich noch mit anderer Leid dazu belädt, der ist erst der wahre Mann» (Toter Tag 26). So bindet er den Quäler der Menschen, den Alb, an sich furchtlos. Er nimmt auch die Schuld der Mutter auf sich und sie bekennt: «alles Schwere wird bei dir am Seelenfeuer leicht und rein geglüt. Was du Schweres trägst – lasten wird nichts auf dir» (57). Tiefste Demut bekennt über all unser Tun: «weiß man denn, für wen man erntet?» (63). Doch Celestine («Gute Zeit») weiß, wofür sie den Opfertod wählt: die Gute Zeit soll werden, und so rettet sie den Jüngling, damit er diese in einem Leben von Kraft und Gesundheit verwirklicht. Nicht für einen einzelnen gibt sie ihr Leben hin, sondern für eine höhere Stufe der Menschheit, «daß ein Werden geschehe und eine Wirklichkeit komme» (514). Keine besseren Verhältnisse, vielmehr der neue Mensch, ungespalten und aus sich lebend, ist das Ziel. Am ergreifendsten verkörpert Barlach im «Findling» die Selbstaufopferung. Elise überwindet ihren Ekel vor dem Elendskind und schließt es in überquellender mütterlicher Liebe erbarmend in ihre Arme. Da geschieht das Wunder: es wandelt sich das aussätzige Geschöpf zum strahlenden Heiland. Die freie Liebestat brachte Erlösung der vertierten Welt: «Da löste sich leicht ein Wesen aus dem Unwesen; seht, da wurde Böses gut; seht, da hat sich Leere vollgemacht, da ist krank gesund geworden». Erlösung unserer selbst durch Erlösung anderer, das gibt wahrhafte Wende, Genesen vom Gewesenen. So verpflichtete vor ihrem Tode Henny den geschiedenen Ehemann, sich des Kindes anzunehmen: «Nimmst du es in deine Hut, so hebst du dein Sein, das ja augenblicklich nur in gutem Willen und Meinen lebt, zu besserer Wirklichkeit». (G. Mo 155). Durch die Liebestat bezeugt der Mensch seine Gotteskindschaft. Güte ist das Spiegelbild der göttlichen Gnade, «unser aller Erbe, das uns ein Irrtum abgelistet hat». Deswegen wurden die Menschen zu Waisenkindern in einer umgewälzten Welt, weil sie «ohne Güte im Grunde und weit aus der Gnade sind». Jeder sollte bei sich den Anfang machen zur Umkehr: «Hilf nur die Welt vom tiefen Fall mit einem Fußbänkchen höher heben, halt nur ein wenig Willen her, ein Spänchen, eine Spur Willen wider den Weg ins Wüste» (Findling 280).

Unter dem Gesichtspunkt des *Erbarmens* sieht Barlach auch die Beglückung durch das Kind. Ergreifend spricht Ambrosia ihre Sehnsucht nach dem Kinde aus (Gute Zeit 487): «Keine Seele aus der weiten Welt hat das Vertrauen zu mir – von meiner Seele wünscht keine andere einen Teil, um sich daraus Freude oder Kraft oder Trost zu gewinnen; keine kommt zu mir in Erbarmen, um mich zu segnen». Aber Celestine ergänzt diesen Gedankengang, daß das Kind nicht nur zur Mutter käme, um sich ihrer Einsamkeit zu erbarmen, sondern auch um «Erbarmen zu finden». Darunter versteht sie keine süßliche Betulichkeit, vielmehr eine ethische Verpflichtung. In ihrem Fall führt sie zu der harten Konsequenz, daß sie das Kind bewahren müßte vor dem ihm drohenden Leben. Stammt es doch von einem innerlich wie äußerlich durchseuchten Manne; das gäbe «ein verdorbenes Wesen, dessen Kommen nur die Lüge willkommen heißen könnte» (Gute Zeit 485). Wie vermöchte sie, die nur das Edle will, den Blick des Kindes auszuhalten, das sie in solch Elend gebannt? Denn «das müßten alle werdenden Mütter sich sagen», heißt es in den «Sedemunds» (239), «das sollten alle Mütter und am Ende auch alle Väter fassen, unsere Söhne sind unsere Richter und Rächer unserer Unwerte». Das Kind ist keine bloß naturhafte Sprossung der Mutter, sondern ein Glied der Menschheit und muß dieser gegenüber verantwortet werden. «Die Frauen bedenken nicht, daß ihre Kinder von Geistes Gnaden sind; sie vergiften sie im Leibe mit gemeiner Menschlichkeit» (Sedemunds S. 239). Diese Sünde wider den Geist

foltert Grete und treibt sie bis zur Absicht des Giftmordes.
«Drei Seelen hab ich ins Fleisch gebracht» (Blauer Boll 397).
Aus der Fleischlichkeit entstammen sie nur und nun schreien
ihre Seelen um Erlösung, weil das Fleisch sie umwuchert und
erstickt. «Weg mit Fleisch», sagt sie oft zu den Kindern –
«Speck und Schinken und Würste», sagt sie, «wollen euch zu
Speck und Wurst machen. Seid ihr Wänste oder was seid
ihr? ... Fettwerden ist Guttun von aller Art Mastvieh, so gehört's zum Ehrenwandel der Schweine, aber sind Kinder
Schweine?» (ebd 388). Solche Äußerungen sind zwar symbolisch gemeint, enthalten aber zugleich eine ernste Stellungnahme zum viel diskutierten Problem der Ernährung.

Wohl ironisiert Barlach den utopischen Adamismus des
jungen Sedemund und die Vegetarierdiskussion der drei Jünglinge im «Armen Vetter». Aber nur als eine Übertreibung,
welche das Mittel zum Ziel macht, ja zum Selbstzweck ver-
götzt. Berechtigtes Ziel ist allein der Mensch und die Erfüllung seiner Berufung. Von hier aus gehört auch die Wahl der
Speisen unter die ethischen Entscheidungen. Ganz ernsthaft
sagt Noah von der heidnischen Wohllust der dicken, gottlosen Zebid: «Kann sie dafür, daß ihre Speise Fraß war und
feistes Verderben ansetzte?» (Sündflut 360). Animalische
Sexualität wird also nicht mehr als Naturgegebenheit gutge-
heißen, sondern an fester, ethischer Forderung gemessen.
Klar und energisch verwirft Gott die Heirat mit der wol-
lüstigen Heidin: «Zebid wird dir Kind und Kindeskinder verderben» (360). Wie rasch ihre herabziehende Art auf den
Mann übergreift, bekennt Japhet: «wenn sie nur ihre Hände
auf mich legt, so faßt es mich und frißt sich herrlich bis ins
tiefste Gedärm... Dann bin ich wie verwandelt und kaum
noch Japhet, sondern fast wie sie, wie Zebid selbst, als ob ich
sie selbst wäre» (374). Die sinnliche Anlage dieses Sohnes läßt
der Herr nicht gelten, fordert vielmehr von Noah, «halte
Japhet zu Gehoram und Ehrbarkeit an... nimm ihn in Zucht»
(360). Im «Toten Tag» steht die allgemeine Formulierung:
«Kräfte an sich zu halten, ist schwerere Arbeit, als Kräfte
von sich geben» (35). Auch in diesem Problem entscheidet
der «Geist als Gewissen» (Sed 239).

In allen Fragen der Gestaltung und Führung unseres Lebens richtet also Barlach die Forderung des Göttlichen an den Menschen auf. Nichts wird bloß mitleidig hingenommen oder als «Natur» beschönigt, sondern entscheidend bleibt die Pflicht, allein Gott zu gehorchen und das Wesensnotwendige zu verwirklichen. Dem Materialismus schlaffen Gewährenlassens tritt ein kategorischer Wesensrealismus entgegen, der vom Menschen Verwirklichung fordert. Gegenüber der Überschätzung von Verhältnissen und Zuständen rückt der Mensch mit voller Verantwortung wieder in den Mittelpunkt der Betrachtung. Als Ringender steht er da zwischen der kosmischen Polarität von Geist und Materie. Nicht die Existenz dumpfer Stofflichkeit oder seelischer Triebhaftigkeit an sich ist das Wirkliche. Nein, wahre Wirklichkeit schafft erst die Wirksamkeit aus dem Geiste; sie formt in stetem Wachsen und Werden aus der Materie als magische Tat die eigentliche Realität. Im nachgelassenen Drama «Der Graf von Ratzeburg» findet sich stichworthaft zusammengefaßt, worum es eigentlich geht, worauf es ankommt. «Dienen heißt es, aber nicht gesollt» (548). Darin eben besteht «die Freiheit des Künstlers, daß er keine hat», sondern nur das Jasagen zu seiner Berufung, die Erfüllung seiner Sendung: «ohne Gehorsam und Untertänigkeit zu höchstem Dienst gerufen» (549). Da verliert aller Egoismus seinen Wert, Freiheit heißt jetzt: «ich darf fahren lassen, was kein Wesensstück mehr von mir ist» (11. 9. 32). Die Stimme Gottes spricht: «Ein Knecht ist nicht der Herr seines Selbst, selbiges Selbst des Knechtes verschwindet in seinem Herrn wie des Fisches Selbst im Meere schwimmt und ist von ihm verschlungen und genährt aus Ewigkeit für Ewigkeit». Christoffer erwidert: «So sei verflucht mein Selbst, vertan und verloren im Meer deiner Gewalt, die das Selbst zerbricht und erhält, entleert und erfüllt, so vergehe ich elend in mir und bleibe herrlich in Dir» (559). Nunmehr «heißt es nicht: du sollst; es heißt: du darfst» (551). Das ist also etwas prinzipiell anderes als ein asketisches Sichabzwingen, ein Können weil man soll. «Diese, die sollen und durch Sollen können, die zerkaut das Grab» (551). Leiden und Dulden wird zur Tat an und für die

Menschen aus Liebe. Dann erfüllt das «Glück der Furchtlosigkeit» den so Genesenen; «denn wer furchtlos ist, hat
seine Augen im Himmel» (553). Er ist befreit «von der Kette
seiner suchenden Qual in Weglosigkeit und Verlorenheit»
(558). Weg und Ziel erweisen sich als identisch. Nun kann
gewagt formuliert werden (571): «ich habe keinen Gott –,
aber Gott hat mich». «Das Wissen ist ohne Furcht und ist das
Wissen über alles Wissen und gehorcht sich selbst» (568).
Das Gehorchen wird ein Hören: «Horch seiner Stimme und
antworte ihr mit dem Stillwerden deiner eigenen Seele» (550).
Der Hörende gehört Gott und kann sprechen: «ich diene dem
Herrn der Stille, deiner Stille, die meine ist» (551).

DRITTES KAPITEL

Kunst

Der Künstler als Knecht, der dem «unüberhörbaren Geheiß», wie es in der Rundfunkrede (1933) fomuliert wird, hörend gehorcht, das ist keine literatenhafte Floskel, sondern die Feststellung harter Tatsachen. Vom «Findling» gesteht Barlach: «Er war meiner Dienstbereitschaft herrisch aufgedrängt». Und ergänzend heißt es 1931 in «Dichterglaube» (EB. Ges. 1950 S. 15): «Ich muß mich dem Geheiß eines Sollens fügen, das mich in jedem einzelnen Fall bestimmt; und wäre es nicht so, daß ich, wie es sich auch aus dem Unbewußten gestaltet, immer doch Zusammenhang, Einheit, Folgerichtigkeit des Gewordenen zu erkennen genötigt bin, so wäre mir das Wesen, aus dem ich gekommen und in dem ich mich bewege, kaum eine Gewalt, zu der man Vertrauen haben dürfte. So aber geschieht, was geschieht, in immer mehr sicher werdender Gutgläubigkeit». Damit wird kein bequemes Hinnehmen, bloßes Geschehenlassen, impressionistisches Registrieren von Eindrücken gemeint. Es gehört zum Dienst eben das Ausführen nach bestem Vermögen. Darin liegt ein stetes Ringen, ein «Kampf um das Letzte dessen, was man vermag» (26. 12. 31). «Getrieben oder begnadet», kann man es scheiden? «Die Gnade ist so oft ein Fluch, mehr als ein Segen; der Zwang zu oft eine Peitsche» (12. 2. 33), das ist eine Erfahrung, die Barlach immer wieder machte. «Man arbeitet nicht, man wird gearbeitet» (30. 11. 15, EB. Ges. 1953 S. 20), ist wohl die prägnanteste Formulierung. Aber die tiefe Beglückung darin wird dankbar anerkannt, wo «die Unbegrenztheit des schöpferischen Entfaltens und Freiwaltens aus ungestümem Drang und Willen künstlerischer Kräfte ihre Bahn bereitet» (EB. Ges. 1950 S. 17). Es ist eben der ganze Mensch in voller religiöser Aufgeschlossenheit und Dienstfreudigkeit daran beteiligt. «Als letzter Halt bleibt die Überzeugung von dem Werden seiner selbst als Mensch und seines Gewissens in der Arbeit, als aus der innewohnenden Wesentlichkeit seine Rechtfertigung findend. Ohne den ‚göttlichen Funken‘ kein Mensch» (12. 2. 33). Solch restlose Hingabe enthält die doppelte Verpflichtung gegen Gott und gegen die Menschen.

«Kunst ist eine Sache allertiefster Menschlichkeit, eine Probe auf den Feingehalt von Geist und Seele» (19. 12. 18). Die ganze Not und Rätselhaftigkeit menschlicher Existenz steigt da herauf, die «Ahnung des Unbegreiflichen und die Anerkennung des Unheimlichen, überhaupt des Problems: Mensch wieso, wozu, warum?» (ebd.) Es handelt sich um Bedeutungserlebnisse: «Ich habe das alles tödlich und schwer erlitten», schreibt er über den «Armen Vetter» Frühjahr (1919) «und habe mich durch die Arbeit befreit». Stellvertretendes Durchleiden aber erlöst. Weil Barlach «das Künstlerische überhaupt im Zusammenhang mit dem Überpersönlichen, Vor- und Nachpersönlichen zu stehen scheint» (24. 8. 13), ist «das bißchen Kunst das einzige, was mich von dem Druck und dem Zweifel erlöst, also daß ein grundloses Vertrauen wiederkehrt» (4. 5. 19). Das Eigentlichste des Künstlers liegt darin, daß er das «Glück», die «Getröstetheit» eben «am Sinnlichen» erlebt. «Ich sehe Formen und Farben, weiß, es ist begeistetes oder gestaltetes Licht... siehe da, so gibt es Transformationen des Geistes... da Augen und Nerven, die ganze bewußte Fühlfähigkeit zur Verehrung und Dankbarkeit geneigt sind, so halte ich mich mit meiner Dankbarkeit ans Geschöpf, in dem mir ein sichtbares Zeichen, wie es zum Sakrament gehört, gegeben ist. Da brauchts kein Grübeln, man muß glauben, und so ist man seiner selbst ledig (ich spreche von mir), das Bewußtsein darf und muß vergehen, ich bin entlassen wie ein halfterloses Pferd auf der Weide der Unendlichkeit... Daß einmal die Sielen wieder aufgelegt werden, kann mich nicht hindern, zu wissen, es war ein Lichtblitz Jenseits, das ‚Ich‘ war unpersönlich, unbegrenzt gewesen und ist doch geblieben, nicht zersprengt» (23. 9. 15).

Zu dieser Einstellung des Künstlers gehört ein ganz bestimmter *Bereich* seiner produktiven Erlebnisse. Von daher erklärt sich die Familienähnlichkeit all seiner wesentlichen Werke. Damit wird also nur die Dimension der Inhaltlichkeit an der einzelnen Schöpfung bestimmt und in Zusammenhang gesetzt. Barlach formuliert das Entscheidende selbst (28. 12. 11): «Meine künstlerische Muttersprache ist nun mal die menschliche Figur oder das Milieu ..., durch das oder in dem der Mensch lebt, leidet, sich freut, fühlt, denkt... Grade das Vulgäre, das Allgemein-Menschliche, die Urgefühle aus der Rasse, das sind die großen, ewigen. Was der Mensch gelitten hat und leiden kann, seine Größe, seine Angelegenheiten (inklusive Mythos und Zukunftstraum), dabei bin ich engagiert; aber mein Spezialgefühlchen oder meine eigenste Sensation ist ja belanglos, ist bloß Laune, wenn ich dabei aus dem Ring des Menschlichen heraustrete. Der Mensch als ego muß mit seinem Egoismus interessiert sein, mit dem Hohen und dem Niederen, wie man will ... Wenn aber Farben und Linien aus menschlichen Gestalten bestehen – oder umgekehrt – so haben sie Kraft, denn sie bekommen sie von der menschlichen Seele».

Dieser Brief enthält eine scharfe Absage an jegliche abstrakte Kunst als menschenfern. Aber auch bloßer Naturalismus wird verworfen. Es gilt «nicht die Welt zu sehen wie sie scheint, sondern wie sie ist», heißt es im Tagebuch schon 1906 (126) und auch im «Seespeck» (84 f) wird «das blanke nackte Sein ohne Schein» gefordert. Anders als der Impressionist besitzt Barlach eine «besondere Empfänglichkeit», die «tiefer als bloß empfänglich macht». Dies Gespür vermag zu «erkennen, was da verborgen steckt in einem Menschen», «sein Sein, seinen Inbegriff», «das ewige Fünklein, das in allem und jedem stecken möchte». Bei solchem Erleben wird ihm immer wieder «klar gemacht, daß in allem ein Geheimnis steckt, das seinen Sinn im Ewigen und Jenseitigen vom Menschlichen hat». Da er als Künstler «mit den Augen zu hantieren habe, so erledigt sich dieses ‚Finden‘ mit Sehen und ist nur darum so angreifend, weil dieses Gesehene sein Geheimnis mit einem Wort ins Gefühl hineingeflüstert. Ich fange eine Chiffre mit den Augen auf und sie wird im Dunkeln meines Ich übersetzt und dort verarbeitet». Das «Geheimnis dieses Leib- und Menschentums» (März 1913 Geborgenheit in EB. Ges. 1951 S. 35 f) umschreibt eigentlich den Bereich seines schöpferischen Erlebens. Dementsprechend ist nicht Farbwert und Lichtstimmung, nicht Linie oder Kubus, nein allein die menschliche Gestalt ist für Barlach der *künstlerische Gegenstand,* in welchem er «das Menschlichste in seinen

Tiefen faßt und ans Licht bringt» (27. 9. 16). Auch in dem
großen Rechenschaftsbericht an Pastor Schwarzkopf (3. 12.
32) heißt es: «Leider bin ich Künstler und von Naturanlage
gezwungen, Gestalt in allem wahrzunehmen». Deshalb wurde
Gott für ihn «zum Gestalt- und Begrenzungslosen», «eben
darum, weil man gestalten muß, ob man will oder nicht».

Die produktive Tätigkeit des Künstlers wird durchweg als
«gestalten» bezeichnet. Als «Künstler ist man unbedingt Ge-
stalter», heißt es in der Selbstanalyse an Pastor Zimmermann
(18. 10. 32) und «ich kann, ob so oder so ist nicht die Frage,
gestalten». Nicht ohne einen gewissen Neid wird von der
Musik gesagt: «Da ist am spürbarsten Schalten und Walten
des unbegrenzten Willens zur Gestaltung in absoluter Freiheit» (Anfang 1932). Worin besteht nun dieses Gestalten,
worauf kommt es Barlach an, wie ist sein *Kunstwollen* beschaffen? Sein Erleben in Rußland – das ja kein Rußland-
Erlebnis war – besagt es eindeutig: «Das ist außen wie innen,
das ist alles ohnemaßen wirklich» (SL P 40). Es geht um keine
Abschrift von Gegenbenheiten, keine bloße Wiedergabe von
Tatbeständen. Es handelt sich um ein Außen und ein Innen,
und zwar ist es in Deckung zu bringen. Nicht minder prägnant lautet die Formulierung im Gespräch (S. 14). Auf die
Frage vor einer Statue: was ist denn das eigentlich? lautete
die Antwort: «Die äußere Darstellung eines inneren Vor-
gangs». Also fand ein *Bedeutungserlebnis* als Grundlage hier
seine Verwirklichung durch Gestaltung. Volle Wirklichkeit
besteht aus dem Außen wie Innen. Das ist keine schwärmende
Phantastik, ebensowenig ertüftelte Konstruktion. Barlach
betont (8. 8. 11), er habe «alle bestimmenden Anregungen
aus der Natur». «Die Natur hat Feierlichkeit und Behagen,
Groteskes und Humor in einem Objekt und einer Linie». An
der «Bettlerin mit Schale» (1907) exemplifiziert er: «Ich habe
nichts verändert von dem, was ich sah; ich sah es eben, weil
ich das Widrige, das Komische und (ich sage es dreist) das
Göttliche zugleich sah».

Darin tut sich eine Haltung gegenüber den Gegebenheiten,
gegenüber dem nur Visuellen kund, die gar nicht naturalistisch ist. «Ich sah am Menschen das Verdammte, gleichsam

Verhexte, aber auch das Ur-wesenhafte, wie sollte ich das mit
dem landläufigen Naturalismus darstellen! Ich fühle etwas
wie Maske in der Erscheinung und bin versucht, hinter die
Maske zu sehen, wie sollte ich mich an die Details der Maske
halten? Aber natürlich weiß ich, daß die Maske organisch
auf dem Wesentlichen gewachsen ist, und so bin ich doch auf
sie verwiesen. Ich mußte also Mittel suchen darzustellen, was
ich fühlte und ahnte, statt dessen, was ich sah; und doch was
ich sah als Mittel benutzen» (8. 8. 17). Diesem Kunstvollen
entspricht die Gabe des zweiten Gesichts, wie er es im «Seespeck» (75) benannte. Da «holte er sich mit den Augen wie
mit dem geistigen Fangorgan an seine Seele» (ebd. 83), was
ihn interessierte. Er vermag, wie er humoristisch formuliert
(ebd. 55): «Durch Anstarren wesentlich zu machen», so daß
«das Gesicht in allen Dingen sich enthüllt»; «Kurz, das Sichtbare wurde mir zur Vision» (8. 8. 11). Das ist das eigentliche
schöpferische Erlebnis. Das Ergebnis ist zwar «dem Gewöhn-
lichen abgezwungen, aus dem Langweiligen hervorgeblitzt».
Der Künstler aber vermeint darin «Weltseele zu erkennen,
an individuellem Leib- und Menschentum ruchbar und hör-
bar und augenscheinlich gemacht» (Sp. 85). Ja, Barlach bestimmt sogar von diesem Angelpunkt her einen eigenen, seinen persönlichen Begriffsinhalt von Schönheit. «Schönheit
war ihm das bißchen, das scheinbar geringe wenige, was ihm
zum Inbegriff des Ganzen wurde. Er fing eine Chiffre mit
den Augen auf und übersetzte sie im geheimsten seines Ich,
dort ergab sich eine Unfaßbarkeit an Schönheit ... Die Harmonie, die hatte er ergriffen, das war sein Teil, sein Eigentum» (84). Ähnlich heißt es im Fragment «Geborgenheit»
(EB. Ges. 1951 S. 35 f): «So nüchtern ich das vorübersteigende
Exemplar Mensch als Menschen ansehe, ... so betroffen macht
mich ihre Schönheit, eben das Bißchen, was ich als Letztes
und Absolutes bei ihr auffinde». Dabei liegt ihm jedwede
Verschönerung völlig fern. Er erstrebt «schlichte Lebendigkeit» (EB. Ges. 1953 S. 28). Er betont geradezu «die Idee des
Aussprechens der Dinge ohne dicke Deutlichkeit». Keine
persönliche Vordringlichkeit, die zur Seite des Vollbrachten
paradiert und als Ausrufer sein eigenes Tun überschreit.

Vielmehr «die Idee des Geschehens aus der Sicherheit persönlicher Zurückhaltung» (EB. Ges. 1950 S. 19). Die Konzeption ist demnach ein rechter Zeugungsvorgang, in welchem der Künstler sein Menschtum darbietet, Seelenhaftes hinzugibt. So erscheinen ihm solche Gebilde wie «Schatten von ihm selbst, dem eigentlichen Seespeck, und doch waren es nichts als Stücke dieser Erde, als Teile eines Weltwinkels, ein Stück Sein vom Sein des Ganzen, das er so besaß als ob er es selber wäre» (Sp 127).

Als Begleitgefühl preist Barlach immer wieder das Enthobenwerden von der Verkrampfung im Ich, die Befreiung vom «Fluch des Individualismus» (3. 12. 32), von dem Leiden an sich selbst, an seiner begrenzten Persönlichkeit. «Das Übersichherauskommen, das momentane Eingehen in ein Übergeordnetes» (4. 2. 30) bedeutet «das größte Glück». Diesen kosmischen Inhalt des Glücksgefühls findet Barlach in Schillers «Lied an die Freude» wieder, im 4. Satz von Beethovens 9. Symphonie, er hält es im Holzschnitt fest (1927). So enthält das ganze Menschengetriebe «lauter Verborgenheiten», draußen wie im Innern des Künstlers selbst. «Ich erstaune, was das für Geheimnisse sein müssen, die so wunderbar versiegelt werden» (23. 9. 15). «Das Leben und Dasein mit allen Erscheinungen bekommt auf diesem Hintergrund etwas Ehrwürdiges, oft macht mich die Gewalt bestürzt, die als Gnade aus dem Geringsten ausstrahlt» (16. 9. 15). In diesen Äußerungen erweist sich wiederum, daß die Konzeption mit Recht als Bedeutungserlebnis gekennzeichnet werden darf. Immer geht es um den Menschen in seiner Existenznot. Das ist der ideale Gehalt seines Schaffens und gehört mit zum Kunstwollen bei Barlach. Energisch heißt es im Brief (26. 2. 30): «Ob man in seiner Kunst ‚immer auf das unermeßliche Elend hinweisen' muß? Gewiß, wenn man das Müssen fühlt. Vorerst will man gestalten; wohl dem, der den Ort findet, in dem seine Fähigkeit zur Gestaltung sich heimisch fühlt. Vielleicht könnte man sogar sagen, wer nicht anders helfen kann, tut wenigstens sein Teil, wenn er aufrüttelt und erschüttert. Der eine so, der andere anders. Vorübergehen an dem Grausen, das um Hilfe ruft und dann irgendwas belanglos Niedli-

ches machen ist schäbig. – Das Feld ist weit, der Möglichkeiten sind zahllose, die Welt kann von unten oder von hoch
oben geschaut werden – nur, daß man aus sich das Äußerste
herausholt!» Aus solchem Willen zum Äußersten folgt der
harte und treue Dienst der Ausarbeitung. Unbefugte, die den
Meister unbemerkt während des Werkens beobachteten, wollen allerhand Äußerungen gehört haben, die eher dem Flu-
chen als einem Segnen ähnlich waren. Zumal Holz ist ein zäher
Gegner. Umso deutlicher und erklärlicher ist die Freude am
Ringen und Vorwärtskommen. Barlach schreibt selbst (6. 11.
30): «Die Lust beim Schaffen ist das Kriterium des rechten
Weges; wem die Lust mangelt, muß wissen, daß er falsch geht».

Wie ist wohl seine *Arbeitsweise?* Man kann sein Tun nach
zwei Seiten hin kennzeichnen. Da interessiert zunächst das
Verhalten gegenüber dem Modell, dem anregenden Gegenstand. Prägnant berichtet darüber das «Selbsterzählte Leben»
(60). Entscheidend war «eine Abkehr vom unbedachten Hinnehmen jeder Zufallsform. Ich fiel ... dem Erlesen zu, sei es
einer entschiedenen, starken, grotesken oder lieblichen Form
oder dem nachspürenden Ahnen eines leisen, humorigen oder
wüsten Werkes hinter der Alltagsmaske. Zaghaft genug fing
ich an wegzulassen, was zur Stärkung einer unklar gewußten
oder gewollten Wirkung nicht beitragen konnte; war nicht
mehr schlechthin Dulder und Diener des sichtbaren Seins. Es
unterlief mir die Frechheit, es zu organisieren». Als Verhalten gegenüber dem entstehenden Werk ergibt sich mithin ein
eigenständiges Gestalten und die Überschrift des Kapitels besagt seine Art: «Ich fange an zu organisieren». Weiterer Aufschluß gibt ein Brief, der bewußt über seine «Arbeitsweise»
berichtet (27. 6. 12): «Ich brauche gewöhnlich nur ganz kleine
Modelle, denn es liegt auf der Hand, daß in einem kleinen
Stück Plastik Kleinigkeiten usw. sich nicht sehr breit machen
können und so den Hauptverhältnissen keinen Abbruch tun
können, daß das Ganze als sprechendes, gelungenes Etwas
leicht in die Augen springt. Weil mir aber nur ganz geringe
Nuancen im fast skizzenhaften Vorbild sehr wichtig sind, das
Wichtigste am Ganzen, weil es das Verlebendigste ist, ... so
arbeite ich nach diesen kleinen Skizzen mit peinlicher Ge-

nauigkeit – was die Hauptsache anbetrifft». Es kommt also
ganz besonders auf die Ganzheitlichkeit der Form an. Von
Nebenzügen wird nur das Notwendige, Aussagekräftige ge-
duldet. Es sind dem Werte nach «Kleinigkeiten». Derart
«notwendige Details kommen von selbst», sie werden nicht
vom Modell geboten oder gar erfordert und abgeschrieben.
«Ihre Überflüssigkeit erweist sich, wenn das Auge nichts
derart vermißt». Dabei sprechen das Material, also etwa die
Struktur des Holzes und seine Farbe sowie die Größenverhältnisse entscheidend mit. «In Holz sieht (eben) eine Arbeit
ganz anders aus als in Gips». Würde man also statt der kleinen Skizze in Gips ein großes und genaues «Vorbild» machen,
so hält Barlach das mit Recht «für eine gefährliche Sache,
denn man würde sich für die endgültige Arbeit auf Dinge
festlegen, die sich erst für andere Material- und Größenverhältnisse bewährt haben». Das Materialgerechte gehört also
als dritter Gesichtspunkt zu Barlachs Arbeitsweise. Damit
behält das Ausarbeiten volle schöpferische Qualität, ist produktives Schaffen und keineswegs eine Reproduktion eines
Gipsmodells oder einer Skizze.

In einer solchen Gerichtetheit auf die Gesamtform und
solch schöpferischer Freiheit gegenüber den Einzelheiten lag
die Gewähr, sich nicht in ein festes, obschon persönliches
Schema, in eine Manier zu verkapseln. Vielmehr war immer
echter *Stil,* eigener Ausdruck lebendig als einmalige und gemäße Verkörperung, als von menschlicher Substanz erfüllte
Gestalt vorhanden. Mit Recht verwahrt sich deshalb Barlach
gegen die oberflächliche Meinung, er imitiere russische
Typen. «Der Dumme mag glauben, daß die in Rußland ge-
wonnene Form aus der reichen Hand beiläufig und trinkgeld-
mäßig in meine arme gelegt sei.» Es handelt sich eben gar
nicht um ‚bloße Form‘, um ein formalistisches Schema,
sondern um echten Personalstil. Das ist dem Meister klar und
er schreibt weiter im «Selbsterzählten Leben» (65, P 41):
«Form – bloß Form? – Nein, die unerhörte Erkenntnis ging
mir auf, die lautete: Du darfst alles Deinige, das Äußerste,
das Innerste, Gebärde der Frömmigkeit und Ungebärde der
Wut, ohne Scheu wagen; denn für alles, heiße es Paradies

oder paradiesische Hölle, gibt es einen Ausdruck...». Oder eigentlich hätte es wohl heißen müssen: traue ich mir nun zu, einen Ausdruck zu finden, zu schaffen. Im Gespräch bezeichnete er es gelegentlich als das Entscheidende «mich auf meine Weise auszusprechen» (13. Dez. 1919). Schlagartig stand sie vor ihm im Herbst 1906, die Urform seines Stiles. Nach Berlin zurückgekehrt formte er in Ton die beiden Bettler, die «feiste Bettlerin» und den «betend lamentierenden Bettler» mit dem Schälchen. Er imitierte nicht, was er in Rußland gesehen hatte, sondern gab nun die gemäße Gestalt seinem Bedeutungserlebnis in den beiden Figuren, «die mir Symbole für die menschliche Situation in ihrer Blöße zwischen Himmel und Erde waren» (SLP 40). Es war also zugleich sein Urerlebnis vom Menschen, dem er Ausdruck schuf. Entscheidendes war mit diesem Durchbruch geschehen: aus der mittleren Schicht des Alltagslebens und des individualistischen Subjektivismus mit den konventionellen Formgebilden aus Mode und Tradition brach der schöpferische Mensch endgültig aus und gelangte in zwei andere Schichten. Einmal als geistiger Mensch zum Wesenhaften, zur Begegnung mit der menschlichen Existenz schlechthin. Was sich da im Tiefsten zusammenpreßte, verspritze nicht im chaotischen Ausbruch, in bloß subjektivistischer Äußerung. Er hob es hinein in die höhere Schicht der Kunst, schuf ihm Ausdruck im gestalteten Werk. Nicht im Intellektuellen oder im Sensualistischen wurzelt Barlachs Kunst, sondern im fundamental Menschlichen. Dieses findet wesensgemäße, scheinbar selbstverständliche und notwendige Gestalt. Das einzelne Werk ist nicht die Darstellung von etwas, was der Produzent sich dabei gedacht, empfunden, gemeint hat und was er nun dem Konsumenten übermittelt, überreicht. Bei Barlach – richtiger: in und durch ihn findet der Einbruch menschlicher Ursubstanz Ausdruck in einer Gestalt, die als Eigenwesen aus und für sich lebt. Das Werk hat Stil, weil alle einzelnen Gestaltungsmittel zusammenwirken und ein zusammenklingendes System der Einzelzüge hervorbringen. Zugleich ist es geprägt von der Eigenart des Schaffenden, ist unverkennbar Repräsentant seines Personalstiles.

Dieser ist in markanter und gewollter Weise ausdruckshaft. Darin liegt eine Stellungnahme, die sich abhebt von jener Gerichtetheit, die der junge Barlach um 1890 vorfand. Das war die Eindruckskunst, die Mode des Impressionismus. Die Tendenz ihres Kunstwollens hatte Zola treffend in die Formel gefaßt: «La nature vue à travers un tempérament». Gegebene Tatsachenbestände regten die empfindlichen Nerven des Künstlers an und auf, verdichteten sich zu Stimmungen, die eingefangen und im Werk dargeboten wurden. Auch zu solcher Darstellung waren geeignete Mittel zu entwickeln, abzustimmen und zusammenzuführen. Echter Stil war vorhanden, wenn er auch leicht zu modischer Manier und Schablone ausartete. Im Zentrum dieses Stiles, in Paris, weilte der junge Barlach zweimal (ein Jahr: Frühjahr 1895/96 und nur vier Monate 1897), aber er faßt selbst das Ergebnis zusammen (SLP 37): «ich war mir übrigens gründlich gleichgeblieben, hatte bitterwenig gelernt und gar nichts vergessen». Er wurde kein impressionistischer Nachtreter oder Mitläufer, er malte nicht, er zeichnete und schrieb an einem Roman (SLP 35). Den gängigen Zeitstil nahm er also nicht an, obschon er zum eigenen noch nicht fand. Es drängte ihn, innerlich Geschautes, Bedeutungsvolles herauszustellen, nicht «Zufallsform» einfach hinzunehmen. Das verraten seine ausgeführten Zeichnungen. Es ist bezeichnend, daß er damals zwei Blätter an die «Jugend» sandte (wie er Düsel 15. 7. 96 berichtete) und erhaltene Zeichnungen beweisen seine Nähe zum «Jugendstil», nämlich zu einer symbolisch gemeinten Stimmungslandschaft. Das Bedeutungsvolle also war schon treibend, nur blieb es im Gefühligen stecken. Daß die «Sezession» ihn als Mitglied 1907 aufnahm, bedeutete nur die Anerkennung seiner Eigenständigkeit, nicht die Zugehörigkeit zu einer bestimmten Stilrichtung. Barlach fand seinen Personalstil selbständig und ohne Zusammenhang mit dem Expressionismus als Tendenz und Zeitmode. Als Piper ihm Weihnachten 1911 Kandinskys Buch «Das Geistige in der Kunst» geschenkt hatte, lehnte es Barlach geradezu leidenschaftlich ab: «Ich mach' nicht mit, und zwar aus Instinkt. Es klafft ein Abgrund, der nicht tiefer sein kann» (28. 12. 11). Diese Absage bleibt sein Leben lang eindeutig und energisch. Heut pflegen die Historiker ihn trotzdem zum Expressionismus zu rechnen, offenbar weil sein Kunstwollen auf «Ausdruck» gerichtet ist und er sich selbst dazu bekannte. Ihn deshalb zu einem frühen Vertreter des expressionistischen Stils zu stempeln, dürfte vorschnell sein und seiner Eigenständigkeit nicht gerecht werden.

Gewiß ist richtig, daß jeder Mensch zeitgebunden ist. Er braucht nicht schlechthin Produkt der Verhältnisse zu sein. Jedoch auch das zeiterfüllende, selbst das zeitsprengende Genie ist noch seiner Epoche verhaftet. Daseinsluft und Lebensstoff entnimmt der Mensch eben seinem Zeitraum. Dem geistig-seelischen Verhalten entspringt und entspricht eine künstlerische Äußerungsweise, ein Zeitstil. Diesen aber darf man sich nicht mechanisch einheitlich vorstellen, und demgemäß die Künstler vorüber defilieren lassen. Es gibt mitunter deutlich scheidbar verschiedene Stilströmungen nebeneinander. Auch markante Einzelgänger sollten nicht übersehen, noch eingepfercht werden. So ist es im Falle Barlachs. Schon altersmäßig gehört er nicht eigentlich zu jener Generation, die den Expressionismus als Kampfruf erhob. Auch fand er seine Form früher als dessen bedeutende Vertreter. Ins Bewußtsein der Zeit trat der Expressionismus in Deutschland erst mit dem Ende des 1. Weltkrieges, da war er ein Jahrzehnt lang Zeitmode. Das Jahrzehnt vorher kann als Frühzeit angesetzt werden. Daneben bestand als letzte Phase der Eindruckskunst die Stilströmung des Symbolismus, eines ästhetischen Impressionismus. Gegen beide hebt ich seit 1907 Barlachs Personalstil selbständig und deutlich ab. Er empfindet sich als «modern» (8. 8. 11), abgeneigt den Konventionen eines traditionalistischen Akademismus. Sein Kunstwollen ist auf «Ausdruck» gerichtet, aus instinktivem Muß heraus. Menschlich und künstlerisch in sich bereits gefestigt, lehnt er die Programme des militanten Expressionismus energisch ab. Als geistig selbständige Persönlichkeit bildet er den ihm gemäßen Personalstil weiter, ein Eigenwilliger und Einsamer.

Gegenüber der willkürlichen Erfindung und der ungehemmten Konstruktion des programmatischen Expressionismus betont noch der späte Barlach (Febr. 1935, Gspr 14): «Ich darf mit gutem Recht von mir sagen: ich habe meinen ganzen Krempel von der Straße geholt», also nicht aus der Phantasie oder dem Intellekt, ebensowenig aus der Bildungstradition der Akademien. Jedoch besitzt die Naturgegebenheit keine bindende Kraft für den Meister. Seine Ausdrucksweise ist unnaturalistisch. Alles Gegenständliche wird zum Träger des Wesenhaften, des im Vorhandenen steckenden Eigentlichen. Nicht Ziel, sondern Ausgangspunkt ist also das Wirkliche. Damit ist alles abstrakt Formalistische wie subjektiv Phantastische abgewiesen. Das Wesenhafte findet Ausdruck, steht als objektiv Offenbartes in des Künstlers Schau da. Das darin liegende Sinnbildliche ist keine esoterische Geheimsprache wie im modischen Symbolismus. «Das Symbolische versteht sich von selber», wie er gelegentlich sagte, und das «aufgekratzt» Symbolistische ausdrücklich ablehnte (zu Schurek über die Berliner Aufführung des «Blauen Boll», S. 30) Barlachs Realistik ist durchgeistigt, nicht von außenher intellektualisiert, sondern von innen her ausstrahlend. Magie erfüllt sie.

Das Kunstwollen gilt für Barlach im Ganzen, nicht etwa allein für seine Plastik. Höchst bezeichnend berichtet er im «Selbsterzählten Leben» nach dem Durchbruch zu seiner Form (41): «und während ich am ersten Tonbilde arbeitete, machte ich mich an das Drama vom «Toten Tag». Es wurde also nicht ein Gesehenes einfach kopiert, sondern die neue Form wird erarbeitet, und zwar gleichzeitig in Holz und im Drama. Brieflich heißt es (19. 2. 23): «ich bin überlastet, kann mich (aber) nicht entschließen, von meinen drei Handwerken, Plastik, Graphik und Schriftstellerei, eins fahren zu lassen.» Selbst in Paris hatte er fast mehr geschrieben als gezeichnet. Schon dem Kunstschüler war dieser Dreiklang des Schaffens als der ihm und seiner Art gemäße klar (15./16. 6. 89). Er spricht «von den drei Arten, auf welche man das Leben und Treiben der Menschen abkonterfeit, der Plastik, dem Malen und Zeichnen und der Erzählung». Damit wird bereits die Richtung seines Interesses festgelegt: der Mensch und sein Leben. Trotzdem er sich «als Bildhauer» betrachtet,

schreibt er doch: «Nun kann mir aber die Plastik nicht ganz
genügen, deshalb zeichne ich, und weil mir auch das nicht
genügt, schreibe ich. Diesen Drang verspürte ich schon als
Knabe». Er gesteht auch jetzt neben «großen Entwürfen zu
plastischen Bildwerken» zu malen und allerhand «niederge-
schrieben» zu haben.

Wollen wir nun verfolgen, wie Barlachs Kunstwollen sich
konkretisiert, so müssen wir nacheinander die drei Bereiche
seines Schaffens betrachten.

VIERTES KAPITEL

Graphik

Zeichnen ist die selbstverständliche Äußerungsweise eines Talentes für die bildenden Künste. So war es auch bei Ernst Barlach seit seiner Knabenzeit. Er berichtet darüber im «Selbsterzählten Leben». Was ihn zur ersten öffentlichen Betätigung reizte, war der nicht gerade geliebte Lehrer: «Kuhgesichts markanten Bartwuchs aber schmierte ich hundertmal an die Wände des Gymnasiums» (P 16). Weiter blieben ihm seine Kopien aus einer Prachtausgabe von Hauffs Märchen in der Erinnerung: «Eines von diesen mit Blei tief ins Papier gegrabenen Stücken bekam mein Vater zu Weihnachten... und stellte den Karton in seinem Sprechzimmer auf» (P 19). Hier regte sich schon über den bloß kindlichen Äußerungstrieb hinaus ein künstlerischer Gestaltungsdrang. Es kommt bereits zu spezifisch kunstmäßigen Überlegungen. «Ich legte indes meinen Kanon des Schönen fest... muß ein Profil nun so oder so verlaufen... ich zeichnete mit Qual, weil ich die Beschaffenheit dessen nicht erkannte, was ich zustande brachte; und sah mein eigenes Gesicht im Spiegel oder sonst jemandes mit schmerzlicher Neugierde, wie, was ich sah, eigentlich war und was es mit dem Eigentlichen an diesem genau besehen Unbekannten denn wohl schließlich auf sich hätte». Mag hier immerhin der reife Künstler in den 12jährigen Knaben das erst später allmählich ins Bewußtsein steigende Anliegen hineinlegen, jedenfalls deutet er die Entwicklungsrichtung des nun erwachten Talentes. Gleich im ersten Brief an den neu erworbenen Freund, Friedrich Düsel, gesteht er seine «Neigung zur Kunst» als Zentrum seines Wesens und Interesses, berichtet von seinem ersten Atelier und schildert sich selbstgenießerisch «umgeben von Zeichnungen» und den vorgefundenen Malutensilien seiner toten Tante (13. 1. 88). Damals war er noch auf der Schule. Ebenso gesteht er 45 Jahre später seinem Freund und Verleger Piper gelegentlich des Bandes «Zeichnungen» (1935), daß Zeichnungen für mich die absolute Ungewolltheit» seien. Im Zeichnen dokumentiert sich bei Barlach wie bei jedem der Großen in der bildenden Kunst seine persönlichste Auseinandersetzung mit der Welt.

Was die Kunstschule in Hamburg dem angehenden Zeichenlehrer bot, war von Tradition und Bildung beherrscht und stand noch unter dem Zwang des musealen Schönheits-Kanons und des gipsernen Klassizismus überhaupt. Aber der Impressionismus als neue Stellungnahme war gerade nach Deutschland hinübergedrungen, selbst in der Literatur als «Zurück zur Natur» oder «Hin zum Leben» propagiert. Auch der Kunstschüler Barlach berichtet dem Freund (7. 10. 89): «Meine Tätigkeit außer der Schule ist energischer und lohnender: Ich zeichne nach dem Leben und sammle die Art Arbeiten in einem Buche. Im Wirtshaus, im Zuge, beim Spazierengehen, beim Besuch der Kunsthalle, des Theaters usw. zeichne ich, nicht die Schauspieler oder Bilder, sondern die Menschen, die Passagiere, Zuschauer, und habe es schon zu einer gewissen Fertigkeit gebracht, um erstens meinen Gegenstand sicher zu erfassen und zweitens alles von dem Betreffenden unbemerkt zu tun. Zuerst gebe ich in wenigen Strichen die Stellung des Körpers an und zeichne dann, hinter einer Zeitung, einem Glase Bier oder einem Gefährten halbwegs versteckt, bunt durcheinander Köpfe, Hände, Rücken usw. Alle, auch meine Freunde beim Skatspiel, die Schüler beim Arbeiten, die Lehrer beim Korrigieren, sind die Beute meines Stifts... So hilft mir, glaube ich, mein Privatfleiß mehr als die Schule». Es sind also Eindrücke vom Daseienden, die fixiert werden von einem Wirklichkeitssinn. Nicht etwa Milieu oder Landschaft sind der Beobachtungsgegenstand, sondern der Mensch. Er wird zunächst naturalistisch aufgefaßt, dinglich und teilhaft hingenommen. Aber man kann mehr an ihm bemerkenswert finden, kann das Sosein im Ganzen einfangen, ja das Selbstsein zu erfassen suchen. Das geschieht aus einer gewandelten Einstellung. Die kühle Distanziertheit der Neugier wich einem Mitfühlen wie etwa bei Zille. Wenn Barlach sechs Jahre später, in Paris, einen Schiffsjungen aus der Regentonne trinken sieht, nimmt er das nicht einfach hin. «Da ein Auge seinen Bewegungen folgt, geht ein Sinnen seinem Leben nach», heißt es in den «Pariser Fragmenten» (9). Hier wird nicht eine interessante Bewegung registriert, sondern ein Mensch wahrgenommen, in seinem vom Schicksal geprägten Sosein aufgenommen. Dieselbe Einstellung zeigt der Roman «Seespeck». Gleich das Anfangskapitel auf dem Dampfer bringt die Begegnung mit dem massig-schwammigen Bäcker, in dessen Gesicht etwas nicht zusammenpaßte. Barlach beobachtete ihn dauernd, bis sich ihm bei einer Geste «erst die rechte Anschauung seines Wesens ergab» (13). Überhaupt charakterisierte Barlach sein Verhalten in Wesel dahin: «was... an menschlichen Wesen vorkam, das holte er sich mit den Augen wie mit dem geistigen Fangorgan an seine Seele» (83). Was dabei herauskommt, sind schließlich nur «einige sparsame Kurven» (84). Ergänzend heißt es in den Güstrower Fragmenten (1913), daß er «Linien, in denen sich die Menschen hauptsächlich darstellen, als ihr Eigentliches, Wesentliches empfinde», daß «das Auge gewissermaßen mit ein paar Zügen auskommt, um sie zu erfassen und auszuschöpfen. Zwei Verhältnisse zueinander, dazu ein paar Schrägfalten oder Langparallelen... dazu eine simple Umgrenzung, und ich habe so etwas wie die Kristallisation eines Wesens» (35). Welch Unterschied gegenüber den zufälligen Momentaufnahmen der Impressionisten, aber auch keine hemmungslosen Expressionen. «Da ich kein Geist bin, sondern mit den Augen zu hantieren habe, so erledigt sich dieses ‚Finden' mit Sehen und ist nur darum so angreifend, weil dieses Gesehene sein Geheimnis mit einem Wort ins Gefühl hineinflüstert. Ich fange eine Chiffre mit den Augen auf, und sie wird im Dunkeln meines Ich übersetzt und dort verarbeitet» (36). Das in der Inselbücherei (Nr. 600) erschienene Bändchen belegt diese Aussagen durch «Taschenbuch-Zeichnungen» von 1906–1914 höchst eindrucksvoll. Noch im Taschenbuch 1916 lehnt er alle symbolistische Ausdeutung solcher «Ersparnisse seiner Augen» ärgerlich ab, entsprungen seien sie einzig der «Teilnahme an diesen, solchen Menschen» (41). So zahlreich und einprägsam die Zeichnungen, die aus dieser Einstellung entstanden, auch sind, so bilden sie doch nur eine Gruppe des riesigen Materials. Dabei gliedern sie sich entsprechend der menschlich-geistigen Reifung des Künstlers in eine frühe Etappe, wo ein neugieriges Hinnehmen des Daseins sich seiner zunehmenden Treffsicherheit freut. Der

Wirklichkeitssinn strafft dann den Strich beim Aufnehmen
des charakteristischen Soseins. Der letzte Schritt führt vom
Ergreifen des Existierenden weiter zur Deutung des Existen-
tiellen im Menschen.

Nicht weit davon stehen Gebilde, die aus innerer Schau
entsprangen. Sie zeigen schon durch ihre Thematik, daß sie
zu einer andersartigen Einstellung gehören und demgemäß
als neue Gruppe zu buchen und betrachten sind. Nehmen wir
beispielsweise das ergreifende Blatt «Christus im Gebet am
Ölberg» in dem Bändchen der Piper-Bücherei «Zwischen
Himmel und Erde» Nr. 24. Welche Aussagekraft enthalten
die großzügigen Bleistiftstriche allein in ihrer Richtung. Gegen die Horizontalen des Bodens richtet sich unruhig die
Schräge der ansteigenden Hügel, an dessen vorderem die Gestalt des verzweifelt Betenden kniet mit der noch mehr ge-
wölbten großen Rückenlinie, die hinführt zum Gesicht mit
dem stöhnenden Mund und den ringend emporgehobenen
Unterarmen, so daß die großen gefaltet verkrampften Hände
neben dem Gesicht als dunkle Verstärkung stehen, alles voll
erschütternder Ausdruckskraft. Und darüber stehen die harten Senkrechten der Baumstämme auf dem rückwärtigen
Hang voll Unerbittlichkeit. Zwar ist das Blatt undatiert, doch
dürfte es in die späteren zwanziger Jahre gehören. Etwa zehn
Jahre früher ist die Strichführung unruhiger. Man vergleiche
etwas das Blatt «Hunger» von 1917 (Zeichnungen Nr. 46).
Das erregte Auflesen oder Ausraufen der Rüben mag die kurvige Bildung zumal der Röcke rechtfertigen. Aber ebenso
wird ja auch der Erdboden unruhig gemacht bis an den oberen Bildrand hinauf. Welch innere Spannung und Erregung
strömen diese unregelmäßigen nach oben offenen Haken auf
der ganzen Fläche aus, wie grundanders als etwa die orna-
mental stilisierten Kurven des Jugendstiles in ihrer ästheten-
haften Selbstgefälligkeit. Dabei werden Personen und Ge-
schehnisse eingesponnen in das Ornamentale des Linienspie-
les, wird alles genießerisch verdünnt. Dagegen erhält bei Barlach Mensch und Geschehen wie die Linie Spannung, Wucht
und Bedeutsamkeit. So sind auch auf diesem Blatt die drei
Gestalten als markante Phasen der Hungergier mit sicherer

Wirkung abgestuft und füllen die Fläche voll Aussagekraft. Beherrscht wird der Eindruck durch die goße Mittelfigur, die erst halbaufgerichtet schon voll Gier in die Rübe beißt. Hier handelt es sich um vollwertige Gestaltungen aus innerer Schau mit den Mitteln der Zeichnung.

Man könnte im Einzelfall unschlüssig sein, ob man solche Blätter wie die zuletzt betrachtete Kohlezeichnung nicht als Vorlage für Reproduktion ansehen sollte und sie dementsprechend in die Gruppe der Ideenskizzen, der Entwürfe für weitere Ausgestaltung in Plastik oder Graphik einordnen müßte. Das scheint mir für Blätter der eben betrachteten Art nicht richtig. Wenn sie reproduziert wurden, so blieb ihre Fixierung dadurch unbeeinflußt. Dagegen sind tatsächlich abzuheben und in die eben benannte dritte Gruppe einzureihen eine Fülle von rasch hingeworfenen Zeichnungen, die dann in Plastik oder in Holzschnitt umgesetzt, erst dadurch voll verwirklicht werden. Man muß außerdem bedenken, daß seit den neunziger Jahren sich die Methoden der Reproduktion von Zeichnungen ständig vervollkommneten, und zwar in der Richtung, daß das Unmittelbare der Zeichnung möglichst gewahrt wurde. So rückt zumal die Lithographie der Kreidezeichnung besonders nahe.

Überhaupt war die *Graphik* als selbständige Kunst modern geworden und diente dem Ausdruck modernen Empfindens. Der «Jugendstil» fand gerade in der ‚Schwarz-weiß-Kunst' eindrucksstarke Verkörperung und auch Barlach hatte 1896 von Paris aus Zeichnungen der «Jugend» in München angeboten. Beispiele dieser Art sind erhalten. Tatsächlich erschien in dieser Zeitschrift 1902 (Nr. 44) eine solche Komposition «Das stille Schiff». Es sind aus der Zeit um 1900 mehrere symbolistische Kohlezeichnungen erhalten. Dabei handelt es sich um geistig undifferenzierte Stimmungserlebnisse. Beispiele zeigte die Ausstellung der Akademie der Kunst in Berlin (Dez. 1951 bis Febr. 1952; Katalog S. 17–19). So ist die Graphik als Bereich künstlerischer Gestaltung Barlach früh vertraut und mit vollem Verantwortungsbewußtsein ausgeübt worden.

Barlachs *graphisches* Werk ist nicht weniger eigenartig wie

seine Plastik. Stets handelt es sich eindeutig um Bedeutungserlebnisse. Daher besitzt jedes Blatt eindrucksvolle Wucht
und Eigenleben, dennoch schließen sie sich meist zu Cyklen
zusammen. Das kann einerseits daher kommen, daß sie mit
einem Text zusammenhängen; jedoch gibt es auch ganz markante Serien ohne eine derartige Verbindung. Man denkt sofort an die sieben Holzschnitte «Die Wandlungen Gottes»
(1921) und mit Recht. Aber vorher bot der Weltkrieg schon
einen wichtigen Erlebnisimpuls. Seit 1914 steuerte Barlach
zu den Künstlerflugblättern des Verlages Paul Cassirer einzelne Blätter bei, danach zu der neuen Serie (1916) «Der Bildermann». Endlich erschienen 1920 eine Reihe von Einzel-
blättern, die als «apokalyptische Zeichnungen» früher geplant und wohl schon um 1917 lithographiert worden waren.
Die meisten Benennungen sind ungemein bezeichnend für die
behandelten Inhalte: «Hoffnung und Verzweiflung», «Die
Fliehenden», «Die Vertriebenen» und schon 1915 «Evakuierung»; «Schlaf im Tod», «Wandernder Tod», «Mors Impera-
tor»; «Kindergrab», «Frau mit sterbendem Kind», endlich
«Stürmender Barbar» und 1916 bereits «Der Blinde».

Wo ein Zusammenhang mit Texten besteht, sind es zunächst eigene Dramen. Als Paul Cassirer 1910 Barlach «auf-
forderte, ein lithographisches Werk für die Panpresse beizu-
steuern», so berichtet er selbst (SL 73), «erwähnte ich ein
‚Drama‘, das man vielleicht als Gerüst zur Aufreihung von
Motiven benutzen könne. Er zuckte weder mit der Wimper
noch zögerte er einen Augenblick mit der Antwort: Na ja,
also zeichnen Sie». So entstanden Steinzeichnungen nachträglich zu den beiden bereits vorhandenen Dramen, die nun endlich gedruckt wurden, zum «Toten Tag» (erschien 1912) und
zum «Armen Vetter» (erschien 1919). «Der Findling» erschien 1922 als einheitliches Gebilde mit 20 in den Text ein-
geordneten Holzschnitten. In der Zeitschrift «Kunst und
Künstler» des Cassirer-Verlages hatte Karl Scheffler als
Schriftleiter im 1. Heft des 11. Jahrganges (1911) Barlachs
Bericht «Eine Steppenfahrt» mit 13 Originallithographien
gebracht und damit wohl für die graphische Begabung des
schon so lange von ihm geschätzten Künstlers die Bresche ge-

schlagen. Die weiteren Aufträge oder doch Anregungen kamen auch von hier: zu Goethes «Walpurgisnacht» 20 Holzschnitte im Text (1923): ferner 31 Lithographien zu Goethes
Gedichten zwischen den Text gesetzt (1924) und zu Schillers «An die Freude» 9 Holzschnitte neben dem Text (1927).
Hinzuzunehmen sind noch die 10 Holzschnitte zu der Dichtung «Der Kopf» von Reinhold v. Walter (1919 als 16. Werk
der Panpresse, also ebenfalls im Cassirer-Verlag). Entwurf
blieben 25 Kohlezeichnungen zum Nibelungenlied (1922 entstanden), sowie 43 Skizzen zu Kleists «Michael Kohlhaas»
(1910 entstanden).

Selbst die einem Text eingefügten Darstellungen lassen sich
mit dem Ausdruck «Illustration» nicht charakterisieren. Das
betont Barlach selbst hinsichtlich der Lithographien zu seinem Drama «Der Tote Tag» (27. 8. 12). Es geht dem Meister
nicht um Erläuterungen des Textes. Sogar im Cyklus der
«Walpurgisnacht» hält es bei einzelnen Holzschnitten schwer,
das zugehörige Stichwort im Text zu finden. Es handelt sich
durchgängig um freie Variationen über ein Thema, das mit
dem Text irgendwie in Beziehung steht. Die Art dieser Bezogenheit ist zu verschieden und läßt sich auf keine Formel
bringen. Es kann der zündende Anstoß von einer bestimmten
Formulierung des Textes ausgehen, aber auch nur allgemein
von der Situation oder dem Gehalt. Immer ist es eine Bedeutsamkeit, die darin steckt, nicht das primäre Gefallen am Geschehen, am äußerlichen Vorgang. Besonders aufschlußreich
ist ein Blatt aus dem Drama «Der Arme Vetter» (Bl. 21). Es
handelt sich um die Auseinandersetzung zwischen Iver und
Siebenmark. Im Text ist es ein Streitgespräch. Iver wirft dem
Selbstgerechten seinen brutalen Egoismus auch in der Liebe
vor, weil er seine Braut zu seinem Ebenbild zu machen be-
strebt sei. Im Bilde wird das als aufgeregte Gestikulation gegeben, die wie eine Prügelei erscheint. Auf diese derbe Art
wird das Eindringen des einen und die Abwehr des anderen
handgreiflich zur Anschauung gebracht. Dagegen erscheint
die wichtige Unterredung von Kule mit der Mutter im «Toten Tag» verhältnismäßig ausdrucksschwach, als bloßes Nebeneinander der beiden Sitzenden (Bl. 3). Es läßt sich eben

nicht das sprachlich aussaugbare, ebenso leicht und gut graphisch darstellen. Hier wird der prinzipielle Unterschied der Künste gemäß ihrem spezifischen Ausdrucksmittel offenbar, dem Lessing in seinem «Laokoon» so überzeugend nachgegangen war. Es bleibt eben dem Zeichner nur die Geste. Wenn sie aufgeregt ist, wirkt sie leicht theatralisch, wie die vielen Historienbilder etwa von Kaulbach beweisen. Ist sie gemäßigt, so können wir sie langweilig, nichtssagend finden. So bieten Dialoge recht große Schwierigkeiten, ja nicht selten ist es schwer, zum Bild die rechte Textstelle zu finden. Worauf es Barlach jedoch eigentlich ankommt, das ist der Mensch, er bleibt der eigentliche Gegenstand; im Unterschied zur Plastik nun der Mensch in einer Situation, in seiner Umgebung. Doch wird diese nicht im Sinne des Naturalismus als Milieuschilderung gegeben. Oft sind die Figuren isoliert, ohne Andeutung von umgebenden Dingen; doch werden sie räumlich gesehen und in innerer Bewegung, in seelischem Geschehen, ja Ausbrüchen, gefaßt. Das rein Landschaftliche spielt dabei eine auffallend geringe Rolle. Das ist umso bemerkenswerter, als Barlach einen ausgesprochenen Hang besaß, in die Natur hinauszugehen und das Landschaftliche mit Liebe zu erfassen. Das war nicht erst in Güstrov offenkundig. Höchst bezeichnend vermißt er bei seinem Aufenthalt in Florenz grade «den Gang über die Felder, den ich in Berlin (Friedenau) hatte und täglich haben konnte... die paar Linien und Flächen, darüber der ungeheure Himmel, auf dem die kleinen und großen Launen des Ungeheuren sich darstellen können ... Daß man ins ‚Freie' kommt, gibts kaum (in Florenz), überall Mauern und Kulturen, immer Häuser und Kultur. Wälder schlägt man sich überhaupt aus dem Bewußtsein» (2. 11. 1909). Wie oft berichten die Briefe von Wandern und Naturgenuß nicht als tatsächlich Geschehenem, sondern als Erlebtem. Selbst statt der Weihnachtsvesper nahm er mit dem Sohn lieber «einen Weg durch Wald und Flur unter die Füße» (1923). Auch war bei einem etwas ausgedehnten Besuch in Güstrow es üblich, daß der Meister mit dem Gast gemeinsam einen längeren Gang ins Freie machte. So kann also nicht Uninteressiertheit am Landschaftlichen der Grund da-

für sein, daß die Graphik damit so wenig operiert. Es fehlt ja
auch nicht gänzlich. Es wird gelegentlich mitbenutzt, wie der
Blick auf die Elbmündung im «Armen Vetter» (Bl 1, 6, 30;
auch 8) oder im «Lied an die Freude», oft nur andeutungs-
weise wie zu Goethes «Harzreise im Winter» (Bl. 25 Goethe-
Gedichte) zeigt. Als unheimlich dämonische Naturbelebung
wird es verwendet im «Getreuen Eckart» (Bl. 15 ebd) und im
«Erlkönig» (Bl. 18 ebd) oder in der «Walpurgisnacht» (etwa
Zug der Hexen, Bl. 10). Es ist nicht der ruhige Naturbestand,
vielmehr das Naturereignis, das Barlach zum Ausdrucksmittel wählt. Auch sein Erleben wird davon am stärksten ange-
sprochen. So heißt es gelegentlich: «Die Wetterseele ist mir
gnädig, und mir gnade Gott, wenn Wind und Wetter erst
kein Seelenerlebnis für mich sind». In unheimlicher Weise
sind die Holzschnitte zum «Findling» von Regen und Wind
erfüllt. Damit wird das düstere Schicksal der Getriebenen,
Flüchtenden sinnbildlich ausgedrückt. Ebenso verhält es sich
mit dem Licht. Es besitzt dieselbe grelle Bewegtheit, als ob
Blitze in der Nacht unheimliche Spukgestalten jäh aufleuch-
ten ließen. Zur Walpurgisnacht paßt solche Gestaltung natürlich besonders. Höchst bezeichnend ist es, daß bei der
Schilderung seiner «Steppenfahrt» die russische Landschaft
im Text breit stimmungshaft behandelt wird, während die
menschliche Gestalt das Hauptthema der beigegebenen Lithographien bildet. Nur bei vier von den insgesamt dreizehn
Steinzeichnungen besteht ein gewisses Gleichgewicht zwischen dem Landschaftlichen und Menschlichen. Doch ist dieses auch dann groß und gewichtig gefaßt wie etwa beim «ruhenden Bauernpaar» (Bl. 13) oder den «lagernden Bauern»
(Bl. 3).

Ähnliches läßt sich beobachten bei der Verwendung von
umbauter Räumlichkeit. Auch die innenräumliche Umgebung
wird nie zur Milieustudie, wo die einzelnen Gegenstände
Selbstzweck sind. Im «Armen Vetter» wird der Wirtshaus-
saal durch die Masse der Gäste gefüllt, nur zwei Fenster im
Hintergrund sind angedeutet (Bl. 9, 10, 16—19). Im Zim-
mer (Bl. 20), wo das Fräulein auf einem Stuhl sitzt, ist vorn
ein Tisch, an dem Siebenmark lehnt und zwischen diesen bei-

den nach hintenzu der Kachelofen, dessen kühle Helle trennend wirkt. Im «Toten Tag» ist es stets derselbe dumpfe, niedere Raum. Doch wird er nur gelegentlich genauer gefaßt, auch nicht als Milieu ausgemalt, nur in der drückenden Gesamtatmosphäre angedeutet. Dazu genügen aber einige, wenige charakterisierende Dinge. Entscheidend bleibt immer der Mensch. Also wird die Gestaltung der Figuren die Hauptsache sein, weil sie die eigentliche Aussage machen. Darum ist ihr Größenverhältnis zum Räumlichen meist beträchtlich. Wo sie klein erscheinen, hat dies eine ganz besondere Absicht, übt es besondere Wirkung aus. Am bezeichnendsten ist im «Armen Vetter» (Bl. 6), wo Iver auf der Kuppe des Elbdeiches sich dunkel gegen die helle Wasserfläche und die Wolken abhebt und so die Verlorenheit als seelische Situation kennzeichnet. Darüber hinaus wird darin die Existenznot der Menschen überhaupt symbolisiert, also ein echtes Bedeutungserlebnis festgehalten, nicht eine Dramenszene illustriert. Der Raum ist eben für Barlach niemals Theaterdekoration, ebensowenig wie naturalistisch verstandenes Milieu. Es handelt sich um den Schicksalsraum des Menschen, nicht um seinen realen Daseins- und Lebensraum. Der Schicksalsraum, geladen mit Bedeutsamkeit, gehört zum Menschen mit seiner Innerlichkeit und darüber hinaus zum Gehalt. Dafür genügt eine Andeutung von markanten Gegenständen, vielleicht schon ein Pfosten bei den Träumenden, ein Stück Bank. Ja, der Raum kann ganz fehlen und nur in den Bewegungen der Personen liegen. In solchen, recht häufigen Fällen sollte man nicht von «abstraktem» Raum sprechen, eher vom irrealen oder nicht konkretisierten. Im «Findling» herrscht er bei weitem vor. Es genügt eine Horizontlinie, die Andeutung des Erdbodens. Der Baumstumpf (20) ist das Konkreteste all der 20 Holzschnitte; aber welche Ausdrucksgewalt, welche Bedeutsamkeit liegt eben in diesem Stumpf! Die ganze Wucht der Aussage haben die Figuren zu tragen. Ihre Gestaltung ist entscheidend.

Mit welchen *Mitteln* geschieht sie? Graphik ist ja auf Vervielfältigung angelegt. Es muß daher zunächst die Herstellungsweise betrachtet werden. Barlach verwendet nur zwei

Arten: Holzschnitt und Lithographie, Stich und Radierung werden nie benutzt. Das mag einerseits einen äußerlichen Grund haben im Auftrag und im Brauch des Verlages, in der Gewohnheit der Panpresse. Keineswegs in der Mode der Zeit. Man braucht allein an Klingers Radierungen zu erinnern. die hoch geschätzt und bezahlt wurden. Hier wird bewußte Umsetzung in die Abschattungen des Schwarz-Weiß geleistet, wird virtuos mit allen Mitteln dieser speziellen Technik gearbeitet. Gleichzeitig und gleichwertig schafft Slevogt etwa für die Lithographie. Kann man das auch von Barlach sagen? In jener entscheidenden Unterredung sagte Cassirer nur: «also zeichnen Sie». Damit traf er unwillkürlich das Rechte. Es sind eine Anzahl von Blättern erhalten, die als Vorlagen dienten und einfach übertragen wurden, so daß das Hantieren der rechten Hand nun spiegelbildlich als ein Linkshändertum erscheint. Die Möglichkeit des hauchzarten Hintuschens, das man an den Chinesen so begeistert entdeckte und nachahmte, benutzt Barlach kaum. Höchstens bei Goethes Gedicht «Harzreise im Winter» (Gedichte Bl. 25). Auch die spezifische Wirkung des Kornes der Platte findet nirgends Verwendung. Überhaupt hat Barlach wohl nicht direkt auf den Stein gezeichnet. Für ihn war die Lithographie eben nichts anderes als ein Vervielfältigungsmittel von Zeichnungen. Er arbeitet fast ausschließlich mit Kohle und weicher Kreide. Nur beim «Toten Tag» wird mit der Kohle Federzeichnung verbunden. Er mußte sich dazu schon aufraffen. Schrieb er doch noch 1935 an Piper: «Die Pöttjerei mit der Feder ist ja nun kein Spaß für mich, ich habe mit der Feder nie etwas ordentliches vermocht». Darin liegt vielleicht ein Seitenblick auf Rembrandt. Die Federzeichnung liefert ja die Vorlage für den Stecher. Selbst die Kupferplatte zu bearbeiten, das erschien unserem Meister offenbar zu viel Kleinarbeit, stieß ihn als «püttscherich» ab und entsprach ja auch keineswegs seiner Neigung zum Großzügigen. Damit hätten wir also den inneren Grund für das Fehlen von Kupferstich und Radierung im graphischen Werk Barlachs. Ihn reizten nicht die Halbtöne, die einst Dürer vom Holzschnitt zum Kupferstich lockten. Das Licht kämpft bei Barlach gern mit der

Finsternis, nichts lebt im seligen Schein aus sich selbst; das Licht rauscht wie aufgeregtes Meer. Nicht Lichtnuancen und ihren Stimmungsgehalt galt es für Barlach einzufangen, sondern seinen Bedeutungserlebnissen Ausdruck zu verschaffen, eben mit den ihm gemäßen Mitteln. Das eigentlich Geschaffene ist die vollständig ausgeführte Zeichnung. Sie wird einfach reproduziert in einem nur mechanisch gemeinten Arbeitsgang. Immerhin läßt sich insofern eine Rücksicht auf die Lithographie und ihre Möglichkeiten beobachten, als die Vorlagen gegenüber den Entwürfen eine stärkere Raumtiefe zeigen. Das kann durch Gegenständlichkeit geschehen, meist nur in Andeutungen oder durch stärkere Kontrastierung von Schwarz-weiß. Außerdem wird die Komposition öfter verstärkt, die Linien klarer und gleichmäßiger geführt. Jedoch, alle solche Änderungen dienen dem Ausdruck an sich, sind nicht inspiriert oder gefordert vom Material und seiner Technik.

Nicht so geduldig wie der Stein der Lithographenplatte ist die Holztafel. Nun besitzt Barlach ja für das Holz überhaupt eine große Liebe, und unwillkürlich wirkt die Absicht eines Holzschnittes bereits stilisierend auf Schau und Entwurf. Es ist kein Zufall, daß uns in der Erinnerung eine ganze Reihe markanter Prägungen von Holzschnitten haften bleiben, während man oft nicht mehr sicher sagen kann, ob es Zeichnungen waren, die uns eigentlich Eindruck machten und nicht die Lithographien selbst. Um nur ein Beispiel zu nennen: die beiden blasenden Engel: «Der neue Tag» (wohl zu Faust II), die Zeichnung (bei Fechter 64 wohl 1913) oder die etwas kräftigere Lithographie (1932). Vergleicht man dagegen Faust und Mephisto auf der Kuppe in der Walpurgisnacht, so beruht der Unterschied nicht allein in der spiegelbildlichen Umkehrung (15). Die Veränderungen betreffen sogar die Gesichter beider. (Fechter 42) Faust erscheint nun bartlos und jünger, das Gesicht ist durch einen faltigen Rundkragen betont. Das Gewand wird durch die scharfen Falten fächerförmig gestrafft und bei den zusammenhaltenden Händen die größte Dunkelheit zentriert. Um dieser Wirkung willen wird auch der Mantel des Mephisto mit breiter Schwärze gefüllt, während die Zeichnung durch die vielfältige Helligkeit ablenkt vom Wesentlichen. Aus demselben Grunde wird außerdem der tragende Fels in stärkere Dunkelheit getaucht. Doch die Technik des Flächenschnittes hilft hier noch zu besonderer Wirkung. Es sind die feinen weißen Striche im Gegensatz zu den schwarzen Massen und den breiten weißen Zügen, die einen phantastischen, irrealen Raum erzeugen voll geheimnisvollen Brodelns, wogegen die Kohlezeichnung viel realer wirkt. Nicht minder wirksam sind die gleichen Mittel für das Drama «Der Findling» eingesetzt. Monumentalisiert erscheinen dadurch die Vorgänge und Personen, zugleich von dämonischer Bedrohlichkeit umwittert. Es gelingen unvergeßliche Prägungen auch für Schillers «Lied an die Freude»; erinnert sei nur an den Chor der im Halbkreis um das strahlende Auge Gottes Schwebenden (Bl. 3), oder an «den Sternenrichter» (Bl. 9), und schließlich an die «Wandlungen Gottes» mit dem 1. und 7. Tag oder «Die Felsen». Gegenüber den Vorzeichnungen und auch im Unterschied zu den Lithographien erlaubt und verlangt der Holzschnitt Bewegung und Stimmung zu verstärken, die Köpfe werden noch prägnanter, die Linien bedeutsamer, die Kontraste stimmungsträchtiger. Alles dient unmittelbar der Wucht des Ausdrucks. Damit verwirklicht Barlach sein Stilideal der Wesentlichkeit, «was ich Einfalt heiße und zu oberst setze» (3. 4. 17). Aufschlußreich ist ein Vergleich etwa der Skizze in Kohle von drei lagernden Bauern in der Steppe (Kat. Akad. Ausst. S. 24) mit der ausgeführten Lithographie der Steppenfahrt (Bl. 3). Die massig für sich aufgenommenen drei Gestalten werden zusammengerückt und verschmolzen zu einem langgestreckten Komplex im Vordergrund. Zugleich werden sie eingeordnet in den leicht gewellten Boden, der nun alles umschließt. So wurde aus der Skizze ein einheitliches komponiertes Bild von ganz anderem, aber deutlichem und starkem Gehalt, Ausdruck eines Bedeutungserlebnisses. Immer wieder läßt sich das Erstreben einer Ganzheitlichkeit als bewußtes und wichtiges Kompositionsprinzip mit Händen greifen. Gern wird dazu deutliche Umrißmarkierung verwendet, nicht nur zeichnerisch als Linie, sondern häufig als schwarze Fläche, kontrastiert zu heller. Der Holzschnitt neigt dazu leicht, zumal beim modernen Flächenschnitt, jedoch ebenfalls die Lithographie. Man nehme etwa «Schäfers Klagelied» (Goethes Ged.). Die große Halbrückenansicht des in sich versunken Stehenden fängt den Blick. Sie ist jedoch nicht etwa eine gezeichnete Holzplastik, die eigentlich für sich steht; nein, es ist ein Mensch in seinem Raum; ihn erfüllt und schließt zusammen ein Schicksal. Das ist das Bedeutungserlebnis. Daraus ergibt sich die Komposition. Es gehört nämlich zum Schäfer sein Hund, vorn links und die Herde, die den Mittelgrund füllt. Alles ist diagonal in die Tiefe gerichtet nach links hin zum Gehöft im Hintergrund als Zielpunkt. Die Geschlossenheit enthüllt sich als eine innerliche, Sinn und Wesen entsprechende, keine formalistische. Meist erweist sich die Ganzheitlichkeit als polar, also aus einer Spannung bestehend, einen Kontrast umschließend. So verhält es sich bei dem bereits erwähnten Blatt aus der Walpurgisnacht «Faust und Mephisto auf dem Gipfel des Brocken» (15) oder bei dem gegensätzlichen Paar der ruhenden Bauern (Steppenfahrt Bl. 13) oder im Findling bei Elises erschrockenem Antreffen ihres Vaters (53). Dabei wird stets keine flächige Gleichstellung der Figuren, sondern leicht diagonale Anordnung beobachtet. Sehr deutlich trifft das auch für den schon besprochenen Streit zwischen Iver und Siebenmark (Armer Vetter Bl. 21) oder dessen Auseinandersetzung mit Frl. Isenbarn (Bl. 20) zu. Dreiergruppen etwa wie im «Findling» (19, 77) zeigen solche Tiefenabstufung nun in Dreieckstellung besonders markant. Nicht ein ausgeführtes Milieu, jedoch Raum, und zwar als dynamisches Prinzip, erfüllt vom Schicksal, das wird gestaltet. Sei es gemußt oder bewußt, jedenfalls darf darin ein drittes Kompositionsprinzip erblickt werden. Die dafür verwendeten Mittel sind bei Holzschnitt und Steindruck grundsätzlich dieselben: Strichlagen voller Bewegtheit. Dabei kann Gegenständliches angedeutet oder auch ausgeführt werden, oder irreal nur durch die Stellung der Figuren eine Tiefendimension anklingen, und dann sind sie doch von einer Atmosphäre umflossen, einem Schicksalsraum zugehörig. Als großartigste Leistung prägt sich uns die entscheidende Szene des

«Findlings» ein (75), wo Elise das Elendskind emporhebt und dieses erlöst voll Schönheit erstrahlt. Aus dem schwarzen Hintergrund tritt als Zentrum das Kind mit der Mutter in weißer Aureole hervor, im weiten Kreis wogt die staunende Menge. Die großen dunklen Rückenfiguren vorn heben sich von dem lichten Erdboden ausdrucksvoll ab. Geschlossenheit, Bewegung, Raumtiefe mit Mitteln des Flächenholzschnittes, alles wirkt sich steigernd zu monumentalem Ausdruck zusammen.

Gesonderte Beachtung und Betrachtung verdienen die Einzelfiguren. Sie stehen natürlich an exponierter Stelle, haben verstärkte Ausdrucksaufgabe. Im «Toten Tag» ist es die Gestalt der Mutter, am eindrucksvollsten ohne alle Bindung an den einzelnen szenischen Vorgang die «Mutter am Herd». Auch in der «Walpurgisnacht» ist Mephisto «der auf einmal sehr alt erscheint», (35) mit großem Nachdruck gestaltet. Sehr wirksam sind die beiden Blätter, die Lilith (37) und dann Gretchen (45) darstellen, voll bedeutender Kraft. Für das Titelblatt wurde auf schwarzem Grund eine Hexe verwendet, deren Rock wie ein emportragender Zaubermantel in welligem Schwung sie umflattert. Überhaupt wird die Einzelfigur öfter als Titelbild benutzt. Im «Findling» sogar in doppelter Weise. Die obere Hälfte des Titelblattes nimmt die Gestalt der Jungfrau mit dem Kinde ein in strenger ovaler Geschlossenheit. Danach folgt noch vor dem Personenverzeichnis und über einem fünfzeiligen Schriftsatz, der Auflage und Herstellung angibt, die Gestalt eines sitzenden Flüchtlings, der unter der Überlast seines Bündels zusammengedrückt erscheint. Die ganze dumpfe Not als Grundsituation wird hier symbolkräftig zusammengefaßt. Für den «Armen Vetter» wurde das Grundmotiv des vereinsamten Ichs dreifach abgewandelt. Zunächst zeigt eine Lithographie (Bl. 6) Iver auf der Deichkuppe klein und verloren vor dem breiten Wasser und den Wolken, seine Stimmung voll Selbstmordgedanken symbolisiert sein überlanger Schlagschatten. Das entspricht nicht etwa einem Monolog, sondern nur anderthalb Zeilen der Bühnenanweisung für das zweite Bild, dessen Inhalt zwei Dialoge von zwei kontrastierten Paaren ausmacht. Vor seinem Tod hat Iver im

11. Bild allerdings einen großen Monolog. Zwei großfigurige Lithos (Bl. 29, 30) halten die beiden geistig bedeutsamsten Stellen fest. Aus der letzten (Bl. 30) wird dann das Titelbild entwickelt. Dabei wird das Breitenformat umgeschnitten in Hochformat, der Figur entsprechend. Sie steht nicht mehr in dunkler Einsamkeit, deutlicher hält sie nun Zwiesprache mit den Sternen des Himmels, in den nur noch Kopf und Schultern ragen, während die Erde bis zur Hüfte hochgezogen ist und das Meer darüber heller wirkt. Am genialsten aber ist das Titelbild zum «Toten Tag». Ohne Bezug auf eine bestimmte Szene wird mit wenigen ganz starken Strichen die Gestalt des Kauernden, Knieenden gegeben, die verschlungenen Hände an den Boden gebannt, der Kopf sehnsüchtig emporblickend, den Vater suchend. So vereint sich die Thematik des Stückes mit der Grundsituation des Menschen schlechthin unvergeßbar in unvergleichlicher Geschlossenheit und doch mit der Polarität von Kopf und Händen, dabei nicht abstrakt, sondern leibhaft und auch räumlich, denn der Erdboden mit seiner festhaltenden Kraft kommt zur Geltung, obschon nur mit vier dicken schwarzen Strichen markiert, Schicksalsraum.

FÜNFTES KAPITEL

Plastik

Bereits als Knabe bewies Barlach eine entschiedene Neigung und Begabung zu plastischem Gestalten. Der Lust am Zeichnen bot sich ungesucht reichlich Anlaß und Aufgabe. Zur Lösung des schlummernden Bildhauers bedurfte es eines bestimmten und deutlichen Anstoßes. Zurückblickend empfindet es der fast Sechzigjährige (SLP 21) als einen «sanften Schub des Schicksals einzutreten in ein Werkstübchen, von dem ich nicht wissen konnte, daß es sich zur Lebenswerkstatt auswachsen würde. Ich erhielt von der Frau Schuldirektor durch Vermittlung meiner Mutter die Aufforderung, für ein so und so geartetes Brettspiel ein Dutzend Vögelchen zu kneten, ein Klümpchen Ton in die Hand zu nehmen und – nur als Anfang – einen Kiebitz zu formieren. Es wurde einer und das andere Geflügel folgte, bis das Dutzend voll war. Halt, dachte ich, die Art Hantierung tut gut.» Offenbar hatte die Mutter schon Anzeichen für diese Richtung seiner Begabung gesehen, die jetzt aber zur Entfaltung und zum Bewußtsein des Knaben kam. Auch das Holzschnitzen begann. «Einem Stück oder mehreren Scheiten Buchenholz verhalfen meine Finger mit zufriedenem Getue zur Form eines Tieres oder Blattes und bewahrten sie vor dem Ofen» (SLP 22). Auch «in der Werkstatt des Steinmetzen Busch uns gegenüber boten sich Bruchstücke von Grabsteinen zu allerlei schnurrigen und kindlichen Gestaltungsversuchen an». Auf der Gewerbeschule in Hamburg machte ihm der Zeichenlehrer das Leben sauer. Wie eine Erlösung wirkte der Abendkursus bei dem von Dresden kommenden Bildhauer Thiele. Er pflanzte dem Jüngling «guten Glauben an bildhauerische Berufung ein» (SLP 27); der sattelte gleich um, wählte als Hauptfach nun die Bildhauerei. «Wir kopierten nach Gips», so berichtet Barlach (SLP 28), dazu Aktzeichen. «Auch durfte, wer wollte, nach Belieben komponieren... Ich, kaum dessen inne, biß an und suchte mein Heil in wütenden Beweisen grenzenlosen Wollens. Ich lernte ein halbes Hundert Corneliusscher Faltensysteme auswendig und warf bald mit approbierten Gewandfiguren nur so um mich. Thiele lobte, ich kostümierte

hemmungslos gangbare Begebenheiten und kunstgeschicht-
lich herkömmliche Szenen nach einem geläufigen Schema...
und vollzog... mit diesem Tun den Anschluß an ehrwürdige
Größe. Gleichsam körperlich schien ich mich unter hohe Gestalten zu mengen und war beglückt über die Schatten, die
von ihnen auf mich fielen. Meine Hände liefen beweglich
dem erhabenen Gefüge einfältiger und grandioser Herrlichkeit nach». Wer würde vor den eigentlich barlachschen Statuen vermuten, daß der Jüngling das Erbe des akademischen
Klassizismus einst so willig und leicht aufgenommen hätte.
Aber da schon gab es plötzlich ein Stutzen und dann eine
Wendung. Es ist nicht die neue Zeitmode des Naturalismus,
die er aufnimmt, jedoch eine verwandte Einstellung. Er sieht
den Gegenstand «in der zeitlichen Wirklichkeit auf der
Straße». Er skizziert nicht nur «hastig und unermüdlich bis
zur Abstumpfung», sondern er beginnt, diese «auf der Straße
errafften Alltäglichkeiten für knetbar und plastisch darstell-
bar zu halten», was bei den Mitschülern ihm die Bezeichnung «Genrebildhauer» eintrug. Es waren «faustgroße oder
noch kleinere Manifestationen in Ton», die «sich kaninchen-
artig» vermehrten, «unsäglich verschämte Keimversuche
eines Wachstums auf keinem anderen als dem eigenen Grund,
von dem bedürftigsten Vermögen gefördert». Während er im
offiziellen Akademismus lustlos weitermachen mußte, erfüllte
ihn «Lust im Herzen, wenn meiner Armut ein Fündlein gelang». Hier war eben doch schon Barlach am Werke, obschon noch in der Samtjacke des jungen Akademikers, der
«eine Witterung bekam von dem selbstverständlichen Wege»,
der ihn allerdings noch 15 Jahre im Dunkel führen sollte.
«Auftrumpfen gegen jede Leitung und gleichzeitige Demut
alles Mühens war der Mist, auf dem ein jungdreistes, sonder-
bares Gewächs erstand». Auf der Dresdener Akademie fand
er in Robert Diez einen kritisch wohlwollenden Lehrer. «Mir
gönnte er manches väterlich ermunternde Wort, weniger vor
den Atelierleistungen als beim Durchblättern der Büchlein
mit den Beweisen meines Privatfleißes auf der Straße» (SLP
31). «Das Atelier Diez vollbrachte an mir kein Wunder. Ich
modellierte für mich hin und was ich im Sinn hatte, wußte

ich nicht». Auch das Jahr in Paris (1895) half nicht. Rodin
machte keinen Eindruck auf ihn, Barlach wurde kein Impressionist. Bezeichnend ist seine Abschlußarbeit in Dresden:
eine niedergebogene Krautpflückerin, die er in Friedrichsroda gesehen. Wohl scheint das ein unwillkürlicher Anklang
an die «glaneuses», das in Deutschland als Fanal des Naturalismus gefeierte und allbekannte Bild von Millet. Aber ist es
nicht zugleich auch ein Vorklang auf den eigentlichen Barlach?

Das bewegliche Talent seines Mitschülers Carl Garbers
zog ihn als Gehilfen mit sich in die Praxis. Er «hatte immer
die Narrheit gehabt, mich für einen richtigen Bildhauer zu
halten». Er hatte Aufträge für das Hamburger Rathaus und
er brauchte Barlach, «um eine Figurengruppe mit Faltenwür-
fen und Hand-, Kopf- und Fußdetails in meiner schlecht
überbietbaren Fingerfertigkeit zu versehen». Verschämt gesteht hier der Meister eine handwerkliche Geschicktheit ein,
um deretwillen er wohl später (1904/05) die Stelle eines Leh-
rers an der Fachschule für Keramik erhielt. Auch noch ein
Weiteres ist zu beachten. Ein Lehrbuch über «figürliches
Zeichnen» erschien 1896 in Strelitz und erlebte mehrere Auf-
lagen (wichtige Überarbeitung 1907/08). Aus diesen Zeiten
rührt das Skelett her, das noch im Wohnzimmer des Heid-
berghauses in der Fensterecke stand. Man hat bisher völlig
übersehen, wie bis zur letzten Statue, trotz der schweren Ge-
wandung, der Körper darunter anatomisch richtig ist, nicht
willkürlich verzerrt oder abstrakt behandelt. Auch die mas-
sivsten Gestalten Barlachs besitzen eine Leibhaftigkeit, die
sie immer menschlich wirken lassen. Wir denken an seine
Formulierung (28. 12. 11): «meine künstlerische Muttersprache ist nun mal der Mensch».

Eine neue Wegstrecke begann: «eine Abkehr vom unbedachten Hinnehmen jeder Zufallsform», also von der natura-
listischen Haltung. «Zaghaft genug fing ich an wegzulassen,
was zur Stärkung einer unklar gewußten oder gewollten Wirkung nicht beitragen konnte, war nicht mehr schlechthin
Dulder oder Diener des sichtbaren Seins» (SLP 38). Das ist
die Wendung zum Ausdruckshaften, «sei es einer entschiede-

nen, starken, grotesken und lieblichen Form oder dem nachspürenden Ahnen eines leisen, humorigen oder wüsten Werks
hinter der Alltagsmaske». Die Arbeiten auch nach der Lösung von Garbers (1900) in der Wedeler Versponnenheit zeigen in Graphik wie Plastik ein Vorwiegen des Formalen, eine
Berührung mit dem ‚Jugendstil'. Es hatte ja damals der Zeitstil den Akzent vom Psychologisieren auf einen ästhetischen
Impressionismus, ein Genießen der Form verschoben. Bei
Barlach handelt es sich wie einige Grabplastiken zeigen, eigentlich um Stimmungserlebnisse. Nun kam 1906 der Durchbruch: das ist außen wie innen, sah er bei den russischen Bettlern und Bauern. Er erlebte sie aber als «Symbole für die
menschliche Situation in ihrer Blöße zwischen Himmel und
Erde». Er hebt das Entscheidende scharf heraus: kein neues
Formschema! «Form – bloß Form? – Nein, die unerhörte Erkenntnis ging mir auf, die lautete: du darfst alles Deinige...
ohne Scheu wagen, denn für alles... gibt es einen Ausdruck».
Nicht mehr der Formalismus für Stimmungen, sondern Bedeutungserlebnisse finden plastische Gestalt. Deshalb gelingen die ersten Kunstwerke: die feiste Bettlerin und der betend lamentierende Bettler» und werden Frühjahr 1907 als
gebrannte Terrakotten in der Berliner Sezession ausgestellt:
«endlich wirklich Plastik» und keine bloße «Modellierarbeit»
wie bisher, empfindet Barlach (SLP 41).

Bezeichnend ist, wen er daraufhin zuerst als Freund findet:
den damals schon berühmten August Gaul. Es war nicht allein der warmherzige Mensch, der den Neuling ermutigen,
seinen ernsten Eifer anspornen wollte, es war auch der bedeutende Plastiker, der hier ein verwandtes Kunstwollen be-
grüßte. Denn die Tiere Gauls gaben nicht durch geschickt
gewählte ‚Motive' zu sentimentalen Stimmungserlebnissen
Anlaß. Sie stellten ein Reh etwa schlicht in seinem natürli-
chen Sosein dar, so daß die innere Lebendigkeit empfunden
wurde. Das aber war grade Barlachs Absicht. Nicht durch
ein Motiv aus dem Armleutemilieu einem sentimentalen So-
zialismus entgegenzukommen, sondern in den Bettlern die
Bedürftigkeit des Menschen empfinden zu lassen, indem er
ihr Sosein hinstellt, darauf kam es ihm ja an. Er will eben ein

Künstler sein, der «das Menschlichste in seinen Tiefen faßt und ans Licht bringt» (27. 9. 16). «Und Plastik ist eine Sache des Lichts; nicht die Malerei, Plastik mag dem Licht antworten, damit doch ein Verkehr von meinem Innen nach jenem Außen vorgeht» (15. 9. 15). Das sind seltsame Meinungen in der Blütezeit des Wilhelminismus, der monumentalisierten Schein, hochfahrende Pose suchte und brauchte. Vor ein paar Jahren (1902) hatte er mit Garbers noch in dieser Richtung mitgemacht und an der Neptungruppe für das Verwaltungsgebäude der Hamburg-Amerika-Linie gearbeitet. Das war nun vorbei; kleinformatig wurden die Figuren, aber dabei doch von einer eigentümlichen Wucht. In der photographischen Wiedergabe tritt diese weit auffallender zutage, als im Original. Sie waren für Vervielfältigung gedacht, Abguß in Bronze oder auch nur in Terrakotten. Daß Paul Cassirer einige auch in Porzellan herstellen ließ, ist eine erstaunliche Geschmacklosigkeit. Sie büßen dadurch völlig ihre Binnenzeichnung ein. Aber auch die Hauptwirkung geht verloren, weil das Grundverhältnis zum Licht verschoben, verdorben ist. Eigentlich verlangen sie alle Holz, dunkles Holz mit seiner Härte und Massivität. Und tatsächlich geht jetzt Barlach zur Holzbildhauerei als seinem eigentlichen Ausdrucksmaterial über.

Das verstärkt noch seine Isolierung. Denn Marmor und Bronze war für den überkommenen Klassizismus das selbstverständliche Material. Marmor paßt für intimere Flächengestaltung, weichere Formen, zartere Empfindungen und Stimmungen. Darin konnte Reinhold Begas, der viel beschäftigte, einiges lyrisch-anmutig darstellen; zur großen Denkmalsbronze fehlte ihm der Atem. Sein Neptunbrunnen auf dem Schloßplatz wurde hart kritisiert. Gaul bevorzugte Bronze ebenso wie Tuaillon, den Barlach nun auch kennenlernte. Dessen Amazone wurde angekauft und im Garten um die Nationalgallerie aufgestellt. Hier war der Klassizismus umgebildet zu schlichtem Sosein der Gestalt voll gesunder Gelöstheit. Aber nicht zum Bedeutungserlebnis vertieft, bildet diese in sich ruhende Leibhaftigkeit das tragende Gefühl. Nahe kommt ihm Georg Kolbe (1877 geboren), der sich grade durchsetzte und allerhand zunächst kleinere Aufträge erhielt. Auch er schuf ganz aus dem Leiberlebnis voll Freude an harmonischem Spiel der Gliedmaßen. Neben der viel gerühmten Tänzerin, sind es auch hockende Frauen, etwa Wasser schöpfend. Seine Statuen werden ebenfalls nicht schmackhaft gemacht durch ein sentimental zu fassendes Motiv. Ernste Freude am schönen Sosein des menschlichen Körpers als eines durchseelten Ganzen, eben als leibhafter Mensch, erfüllt den Künstler und überträgt sich dem Beschauer.

Von diesen gekannten und geachteten Zeitgenossen, die mit Recht als die modernen galten, hob Barlach sich entschieden und immer deutlicher ab und zwar nach allen Seiten. Durch seinen Formtypus, durch das ungewöhnliche Material des Holzes und nicht zuletzt selbst durch den Inhalt, die Motive. Es ergibt sich eine erste Gruppe, die russische Eindrücke verwertet und deswegen besonders auffiel. Das wirklich Entscheidende liegt jedoch nicht in dieser Inhaltlichkeit, etwa mehrere Bettlerinnen, vielmehr in der Haltung, in der Art ihres Liegens oder Sitzens. In erschreckender Massigkeit ruhen sie auf der Sockelplatte. Zunächst zeigen sie nur ein dumpfes Dasein, bald verdeutlicht sich ein darin steckendes Menschliches. Es sentimentalisiert sich nicht zum Genrehaften, auch nicht im Liebespaar (1908), kulminiert in der «sorgenden Frau» (1909). Schwer lasten die breiten verschränkten Hände dieser Sitzfigur auf dem Rock zwischen den weit gespreizten Knien (P 10). Es ist die Gesamtform, die hier die Wirkung bestimmt. Gewaltig ist der Unterschied zu allem Zeitgenössischen, auch gegen die Monumentalplastik Garbers, wo stets die Gliedmaßen Eindruck und Ausdruck bestimmten. Eine schwere Tuchmasse umgibt von nun an stets Barlachs Figuren und bringt eine großflächige Unterteilung, eine dienende Binnenform hervor. Auf die Ganzheitlichkeit kommt es primär an. Das beweist besonders eindringlich noch die Gruppe der drei singenden Frauen (1911, P 13), die als dreiseitige Pyramide aufgebaut ist. Das erschreckend Klotzige der ersten Gruppe mildert sich, die Blockhaftigkeit aber bleibt. Das Einheitliche der Gesamtform gibt Barlachs Stilwillen die Richtung.

Trefflich paßt dazu das Holz als Material. Nicht leicht wie Sandstein oder Marmor läßt es sich bearbeiten. Mit der Axt zuerst geht ihm Barlach zu Leibe. Wir sehen noch die einzelnen Schnitte am fertigen Stück, den Kampf des Menschenwillens mit der Materie. Es läßt sich nicht wie Bronze einfüllen in vorgerichtete Form. Form muß im Einklang mit der Wüchsigkeit des Klotzes gebildet werden. Es ist ja kein totes Material, es wird zum Mittler, zum Mitwirkenden in seinem matten Schimmern. In ihm steckt noch ein Verwandtes, ein Hauch von Leben, von Kreatürlichkeit. Verwurzelt im Dunkel der Erde und doch emporstrebend ins Licht; es ist eine Mischung von Schwere und Sehnsucht in ihm wach wie im Menschen, wie in dem Bildhauer, der es als ihm gemäß erwählt hat.

Und doch ist es nicht einfach der Charakter des Holzes, der Barlach einen ,Materialstil' aufzwingt. Wie anders sehen etwa die Holzfiguren unserer Spätgotiker aus, bis hin zu Syrlin oder Tilman Riemenschneider. Schon die verschiedenen Holzsorten, ob Lindenholz oder Eiche, erlauben verschiedene Behandlung. Hinzu kommt natürlich noch die Möglichkeit der Bemalung, wodurch der Charakter des Materials verdeckt und die Wirkung ganz verändert wird. Von manchen der erhaltenen Statuen war die Farbe abgeplastert und wurde später herunter geschliffen. Sie wirkten nun, zumal in der anderen räumlichen Umgebung und Beleuchtung im Museum recht anders als früher an Ort und Stelle. Erinnern wir uns, daß gerade die Pietà (das Vesperbild) eine deutsche Erfindung ist. Wie wirken diese oft hochwertigen Kunstwerke doch anders auf uns bei aller intensiven Seelenhaftigkeit durch ihre andersartige Gestaltung. Stets handelt es sich um ein breites Sitzen der Schmerzensmutter mit dem quer in ihrem Schoß gelagerten toten Sohn. Der Ausdruck des Leides erfüllt das Gesicht, später auch die Gebärde. Dennoch lastet keine Massigkeit wie bei Barlach. Das macht hauptsächlich die andere Form. Die Binnenzeichnung ist viel kleinteiliger, die Fältelung wird immer unruhiger, nervöser, in den Richtungen gegenläufig, gebogen und gebrochen, schmal und scharf. Bei Barlach dagegen finden sich nur wenige und

breite Falten, als ob seine Personen ganz schwere Tücher benutzen, sehr im Gegensatz zu den feinen Geweben der Gotik.
Er sagte einmal zu Schurek (52): «Das Tier hat sein gewach-
senes Fell. Dem Menschen ist die Kleidung gegeben. Gott
weiß wohl wozu». Das Gewand kommt bei ihm stets in breiten Flächen zur Wirkung. Sie werden belebt durch das feine
Flimmern der einzelnen Schnitte, die gleichsam die Textur
ersetzen und gar nicht im geringsten abgeschliffen wurden.
Die breiten, meist recht flachen Falten unterstützen nur die
Flächigkeit und eben diese ergibt den Eindruck des Massiven,
breit Wuchtigen. So bedingt die Schwere und Massigkeit der
Binnenzeichnung das Vorwiegen der Gesamtform und erweckt den Eindruck des Ausgeliefertseins an Kreatürlichkeit,
an erdgebundenes Leben und Leiden.

Barlach hat, wo sich nur eine Gelegenheit bot, die Leistungen der früheren Epochen aufgesucht und natürlich die Holz-
schnitzerei mit besonderem Interesse angesehen. So tröstet
ihn über die Enttäuschung, in Rostock nicht die gewünsch-
ten Stiefel gefunden zu haben, die Besichtigung der schönen
Schnitzaltäre der Universitätskirche. Vor ihnen fühle er sich
«den Leuten von damals sehr verwandt. Es liegt aber garnicht in der Form» (5. 12. 17). Als er 1921 in Kiel ist zu
Besprechungen über die Denktafel in der Universitätskirche,
empfindet er ähnlich (23. 5. 21),: «Bei meinem Gang durchs
Thaulow-Museum habe ich wieder einmal so etwas wie We-
sensverwandtschaft mit den Schnitzern der alten Zeit empfunden; zwar meine Form ist ganz anders, als daß ich von
jenen äußerlich lernen könnte; und so stehe ich mit Ehrfurcht
aber auch dem Bewußtsein der ehrlich erworbenen Selbstän-
digkeit da und trete an meinen Ort, wo die Andern stehen».
Ebenso bot ihm das Schweriner Museum prächtige Stücke
aus dem 15. Jahrhundert, besonders aus den Kirchen zu
Dobbertin, Templin und Belitz. Seine Hochschätzung des
Bordesholmer Altars vom Meister Brüggemann äußerte er zu
Schurek (52): «Die Brüggemannschen Leute haben mir von
jeher gefallen, und ich wette: um seine Kriegsknechte, Zuschauer, Manns- und Weibsleute sonstiger Art machen zu
können, ist er mit ebensolchen Taschenbüchlein, wie ich sie

habe, durch Straßen und über Land gelaufen». Aber er hatte
es ja noch näher. In Güstrow selbst standen die schon damals
berühmten Apostel des Lübecker Meisters Claus Berg (um
1525), befanden sich außerdem die prächtigen Reliefs der
Wangen des Levitenstuhls aus der ersten Hälfte des 15. Jahr-
hunderts. Nicht nur gekannt hat sie Barlach, auch gesehen,
sehr genau und mit Anteil wahrgenommen. Denn die unter-
schiedliche Qualität an den einzelnen Teilen der Statuen er-
klärte er Piper einleuchtend (Reinh. Piper, Nachmittag S.
158 f): «In diesen gotischen Schnitzwerkstätten gab es sicher
eine Arbeitsteilung. Der Lehrling mußte die Füße machen,
die sind bei allen Figuren gleich. Dabei hat er so viele Ohrfeigen gekriegt... so viele Ohrfeigen! – bis sie endlich ein bißchen besser wurden. Da drüben sind Zehen, die möchte ich
nicht gemacht haben, – die möchte ich bei Gott nicht gemacht haben! Der Geselle hat die Gewänder gemacht, die
sind schon besser, und der Meister die Köpfe, die sind groß-
artig». Es wäre natürlich albern, nun Barlach einen Gotiker
nennen zu wollen, oder ihm gar ‚Abhängigkeit‘ von der
norddeutschen Holzplastik anzuhängen. Aber bestärkt hat
ihn offensichtlich das Gefühl innerer Verwandtschaft, auch
bekräftigt im Bewußtsein seiner Eigenständigkeit.

Ihn drängte es ja so urtümlich und unabweisbar zum Holz,
daß er auch im ganzen Florentiner Jahr nur mit seinem
«Holzblock» beschäftigt war. Er gibt das offen zu (SLP 42):
«1909 bezog ich ein Atelier in der Villa Romana in Florenz,
wohin ich eine vorbereitete Arbeit überführte, begann und
beendete, und wo ich in unerschütterlicher Selbstgerechtigkeit, erst mit der Axt, dann mit dem Meißel in Holz weitere
Stücke vorbereitete, begann und beendete». Im Unterschied
zu früheren Zeiten fehlte ihm ja jede Vorschulung etwa von
der Akademie her und jegliche Tradition, also alle Kenntnisse
hinsichtlich der Form wie der Technik. Wie mühsam der Anfang war bei einem, der das Handwerkliche stets ernst genommen und eifrig vervollkommnet hatte, das berichtet er
anschaulich selbst (1. 10. 32): «Anno 1907 fing ich mit Holz
an, ungelernt. Die sogenannten «Holzbildhauer, handwerkliche Ornamentschitzer an Bauten oder Möbeln, haben noch

so etwas wie Berufstradition; ihre Werkzeuge sind aus alten Zeiten überkommen, und sie wissen sie zu handhaben, es geht halt um Stundenlohn bei ihnen und nach Stück und Metern; es sind ungemein routinierte Leute, die sich über meine Art zunächst krank lachten. So einer besorgte mir das Geschirr – ich wußte von nichts und fuhr mir zunächst mit einem flotten Stich tief in die Hand. Ich habe aber doch nicht eine einzige Arbeit als mißlungen liegen lassen müssen, wenn es auch oft auf kuriose Art herging. So fing ich längere Zeit mit Sägen an und darf sagen, daß die frisch angesägten Arbeiten recht sehr nach was aussahen; hätte ichs dabei bewenden lassen und die Stücke ausgestellt, wer weiß was für Furor es gegeben hätte. So aber trachtete ich nach dem Vollenden und hatte die Genugtuung, daß Manches als besonders angesehen wurde, was zunächst nur ungeschickt war. Alles in allem habe ich mirs sauer genug werden lassen, etwa 70 Holzarbeiten, darunter ziemlich große, ehe ich es mir einmal gönnte, das Grobe nach Modell vorarbeiten zu lassen (= von Böhmer). Jahrelang war es meine Lust, mit der Axt, sagen wir mit dem Beil, vorzuarbeiten, und geschliffen habe ich die sämtlichen Eisen bis 1927 auf einem Küchenschleifstein». Wie in der Graphik, vor allem im Holzschnitt, wie gleichzeitig im Drama, so hat Barlach sich auch in der Holzplastik seine eigene Technik als Ausdrucksweise erworben und ausgebaut. Er hat sie nicht als programmatisch ausgeklügelt und der rohen Materie herrisch aufgezwungen empfunden und gemeint. «Die plastische Form entfaltet sich nach ihren, nur ihr zugeeigneten Gesetzen, ihr Geheimnis ist nicht zu enträtseln, der Versuch dazu wird mit dem Ergebnis bestraft, daß Totes, Schema, Mache entstehen» (31. 3. 37), bekennt der Meister fast am Ende seines Lebens. Er läßt sich aber auch nicht von anderen dreinreden, noch gar von Programmen. Schurek (52) berichtet den markanten Ausspruch des Meisters, als ihm die Forderung der Künstlergruppe «die Brücke» vorgelesen wurde, man dürfe nur aus dem ganzen Block schnitzen: «Ich soll mich abhängig machen vom Holzstück? Ich leime es mir zusammen auf das Format, das ich brauche! Denn das Format, das habe ich in mir und aufs

Format kommt es an». Man kann die Wichtigkeit und nebenbei auch die Richtigkeit dieses letzten Satzes gar nicht genug
unterstreichen, sich merken und sollte demgemäß auch sehen
und werten. Auf Abbildungen also dürfte man sich nicht einseitig verlassen, die Vergrößerungen bei Lichtbildervorfüh-
rungen sind meist gradezu irreführend. Beides kann lediglich
zur Stütze des Gedächtnisses dienen. Notwendig ist ein ver-
trauter Umgang mit dem Original, auch ein Herumgehen.
Dabei ist die Farbe und Art des Holzes wichtig und ebenso
die Größenverhältnisse, aber mehr noch das Vorhandensein
im Raum. Übrigens war Barlach durchaus nicht herrisch gegenüber dem Holzblock. Voll Stolz erzählte er mir vor der
fast schwarzen Figur des Moses (1919, P 41), daß er sie aus
einem Stück, das als Wasserrohr gedient habe und besonders
hart geworden sei, herausgeholt habe. Es freute ihn, an den
David des Michelangelo vor der Signoria in Florenz erinnert
zu werden, bei dem ja auch der schmale hohe Rest eines sich
spaltenden Blockes die Anregung zur Form der Statue gegeben hatte.

Das lenkt den Blick auf den Arbeitsvorgang. Über die
Konzeption weiß der Künstler meist wenig zu sagen. Daß
irgend eine Anregung, ein Modell dabei beteiligt sein kann,
kommt ihm meist nicht zum Bewußtsein. In einem Fall jedoch war es ihm selbst erinnerlich und er hat das mehrfach
bekannt (auch Schurek 52). In einem Zug saß ihm ein Mecklenburger Landmann in seiner vollen Fülle die ganze Strecke
von Güstrow bis Rostock dicht gegenüber. Da konnte er ihn
nicht zeichnen, er lernte ihn auswendig, ähnlich wie er es auf
seiner Rußlandreise schon gelegentlich getan hatte. Aber nun
entstand keine Sitzfigur, sondern dieser schreitende Spaziergänger, die Hände auf dem Rücken, gegen den Wind stap-
fend (1912, P 18). Es machte ihm wohl selbst Spaß, was aus
diesem «Ersparnis seiner Augen» geworden war. Die Fixierung des Geschauten geschieht selbstverständlich in einer
Bleistift- oder Kohleskizze. Doch erfolgt die Ausführung
nicht sofort. Da sprechen äußere Umstände mit, auch die
Besorgung des passenden Holzes gehört schon mit zur Aus-
arbeit, gibt Anregung. Manches Motiv taucht nach längerer

Zeit wieder auf, weil es irgendwie innerlich ihm viel bedeutet. So sagte er mir, daß die Hexe immer wieder käme. Ein anderes Beispiel liefert der sitzende Leser, den man wegen des langen Gewandes auch als Mönch oder Klosterschüler bezeichnet findet. Schon 1916 erschien die Lithographie «Lesender im Wind». Es ist die Situation am Wasser auf einem Steilufer mit abziehender Regenwand deutlich. Die Oberarme liegen am schräg vorgebeugten Rumpf, die Unterarme ruhen auf den Oberschenkeln, die parallel gestellten Unterschenkel spannen das Gewand glatt, die entsprechend parallel gestellten Füße kommen etwas nach vorn. Der Wind spielt in der einen Hälfte der Blätter, der Kopf schaut in die Ferne mit vorgestülptem Mund und halbgeschlossenen Augen. – Dann gibt es eine Kohlezeichnung, datiert 4. 3. 22 (Fechter Nr. 1). Das Gewand ist jetzt großflächig aufgeteilt wie für eine Holzstatue; dabei auch zwischen den Knien mit einer Falte. Vor allem werden nun die Ellbogen auf die Knie gestützt und die Hände halten das Buch hoch, ziemlich nahe an das Gesicht heran, das nun das hineinblickende Lesen als ein Tun andeutet. Erst 1936 wurde die Figur in Bronze gegossen. Nun ist der Oberkörper weniger vorgeneigt; ruhig steigt die große Linie des Rückens vom Sitz zum Kopf, der damit höher steht. Von den stärker zusammengerückten Füßen und Knien steigt ein zweiter Linienzug, beim Oberkörper fast senkrecht zum Hals. Der Kopf tritt dadurch ebenso hervor, wie die Unterarme mit dem Buch, das in eindrucksvoller Spannung zum Gesicht steht und nun ausdrucksstark die geistige Konzentration verewigt. Jetzt erst fand das zugrundeliegende Bedeutungserlebnis seine unvergeßliche Endgültigkeit. Der «lesende Klosterschüler» (1930) ist in Holz, jedoch in ganz anderer Haltung, also mit anderer Aussage. Daß Holz und Bronze selbst bei ähnlicher Farbe verschieden wirken, ist allbekannt. Ein Beispiel dafür bietet die Gruppe «Das Wiedersehen» (Auferstandener Christus), die 1926 in Holz wie in Bronze entstand. Kleine Tonmodelle als Ideenskizzen waren bei der sprichwörtlichen Fingerfertigkeit des Meisters schnell gemacht und standen in allen Winkeln des Ateliers herum. Besonders in späterer Zeit schuf Barlach Arbeitsmodelle aus Gips, nach denen dann Guß oder Holzfigur doch nicht ohne kleine Abweichungen hergestellt wurden. Wie wichtig für das richtige Aufnehmen und Verstehen das Format ist, konnte man an der Vergrößerung der «lesenden Mönche» für das Kronprinzen-Palais in Berlin beobachten. Aber noch ein Weiteres mochte einem dort auffallen, eigentlich jedoch in jedem Museum. Grade bei den meist nicht großen Statuen, die in der Abbildung fast etwas Monumentales haben, war man erstaunt, wie im großen Raum sie nicht zu ihrer eigentlichen Wirkung kamen. Sie waren irgendwie fremd, paßten nicht in diese ganze Umgebung. Sie standen gar nicht irgendwie benachteiligt, im Gegenteil, viel zu sehr herausgestellt, losgerissen aus ihrem Boden, ohne ihre sonst so starke Atmosphäre. Natürlich fällt einem das erst dann auf, wenn man Originale im eigenen Raum als kostbaren Besitz sinnvoll eingepaßt hat. Hier wirkt etwas, was schon bei der Rahmung eines Gemäldes stören oder heben kann. Aber besonders gefährlich wird die Beleuchtung in den zu großen Sälen, das kühle zerstreute Licht. «Und Plastik ist eine Sache des Lichts», schrieb Barlach (15. 9. 15), «Der Künstler ist auf das Licht der langen Tage versessen.» «Ich habe meine im Frühjahr abgebrochene Figur aufgestellt und nutze das helle Licht. In Herbst- und Wintertagen kommt man kümmerlich voran, jetzt, bei offenen Fenstern vor dem blauen Himmel und weicher Sonne draußen aufgemuntert, geht alles leichter und ohne Quälerei vorwärts» (21. 7. 21). Es ist mehr als das seelische Beflügelnde, das hier gemeint wird, es ist eine noch wichtigere künstlerische Tatsache. Zu jeder Statue gehört eine ganz bestimmte Lichtführung, und zwar in Bezug auf Quantität wie Qualität und natürlich auch Richtung des Lichteinfalls. Zusammen hängt damit das Herausholen der Figur aus dem Block. Barlach ging nicht von verschiedenen Seiten heran, sondern von vorn her in die Tiefe hinein, wie es Michelangelo beschrieb und Adolf Hildebrands bekanntes Buch (Das Problem der Form) als wesensgerecht hinstellte. Damit bekam das Werk eine feste Perspektive auch hinsichtlich des Lichtes. Gewiß wirkte dabei der Herstellungsraum mit. Das Atelier im einstigen

Pferdestall mit seinem beschränkten und einseitigen Licht unterstützte letztlich die Einheitlichkeit des Eindrucks, das Ausstrahlen einer intensiven Lebendigkeit. Ähnliches könnte man auch bei Rembrandt beobachten. So verlangen diese Kunstwerke eben mit Recht, daß man die ihnen gemäßen Voraussetzungen herstellt, damit ihr Leben sich voll entfalten kann. Im «Gestohlenen Mond» (192) gab Barlach ein Selbstporträt in seinem Atelier. «Nebenan … dunkelte ein Pferdestall, der sonst an einen Viehhändler, jetzt an einen Mann mit einem Totengräbergesicht vermietet war … und der sich beruflich mit Bildschnitzerei abgab, die er hinter einem keinen Überfluß an Licht spendenden Fenster zum hinteren Garten ausübte. Er hackte in Holz und plantschte gelegentlich fleißig in Gips, bei welchem Geschäft er das zur Bereitung des Formgipses nötige Wasser aus einem Wasserhahn am Vorderhaus entnahm und über den Hof trug.»

Alle Darstellungsmittel werden also mit Energie eingesetzt und ausgebildet. Sie wirken alle in derselben Richtung auf äußere und innerliche Einheit, richtiger: Ganzheit. Das Bedeutungserlebnis verleiht dem Werk innere Geladenheit, die als Intensität zur Geltung kommt. Das Außen entspricht in sich steigerndem Maße dem Innen. Die erste Gruppe bilden die ruhenden Stellungen vom Liegen (liegender Bauer 1908), über das Kauern der Bettlerinnen (1907) zum Sitzen, das meist auf platter Erde, noch halb liegend geschieht (Liebespaar 1908). Schon in dieser Haltung kommt ihr Hauptmerkmal, das Dumpf-Erdhafte zur Geltung. Am Ende steht (1909) die «sorgende Frau». Sie sitzt ganz breitbeinig aufrecht auf einem nicht in die Erscheinung tretenden Klotz, schwer und erdhaft. Die breiten Arbeitshände sind im Schoß zusammengelegt und drücken zwei schwere Querfalten in den Rock. Über ihnen wölbt sich der Bauch, darüber die Brust. Von den Füßen steigt die Linie die Unterschenkel empor zu den Knien und weiter von den Händen die muskulösen Arme entlang, die in eine massige breite Schulterpartie münden. Auf ihr sitzt ohne Hals direkt ein ebenfalls massiver und runder Kopf mit breiten Gesichtszügen, die ganz erfüllt sind von brütender Erdhaftigkeit und Sorge. Hier wird eine Grundsituation menschlicher Existenz verkörpert in einer Gesamtform von wuchtiger Geschlossenheit bei großteiliger Ausblidung aussagekräftiger Binnenformen. Licht und Linien führen zum Gesicht mit seiner Ausdrucksintensität. Doch herrscht es nicht allein, es steht in Spannung zu den nicht minder ausdrucksstarken im Schoße ruhenden Händen. Könnte man bei den frühesten Stücken noch die Rücksicht auf keramische Vervielfältigung in weicheren Formschwüngen finden, die etwas Ornamental-Milderndes hineinbringen (etwa Liebespaar), so besitzt diese braune Holzstatue alle Herbheit und innerliche Substanz eines echten Barlachschen Meisterwerkes.

Doch bei solch dumpfer Erdhaftigkeit der Gestalten bleibt der nun nach Güstrow Übersiedelnde nicht stehen. Er beginnt dort (1910) mit einer ganz explosiven Figur, dem «Berserker» (F 12). Wie kommt er dazu? Er verrät später im Brief eine innere, charakterologische Erkenntnis: «In mir wird so oft der Berserker lebendig; ich muß mich immer mal ausleeren, um mit frischer Hoffnung etwas Besseres aus der Welt einströmen zu lassen» (29. 8. 33). So ist die Figur des Berserkers eine Selbsterkenntnis seines cholerischen Temperamentes und kurz nach der Fertigung der Statue schreibt er (9. 1. 11.): «Bei mir kriselt es schrecklich». Er fügt aber auch in erstaunlicher Selbstkritik hinzu: «Ich finde, wo ich jetzt den Berserker wieder zur Ausbesserung im Atelier habe, daß doch erstaunlich viel Hohlheit, ich will nicht sagen, falsches Pathos, nicht Theaterei, darin steckt». Tatsächlich strömt die «Sorgende Frau» weit stärkere und unmittelbare Intensität aus. Was am «Berserker» als ganz neu auffällt, ist die starke innere und äußere Bewegung. Wie ein wütender Krampf reißt sie Oberkörper und Arme herum, während der Unterköper noch ganz erdhaft breit dasitzt. Der Kopf dreht sich ganz stark nach links und nach oben, über ihm ballt sich die schlagbereite Faust des gewinkelten rechten Arms als Gipfel des Aufbaus. Dorthin führen vom linken Fuß her empor in zwei Winkeln die Linie von Unter- und Oberschenkel, von Rumpf und Schulter. Der Zug der gewinkelten Brechung wird auch auf der rechten Seite des Körpers als Ausdruck stoßhafter innerer Bewegtheit benutzt. Am stärksten wirkt wohl diese Wendung in Geste und Gesicht nach oben, wie gegen einen Gegner in der Höhe! Wir kennen schon aus der Lithographie diese Wendung des Kopfes zu den Sternen, am eindrucksvollsten aus dem Titelbild zur Buchausgabe des Dramas «Der arme Vetter, das grade 1911/12 entworfen wurde. Der bald danach (1911) entstandene Schwertzieher ist durch seinen Bewegungsschwung sehr verwandt dem Berserker (C. 23). Die massige Gesamtform ist durch den halblangen Mantel in zwei parallele glockenförmige Hälften unterteilt. Wieder ist der Unterkörper ähnlich wie beim Berserker in schwerer erdhafter Breite gestaltet. Im Gegensatz dazu konzentriert sich auch hier die ganze Bewegung auf den Oberkörper mit dem schräg gewendeten Gesicht. Die Zweipoligkeit von Kopf und den beiden Händen, die den Säbel aus der Scheide zu ziehen ansetzen, macht den Sinn deutlich. Diese beiden Gestalten, bei denen der stark bewegte Oberkörper im bewußten Gegensatz zum breiten erdverwurzelten Unterkörper steht, bilden einen Übergang zu den folgenden Figuren, bei denen die Bewegung im gesamten Körper zum Ausdruck kommt. In der Gruppe «Panischer Schrecken» (1912, P. 15) sind es nur noch die kurzen dicken fest auf der Erde stehenden Beine, welche die starke Bewegung des übrigen Körpers auffangen. Diesmal kommt die Bewegtheit nicht aus dem Menschen, sondern sie schießt von außen über die nach oben gewandten Gesichter in die beiden Körper hinein, die sich, fast diagonal zurückgebogen, dagegen stemmen. Auch die halb erhobenen, zusammengekrampften Hände drücken Abwehr aus. Erstmals im «Ekstatiker» (1916, Gips und Holz, P. 19) kommt eine leidenschaftliche innere Bewegtheit im ganzen Körper zum Ausdruck, selbst noch in den Zehen des langen vorgeschobenen Fußes. Die Oberarme sind zum Kopf erhoben, der nach oben mit geöffnetem Mund wie schreiend gewandt ist, während die Unterarme mit den Fäusten in schroffem Winkel nach hinten genommen sind. Zwei Gestalten, der Flüchtling (1920, Holz, P. 30) und der Rächer (1922, getönter Gips, P. 38) drücken innere Aufgeregtheit durch Vorwärtsbewegung im gesamten Körper aus. Bei dem davonrennenden Flüchtling geht die Bewegung in diagonaler Richtung vom Fuß bis zum vorwärts drängenden Gesicht. Bei dem Rächer gar fliegt der Körper gleichsam wagerecht dahin, das Gesicht in gespannter Vorwärtsbewegung. Selbst die Falten des Gewandes unterstützen die wagerechte Bewegung. Nur der Fuß senkrecht auf der Erde, aber jetzt ohne Erdenschwere, dient er nur als Halt für die schnell abstoßende Bewegung des Oberkörpers. Dagegen steht der «Wüstenprediger» (1912, Holz, C. 29) zum ersten Mal ganz starr aufrecht wie ein Baumstamm, die Unterarme mit den geballten Fäusten bis zu den Schultern erhoben, so daß der Kopf mit dem viereckigen Gesicht als Gipfel erscheint. Er ist wieder etwas nach hinten geneigt, hat jedoch noch etwas Dumpf-Erdhaftes in der Haltung. Er ist lediglich ein Vorklang. So hebt sich die eben betrachtete Gruppe durch innere und äußere Bewegtheit deutlich als neue Etappe künstlerischer Entfaltung von der vorhergehenden ab. Diese Bewegtheit kommt nicht nur im ganzen Körper zum Ausdruck und konzentriert sich in dem meist etwas schräg nach oben gerichteten Gesicht –, sie strebt noch über dieses hinaus in die Ferne, ins All. Hierher gehören auch Gestalten wie die «alte Frau mit Stock» (1913, Holz, C. 38). Selbst die Sitzfigur des Dorfgeigers (1913, Holz, C. 39) erweckt das Gefühl einer menschlichen Situation. Stets stehen die Hände in Bezug zum Gesicht und sind voll Aussagekraft.

Mit der «tanzenden Alten» (1920, getönter Gips) schließt der nun 50jährige die Etappe des aufgeregt Expressiven mit Gelächter ab. Auch formal arbeitet diese «Schnurrigkeit» mit der bewährten Wirkung der beiden Glocken von Schulterumhang und Rock, den die beiden Hände fast eitel heben. Wiederum führen die Linien zu einem Kopf, der nach oben hin schaut, das Gesicht überfließend von trunkenem Behagen. Damit zeigt Barlach trotz aller Abneigung gegen den Expressionismus als Zeitmode auf eigene Weise eine letztlich doch verwandte Erregtheit, die zum Ausbruch drängt, die sich in den gleichzeitigen Dramen auch in der häufigen Verwendung des Wortes «schreien» kundtut. Wie als Meilenstein dagegen tritt nun die überlange Gestalt des Moses (1919), aus tief dunk-

lem Holz, der die beiden Gesetzestafeln vor den Oberkörper
fordernd hält, mit dem strengen schmalen bärtigen Gesicht
darüber. Daneben könnte man als Vorklang das «frierende
Mädchen» (1917, Bronze) stellen. Schien bislang alles aus
Knubben herausgehauen zu sein, so jetzt aus schlankeren
Stämmen. Aber nicht nur physisch ragen die Figuren von
nun an höher empor, auch durch ihren Sinngehalt. Und nicht
zufällig steht die religiöse Gestalt an der Wegscheide. Die
Helligkeit der leicht zurückgeneigten Tafeln macht auf die
Funktion des Lichtes aufmerksam. Tatsächlich wird sie merklich anders als bisher. Es modelliert stärker, ist differenzierter
und unterstützt damit die feiner modifizierte Binnengliederung. Am auffallendsten tritt das bei der Fältelung zutage.
Selbst dort, wo man sich noch an die bisherige Großflächig-
keit erinnert fühlt und eigentlich grade dort wird recht deutlich, wie mehrere und verschiedenartigere Falten verwendet
werden. Dabei wird die Ganzheitlichkeit keineswegs beein-
trächtigt, nur lebendiger noch zur Wirkung gebracht. Man
nehme etwa den «Mann im Block» (1920, Holz, F. 16). Eine
Sitzfigur noch mit pyramidischem Aufbau; aber nun spannt
sich das Tuch zwischen den weit auseinander gesetzten Beinen nicht mehr. Es beutelt sich in drei stark profilierten
Querfalten zum Bauch mit seinen kleineren schrägen Sonder-
falten. Dann zerschneidet die fesselnde Platte den Menschen
und aus ihr ragen die beiden Fäuste und dahinter der Kopf,
wieder nach oben gerichtet mit einem Gesicht voll verzwei-
felter, anklagender Frage. So fehlt die Innerlichkeit und sym-
bolkräftige Bedeutung keineswegs, ja wird recht eigentlich
noch intensiviert. Hatte der sich durchsetzende Künstler ohne
Scheu sein «Äußerstes» in der «Ungebärde der Wut» gewagt,
jetzt vermag er die «Gebärde der Frömmigkeit» als «das Innerste» auch zu gestalten. In die zwanziger Jahre gehören:
Gottvater sitzend (1920, Gips) und schwebend (1922), «Leh-
render Christus» (1931), vor allem die oft abgebildeten Werke
der «Beter» (1925) und das «Wiedersehen» (1926), die
Gruppe der beiden «lesenden Mönche» und der «lesende
Klosterschüler» (1930). Die Ausstellung von 1930 zeigte den
Meister auf der Höhe seiner klassischen Leistungen. Welch

Abstand äußerlich wie innerlich vom «Sterndeuter» (1910,
zwei Fassungen, Holz). Der «Spaziergänger» von früher hat
sich nun in den «Wartenden» (1924, Holz, C. 52) gewandelt.
Es entstand (1921, Gips) die innige Gruppe «Ruhe auf der
Flucht» (Holz 1924, C. 57, Bronze 1930, F. 18). Aber auch
das andere polare Erlebnis der Lebensnot fand endgültige
Verkörperung. Sehr bekannt wurde die «gefesselte Hexe»
(1926, Holz, P. 46), dazu die Hungergruppe «Mutter mit
Kind» (vor 1924, Gips, P. 47). Alles ist weniger schematisch
in der Anordnung und differenziert in der Binnengliederung,
lebendig in der Lichtführung. Wie gewaltig der Fortschritt
in dieser Beziehung, aber auch in der menschlichen Vertiefung ist, zeigt sich vielleicht an dem alten Motiv der Bettlerin. Zunächst ist sie noch verhüllt «Barmherzigkeit» (1919,
Holz, auch Gips getönt, F. 17). Jetzt kniet sie halb aufgerich-
tet und streckt beide offenen Hände dem Beschauer Gabe
heischend entgegen. Wie arbeitet hier das Licht auf der diffe-
renzierten Faltengebung. Dann ist es, als ob sie sich aufgerich-
tet hätte und nun erst in voller Deutlichkeit das Leben sähe:
«Das Grauen» (1923, Gips und Holz, P. 36). Wie hier in
enger Parallele die beiden Unterarme emporführen zum Gesicht, das die beiden Hände umschließend halten, und alles
nun dessen Ausdruck mit dem schreckvoll aufgerissenen
Mund und Augenpaar enthält, wird vorwiegend durch Führung und Abstufung des Lichtes modelliert und zu unvergeßlicher Endgültigkeit gestaltet. Die Zweipoligkeit der Komposition mit dem Wechselbezug von Haupt und Hand demon-
striert wie ein Schulbeispiel der «singende Mann» (1930
Bronze nach Modell 1928, P. 69, C. 62). Der Zug der gestreckten Arme, durch das Licht unterstrichen, wirkt wie eine
Brücke von dem Kegel des rechten Knies, das die Hände als
Halt umspannen, zum leicht zurückgeneigten Kopf. Die geschlossenen Augen lassen den singend gerundeten Mund zu
Geltung kommen, auf den die breite Nase hinführt. Das ge-
winkelte linke Bein liegt am Boden und bildet das Fundament
der Gesamtform, die durch lebhafte Binnengliederung mit
Hilfe von Fältelung und besonders der differenzierenden
Lichtführung belebt wird.

So erreicht Barlach in dieser Etappe seines Schaffens die volle Verwirklichung des ihm vorschwebenden Kunstideals. Mit voller handwerklicher Beherrschung meistert er die Darstellungsmittel und gestaltet die Binnenform in Zusammenhang mit der Gesamtform zu überzeugender Einheitlichkeit. Unvergeßlich stehen diese Statuen in der Erinnerung des verständnisbereit Aufnehmenden wegen der darin offenbarten menschlichen Substanz. Wir finden darin jeweils ein Bedeutungserlebnis verewigt, das aus der Tiefe des Menschseins auftaucht mit aller Angst und Not, aber auch Sehnsucht und Hoffnung. Jedes Sehen dieser Plastik wird zu einer persönlichen Begegnung, weil nicht eine Allegorie, sondern ein Mensch vor uns steht. Es ist kein bloßes Individuum wie in der Wirklichkeit, keine Abstraktion oder Konstruktion, sondern eben ein Mensch. Etwas wesenhaft Menschliches liegt in allem, kulminiert aber nun im Gesichtsausdruck. Dieser strebt in seiner intensiven Kraft nicht aus sich heraus, wie bei der 2. Gruppe, sondern wirkt nach innen gerichtet wegen der Stille des Mienenspiels und der Augen. Diese schauen nicht nach außen, sondern sind nur wenig geöffnet, manchmal durch große schwere Augendeckel fast geschlossen. Zum Gesicht führt ja auch sowohl der Zug der Linien wie das Spiel des Lichtes als Gipfel des Baues und Offenbarung des Sinngehaltes. In der ersten Etappe bildhauerischen Verwirklichens diente die kompakte Gesamtform dem Ausdruck des Daseins als Menschenkreatur mit der ganzen Not und Last des Verfallenseins. Hinzu kam in der zweiten Etappe die großflächige Behandlung der Binnenform und charakterisierte das Sosein bestimmter, meist emotionaler Erlebnisse bis zur «Ungebärde der Wut». Diesen Ausbrüchen bis zum Äußersten folgt in der dritten Etappe nun nicht allein eine äußere Beruhigung, vielmehr eine Vertiefung ins Wesenhafte, Existentielle. Wegen der geistigen Intensivierung und seelischen Differenzierung wird die Binnengliederung abgestuft, die Lichtführung verfeinert, aber die Gesamtform bleibt gleich wichtig und bezeichnend. So wird eine klassische Ausgewogenheit im Formalen, sowie volle Einheitlichkeit und Entsprechung zwischen Gestalt und Sinngehalt erreicht, vollendete Meisterschaft.

Es fragt sich noch, ob wir auch einen Altersstil beobachten können; etwa nach 1930. Er hängt zusammen mit den großen Aufträgen für Denkmäler, wozu auch Grabmale (Reuß, 1931, P. 71, Luise Dumont 32, Entwurf für Däubler 1935), gehören. Da stellt er in den Winkel der schweren Strebepfeiler am Westbau der Kieler Universitätskirche den schlanken Engel mit dem senkrecht hoch ragenden Schwert («Geistkämpfer», 1928, Bronze, F. 27, C. 68), der auf dem heraldisch stilisierten Löwen breitbeinig emporragt. Eine neue Großzügigkeit im wörtlichsten Sinne durchgehender Linienzüge erreicht monumentale Ganzheitlichkeit. Dabei überwiegt auffallend die Vertikale in den einzelnen Proportionen wie in der Linienführung. Außerdem sind die Lichtwirkungen anders als früher. Die Führung des Lichtes hat nicht mehr die perspektivische Funktion wie vorher, akzentuiert nicht die Binnenform. Vielmehr umfließt er nun gleichmäßig die ganze Figur als Atmosphäre. Es tut noch seine Wirkung, jedoch anders. Zum Denkmal gehört ja der große Raum, wenn nicht der öffentliche Platz und umspült die Statue ringsum mit Licht. Mag sein, daß sich jetzt auch das neue Atelier des Heidbergbaues bemerkbar macht mit seiner großen und recht hohen Räumlichkeit und der gleichmäßig hellen Beleuchtung. Damit wird die Einheitlichkeit des Gebildes unterstützt und die Binnenform kann großzügig und doch ausdrucksvoll sein, braucht aber nicht so scharf modelliert zu werden. Diese neue Art des Stilisierens gibt zwei Projekten ihre unverkennbare Eigenheit, an denen der Meister mit besonderer Liebe arbeitete. An der Lübecker Katharinenkirche galt es die sechs leeren Nischen über dem Portal zu füllen, wofür von 1930—32 die drei Gestalten des blinden Bettlers (1930, Bronze und Klinker), des singenden Klosterschülers (1931, Klinker, kleinere Wiederholung in Holz) und der Frau im Wind (1932, Klinker) geschaffen wurden. So ergreifend wie beim Bettler sind die anderen Köpfe nun nicht mehr. Nicht einer äußerlichen Monumentalität zuliebe, sondern aus Art und Inhalt des zugrundeliegenden Bedeutungserlebnisses ergibt sich, daß nun das Gesamte der Haltung zum eigentlichen Ausdrucksträger wird. Noch deutlicher wird das an der zweiten großen Aufgabe am Fries der Lauschenden. Für ein Beethovendenkmal waren sie geplant; ausgeführt wurden neun Figuren schließlich in Holz für ein Musikzimmer (1931 bis 1935). Hier wird ganz offenbar durch die Arme, nicht vorwiegend die Hände, der Zug der Linien und damit die Binnenform bestimmt und die Figuren als Gesamtform voneinander abgehoben und zugleich in ihrem Stehen auch vereinigt. Als zueinander abgestimmt empfinden wir sie, dabei gewiß deutlich differenziert, zumal die Köpfe in Form und Charakter. So wenig die Gesichter an Aussagekraft eingebüßt haben, ordnen sie sich doch der Gesamtaussage stärker ein. Die frühere polare Spannung zwischen ihnen und den Händen besteht nicht mehr. Bei der schwebenden Gestalt (1927, Bronze) im Güstrower Dom kam die Versinnlichung des Gemeinten nicht so unmittelbar überzeugend zur Wirkung, weil der lange Körper zu massig wirkte und vom Gesicht und seinem Ausdruck abzog. Bei der geringen Aufnahmefähigkeit und Einfühlungsfähigkeit der kleinstädtischen Gemeinde war ein Kopfschütteln fast selbstverständlich, das sich zu offener Ablehnung steigerte und schließlich zur Entfernung (1937) und Einschmelzung führte. Vorher (1934) war schon das Magdeburger Mal (1929) entfernt worden, das von Anfang an keinen Beifall fand. Die drei um das Kreuz gruppierten Gestalten sind ebenfalls lang und hochgeschossen, bieten im Gesichtsausdruck nichts zeitgemäß Ausdeutbares, wohingegen die drei als Sockel gemeinten unteren Büsten in ihrer Aussage überhaupt nicht verstanden wurden, vielleicht doch wegen der zu großen Beschwertheit mit Bedeutung. Sie vor allem haben Chifferncharakter, den der naive Beschauer nicht zu enträtseln wußte. Tatsächlich benutzen die beiden unteren Seitenfiguren die beiden uns längst bekannten Plastiken «Barmherzigkeit» (1919) und «Grauen» (1923), jedoch nicht als genaue Wiederholung, sondern in abgekürzter, fast muß man sagen: abgeschnittener Weise. Wird durch die Veränderung des Gesichtes rechts vom Weiblichen mit den aufgerissenen Augen und Mund in ein männliches mit geschlossenen Augen und Lippen das Grauen nicht mehr so erschreckend deutlich, so erscheint dem Nichteingeweihten das verhüllende

Kopftuch links mit den beiden Fäusten davor schlechthin
unverständlich. Er empfindet nicht unmittelbar, daß damit
die Mutter in ihrer Verzweiflung wie bei der Gegenfigur der
Vater in seinem Schmerz um den schon halb verwesten toten
Sohn zwischen ihnen gemeint war. Was, so rätselte man weiter, besagen die dahinter stehenden beiden Soldaten in den
gespenstig langen Mänteln und in der Mitte der sie so gewaltig überragende Dritte mit dem schlichten Kreuz wie von
einem Soldatengrab im Felde? Wie unzusammenhängend
steht jede der sechs Figuren da und dabei doch so aneinander
gedrängt, jeder einsam in seinem Schicksal. Hier an der
Fremdheit gegenüber allem Üblichen von Denkmalssenti-
mentalität und Monumentalschwung erregte sich die öffentliche Meinung, nicht zuletzt der Verbände und begann die
Abwendung von Barlachs Plastik, die rasch zur Verdammung
seiner gesamten Produktion ausartete.

So schmerzhaft der Meister unter den sich mehrenden An-
griffen litt, er schuf weiter. Ahnen wir, welches Bedeutungserlebnis die Ausführung der Skizze (1927, Bleistift) «Schreitender im Wind» (1934, Holz, C. 89, P. 76) zugrunde liegt?
Gegenüber dem «Spaziergänger» (1912) mit seinem wuchtigen Sosein und im Vergleich zu dem früheren «Schäfer mit
Hund» (1907) hat nun der Linienzug der Binnenform starke
Ausdruckskraft, der Kopf wird durch den in das Gesicht
gedrückten Hut halb verdeckt. Die linke Hand preßt den
Kopf fast in den Umhang hinein. Nicht die Gesichtszüge
und ihr Ausdruck bestimmen und vollenden den Sinngehalt
der Statue, sondern diese karge Geste des linken Oberarmes
und verleiht dem Ganzen die Haltung des in sich Zurück-
gezogenen, ja Isolierten. Findet sich da etwa Barlachs eigene
Stimmung in jenen Jahren gespiegelt? Das darin enthaltene
«Trotzdem» wird noch einmal und echt barlachisch mit skurriler Drastik abgewandelt im «Vergnügten Einbein» (1934/35,
Gips, C. 18). Wieder wird das Gesicht durch den es halb
verdeckenden Hut in den Umhang einbezogen und die Haltung besagt alles. Im Zug der Falten wird sie verdeutlicht.
Die rechte Hand verbirgt sich in der auffällig nach vorn
springenden großen Falte, während die sichtbare linke Faust

auf den derben Stock sich stützt. Das Holzbein wird unter-
nehmungslustig, ja wirklich lustig nach vorn gesetzt und vollendet damit die Aussage wie auftrumpfend, macht den Sinngehalt dieser massiven Gesamtform deutlich.

Die volle Schönheit dieses Altersstiles genießen wir im
«Flötenbläser» (1936, Holz, Gipsmodell, Bronze, C. 133, P.
84, 85). Wieder wird der Kopf durch den Hut in den langen
Umhang einbezogen und dadurch die alles umfassende Gesamtform geschlossen, deren Umriß ruhig bis zu den Schuh-
spitzen herabläuft. Das breite Gesicht ist ganz hingegeben
mit geschlossenen Augen. Das Licht des Nasenrückens führt
zu dem der Flöte, die mit beiden Händen in der Mitte gehalten wird und mit ihrem verbreiterten Ende über den ganzen
Oberkörper des Sitzenden läuft. Alles Scharfkantige ist vermieden, das Licht modelliert die sanfte Rundung und bringt
das Entspannende der Töne zu unmittelbarer Empfindung.

Ein verwandtes und nicht minder intensives Bedeutungserlebnis erfüllt die Statue des «Lesenden» (1936, Bronze, P.
86). Durch das Metall als Material wird schärfere Linien-
und Lichtführung nahegelegt, aber gegenüber den «Lesenden
Mönchen» wird die Haltung als bestimmend für die Gesamtform und den Sinngehalt doch deutlich.

Auch in der letzten Lebenszeit ging die Produktion rastlos
weiter trotz der entscheidenden Schicksalsschläge der Ein-
reihung in die «entartete Kunst» und des Ausstellungsverbo-
tes. Unheimlich hockt da der dunkle Holzblock der «frie-
renden Alten» (1937, P. 88) in hieratischer Monumentalität.
Alles liegt in der Haltung, so aussagekräftig auch das leid-
stumpfe Gesicht über den Knien und die breiten Hände über
den Zehen als Gegenpol gebildet sind. Die massiven Unterschenkel bestimmen den Eindruck, ihr Linien- und Lichtzug
wird durch die Parallelen der sie umschließenden Arme hervorgehoben und unterstützt. Ähnliches läßt sich bei der
kauernden «Mutter mit Kind» (1937, Holz, P. 77, C. 134)
beobachten. Ist das Kind zwischen den breiten Händen eben
gestorben und die Mutter richtet den Oberkörper auf und
blickt voll fragender Klage zu Gott? Großzügig wie gedämpft
läuft die Faltung den Umriß betonend, der Oberkörper wird

durch ein westenartiges Kleidungsstück als ganz ruhige Fläche behandelt, und unterstützt durch des Lichts sanfte Modu-
lierung merklich den Eindruck der Haltung. Wiederum Haltung und Gesamtform geben dem «sitzenden Mädchen» (1937,
Holz, P. 83) den Eindruck trostloser Ermattung. Offensichtlich ist es dieses Bedeutungserlebnis, daß den Niedergeschla-
genen zu einem alten Modell von 1908 greifen ließ. Wie
ausdrucksstark und doch großflächig wurde jetzt die Haltung
herausgebildet; was verrät nicht die linke Hand als Zentrum,
die den Umhang zusammenhält. Zu einem letzten Aufbäumen
skurriler Komik kommt es noch bei der «lachenden Alten»
(1937, Holz, C. 131). Diese Kauernde zeigt dieselbe Bewegung nach hinten wie der sitzende «Zecher» von 1909. Aber
welche Intensität im Zug der Flächen von dem schwer und
breit auf den Knien liegenden Händen bis hin zum Kopf mit
dem aufgerissenen Mund. Hing jener früher nach hinten
über, durch die Linie von Hals und Kinn isoliert, so ist er nun
durch das Haar eingefügt in die Umrißlinie des Rückens und
sitzt als Fortsetzung der anderen Umrißlinie eingepaßt zwischen den Schultern. So ist die Gesamtform einheitlich dynamisiert voll Aussagekraft. Geradezu erschauernd unheimlich
wirkt die stehende Frauengestalt, die man als «das böse Jahr»
bezeichnete (1937, Holz, P. 87). Die Gesamtform mit dem
starren hochgereckten Umriß wird nur durch wenige große
flache Falten betont in einem scheinbar geringen, diffusen
Licht. Aus dem bis zum Gürtel reichenden Kopftuch sieht
ein Gesicht voll undeutbarem Ausdruck mit großen Augen
rätselhaft, aber nicht als Gipfel des Aufbaues, sondern ganz
einbezogen in die Gesamtform, sodaß wir eher auf die durch
das Tuch verborgenen Hände schauen und bangen vor dem,
was sie verbergen.

Es ist, als wenn diese dunkel drohende Gestalt die letzte
Statue hinter sich stehend ahnt. Man hat sie den «Zweifler»
genannt (1937, Holz P. 89). Schwer lasten die ineinander
gelegten Hände auf dem Stoff, und doch erzeugen sie bei
aller Verwandtschaft zur «Sorgenden Frau» von 1909 nicht
die schweren Querfalten. Vielmehr führen zwei nicht so
scharf profilierte schräg empor und unterstützen den Linien-

zug des linken Armes, der zum Kopf führt. Durch die beiden langen, schlaff gestreckten Arme wird die Gesamtform bestimmt, in die der Kopf wieder einbezogen ist. Allerdings besitzt das Gesicht, dessen Haar und Bart an das Barlachs erinnern, stärkste Ausdruckskraft. Unvergeßlich blicken die Augen schräg nach oben, angefüllt mit Frage, nicht eigentlich voll Verzweiflung, gar nicht etwa mit skeptischem Zweifel. Dabei wirkt noch beträchtlich mit die eigentümliche Wendung des Kopfes. Als ich ins Atelier tretend schräg von hinten diese lebensgroße Figur zum ersten Mal sah, erschrak ich über diesen Gesichtsausdruck, der nach etwas von hinten drohend Nahendem zu blicken schien. Ist das nun aus dem hingenommen knieenden «Beter» vor zwölf Jahren geworden, dachte ich schmerzlich, ist das hier das Endergebnis von Leben und Schaffen eines der großen Plastiker der letzten zwei Jahrhunderte? Oder sollte man nicht besser an jene seiner Lithographien vor gut 20 Jahren zurückdenken, die Jesus am Ölberg im Gebet ringend darstellt?

SECHSTES KAPITEL

Dichtung

Von der Plastik scheint der Schritt nicht groß zur Dichtung. Denn die Familienähnlichkeit der Statuen mit den Personen der Dramen ist allzu auffallend. Ohne Zweifel finden sich besonders markante Gestalten in beiden Künsten verkörpert. Ja, wenn wir etwa an den Bettler denken, so ist er auch in der Graphik vorhanden. Das Blatt aus den Verwandlungen Gottes steht gewiß nicht nur in innerem Zusammenhang mit der «Sündflut», es liegt mit einer Entstehungszeit von 1921 (erschienen 1922) zeitlich dem Drama nahe, das im Frühjahr 1923 abgeschlossen wurde und im nächsten Jahr als Buch erschien. Die Lithographie des sitzenden Blinden mit dem Stock von 1916 erinnert an den blinden Wanderer Kule im Drama «Der tote Tag», das wohl 1910 schon fertig war und dann mit Lithographien versehen wurde, von denen mindestens eine an dieses Blatt erinnert. Es ließen sich noch weitere Analogien leicht entdecken. Sie liegen so nahe, daß sie gelegentlich sogar zu Fehldeutungen verführten. So wagte man etwa, die authentische Bezeichnung der Statue «Der Beter» (1925) umzustoßen und als «Asket» zu deklarieren. Im nachgelassenen Drama «Der Graf von Ratzeburg», das seit 1927 entstand, wird jedoch Hilarion nicht nur in ganz anderer Haltung und Gebärde dargestellt, sondern ist auch in direkt entgegengesetzter Bedeutung gemeint. Die Statue verkörpert die Hingenommenheit, wie sie schon im Drama «Der Findling» (1922) benutzt und erläutert wird (314). Hilarion dagegen ist der selbstgerechte Egoist, der auf Grund seiner Askese Gott seinen Willen aufzwingen will. Das ist eine magische Haltung, die Barlach ablehnt zugunsten der mystischen des Sich-opfernden. Jedoch solch Mißverständnis bekräftigt den engen Zusammenhang der Verkörperungen, die eben derselben starken Persönlichkeit entstammen und in deren tiefsten Erlebnissen und Überzeugungen wurzeln.

Weil sie so ganz aus der geistig-menschlichen Substanz geschöpft wurden, ergreifen sie uns auch in so unvergeßlicher Dringlichkeit, daß wir leicht darüber vergessen, wieviel an echt dichterischer Kraft und Begabung dabei beteiligt ist.

Barlach legt Nachdruck in dem eigenen Rückblick über seine Jugend, daß ihm das Dichten nahe lag. Schon «damals auf der Schiefertafel (habe er seine) erste erzählerische Spielerei gestümpert» (SLP 12). Ein Kapitel heißt direkt «Ich erzähle». «Wenn wir abends alle unser Gebet getan hatten, wohl zugedeckt und für die Nacht besorgt waren, dann ging es los. Es wurde erzählt, natürlich aus freier Faust heraus und sonder Zensur» (14). Dann erwuchs weiter das Epos «Kuhgesicht», auf den verhaßten Lehrer, der in den peinlichsten Lagen gezeigt wurde. Natürlich las der Junge viel, vom Lederstrumpf bis Shakespeare. «Schmöker jeder Art waren willkommen.» Dann kam das Weihnachtsgeschenk, auf Veranlassung der Mutter ein Kaspertheater mit Handpuppen (19). Zunächst ein Zurückscheuen. «Aber wenn ich dann doch einmal die Puppen zur Hand nahm, halb neugierig, was wohl damit zu vollbringen sei, . . . so fuhr etwas von ihnen in mich, so daß das Ding einen selbsttätigen Verlauf einschlug, daß die hölzernen Köpfe von Kasper, Tod und Teufel durch meinen Mund ihre Sprache rappelten und daß da überhaupt Vorfälle sich schoben und miteinander tanzten, deren Anstifter zu sein ich mir nicht bewußt war. Es brauchte keine Mühe, höchstens einen gewaltsam hergestoßenen Anfang, und das Stück bekam Fortgang und Ende.» Daher also kommt im Drama «Der Findling» die Einbeziehung des Puppenspielers und seines Spielens. Daß in der Pubertätszeit sich bald der «Raptus einer ungeschorenen Reim und Versschreiberei . . . in wutartigem Schuß» regte, erstaunt uns nicht, mehr daß er sich «in einem vertrackten Zuschnitt von Putzigkeit» gern gefiel (21). Im Freunde Friedrich Düsel fand er eine gleichgestimmte Seele, aber auch einen Kritiker gegenüber dem «bisherigen Daherklappern mit Wort und Reim.» Hier bot endlich das Leben eine echte Aufgabe für die sprachliche Bewältigung, den Brief. Der Briefwechsel mit Düsel ist nicht allein inhaltlich, auch schriftstellerisch aufschlußreich. Barlach blieb ein gradezu peinlich gewissenhafter Briefschreiber, nicht um sich in Positur zu setzen, sondern um sich klar zu werden. In den Studienjahren skizziert er nicht nur als Zeichner das Treiben der Menschen, er sucht

es «auch in Worten zu schildern» (28./29. Okt. 89). Das tut
er selbst noch im Pariser Jahr, und diese Versuche sind erhalten (EB. Ges. 1952), ebenso welche aus der folgenden Hamburger Zeit (EB. Ges. 1948). Ähnliche Momentbilder gibt es
auch aus späteren Jahren in Güstrow (EB. Ges. 1951), die in
besonders reizvoller Weise das Spielen mit seinem Sohn Klaus
festhalten. Der nächste Schritt führt zum Roman, natürlich
von autobiographischer Art. Wir hören von einem «Geisterroman» in der Pariser Zeit, wo er überhaupt mehr schrift-
stellert als zeichnet. Er ließ da «zwei symbolische Gestalten
miteiander ziehen und nun eben in Paris, abenteuern» (SLP
35). «Zuviel Schnurrigkeit, absonderliches Überschlagen aus
der Alltäglichkeit ins Märchenhafte und in Traumwillkür,
kleinmäßig zufrieden schwelgende Gemütlichkeit mögen die
Hauptfehler gewesen sein», urteilt er selbst. Ein zweiter Versuch baut aus Erlebnissen in Hamburg und Wedel dann den
«Seespeck» zusammen (1913 bis 1916), ohne daß es zur Veröffentlichung kommt. Es überwiegt das Skizzenhafte, Situationen und Episoden reihen sich aneinander ohne einheitliche
Handlung, ohne spannendes Geschehen. Ebenso unveröffent-
licht blieb die Niederschrift der letzten Jahre (1936/38) «Der
gestohlene Mond», in Güstrow spielend. Hier ist das Skizzenhafte noch stärker, auch die Nähe zu realen Vorkommnissen
und Personen allzu greifbar. Trotz vielerlei Reflexionen fehlt
die eigentlich geistige Tiefendimension, die zur Dichtung gehört und ihr die Sinnbildlichkeit verleiht.

Diese aber finden wir, manchmal nur zu auffallend, in den
Dramen. Seit 1907 schreibt er am «Blutgeschrei», das erst
1912 unter dem Titel «Der tote Tag» erscheint. Dieses wie
alle folgenden sind selbständige Konzeptionen und keine
dilettierenden Nebensachen in denen etwa ein großer Plastiker nachträglich seinen stummen Statuen allerhand Worte in
den Mund legt. Dadurch würden sie höchstens zu Unter-
schriften werden, zu nachträglichen Interpretationen vielleicht. Aber schon während des Lesens leben die Dramen in
unserm Innern auf. Nicht ungewöhnliche Verwirklichungen
und Ereignisse machen sie interessant, sondern die Personen.
Menschen begegnen wir, und in welcher Lebendigkeit und

Fülle! Es sind nicht allein einige Typen, die uns aus Graphik
und Plastik bereits bekannt sind. Wie zahlreiche andere begegnen uns und nehmen uns gefangen. Sie ziehen uns in eine
neue Welt hinein voll Tiefe. Wir fühlen uns in den Bereich
der Dichtung versetzt. So stark uns dabei das einzelne Individuum auch interessiert, und wir es in seiner Sonderheit vor
uns sehen, rückblickend schließen sich die dramatischen Figuren doch deutlich zu Gruppen voll typischer Verwandtschaft zusammen. Eine Gemeinsamkeit kennzeichnet übrigens
alle: sie sind auf den Instinkt gestellt; der so weit verbreitete
Typus des Intellektuellen fehlt gänzlich. Gegenüber diesem,
der stets als wurzellos Umhergetriebener geschildert wird,
sind sie alle tief verwurzelt, den Mächten und Kräften verbunden, die unterhalb oder oberhalb der Tageswelt des einzelnen raunen und weben. Gemäß dieser Richtung ihres Wesens teilen sie sich in zwei große Gruppen, die in sich wieder
in reicher Fülle abgestuft sind.

Die einen wurzeln alle im Materiellen. Ganz naiv, nur
Gattungswesen, lebt Zebid in der «Sündflut» ihren Trieben,
während die dicke Frau Keferstein im «Armen Vetter» mit
dreister Schlauheit sich ihre Genüsse verschafft. Ins Mythologische erhöht, repräsentiert die dicke Doris im «Blauen
Boll» diesen ganz vegetativen Typus, der nahe dem Tier nur
vitales Geschlechtswesen ist, jenseits von Gut und Böse.
Peinlicher berühren uns die männlichen Vertreter dieser
niedrigsten Stufe des Menschseins, weil ja der Mann seinem
Wesen nach nicht die Gattung zu wahren und immer neu zu
gebären hat, sondern Träger des Schöpferischen, des Werdens ist. Während für die Frau dieser Typus gleichsam die
Basis ausmacht, empfindet man ihn beim Manne als ein
Herabsinken unter das Niveau. So steht es in der Tat mit
Diebitz und Stiebitz im «Findling», die ihren inneren und
äußeren Besitz verludert und vertan haben. Auch für den
Puppenspieler dieses Stückes handelt es sich um eine Entscheidung, und gerade dadurch, daß sein Sohn die andere
Richtung wählt, wird der Eindruck des Herabsinkens verstärkt. Nicht anders empfinden wir den versoffenen Schnei-
der Mankmoß in «den Sedemunds». Der stämmige Schiffer

Boltz im «Armen Vetter» besitzt noch am meisten ursprüngliche Vitalität und skrupellose Genußkraft. Diese Männer wissen alle im Unterschied zu den Frauen um ihre Art; sie wollen aber nicht aus ihr heraus und bleiben froh in dieser Gebundenheit. Dadurch heben sie sich von den anderen Stufen deutlich ab.

Anders steht es mit jenen, die einen Zug zum Höheren zwar kennen, ihn gar als Soll erkennen, trotzdem ihn aber ablehnen, ja bekämpfen. Das eben ist am Elias im «Blauen Boll» das Teuflische, daß er konsequent allein das Beharren auf dem Materiellen anerkennt. Ins Mythische gesteigert, vertritt der Steinklopfer im «Findling» die zerstörende, zerklopfende Gewalt des Elementaren und führt die Menschen in die krasseste Ichsucht, zum Menschenfraß. Die Vertreter dieses Typus im Alltag sind nicht grausig, sondern abstoßend. Da steht neben dem heuchelnden Wucherer Kummer im «Findling» der ehrenwerte Onkel Waldemar Sedemund, dem Lug und Trug bis zum Meineid wenig ausmacht, um seine Ziele zu erreichen, vor allem, um die Reputation bei den lieben Mitbürgern zu behaupten. Was er nur verstohlen wagt, tut der Aussätzige offen: er geifert gegen das Göttliche, ja er schlägt und schimpft den Herrn des Himmels. Atlas hat eine «absolute Versicherung» gegen alle beunruhigenden Skrupel und Zweifel für seine Sanatoriumsgäste eingeführt als zeitgemäßen Ersatz aller Religion.

Bekämpfen diese den göttlichen Ruf im Menschenherzen, so vernehmen ihn andere, doch ohne ihn wirklich an- und aufzunehmen. Am naivsten erscheint Frau Marta Boll, die sich durchaus nicht denken kann, daß es irgendwie anders sein oder werden könnte, als sie es gerade meint. Diese überfällt eines Tages die Ahnung, daß doch nicht alles so vorgründig plan und platt sei, wie sie es zu ihrer Beruhigung sich einredete. Wie ein Löwe aus dem Hinterhalt auf die Neger springt, so überkommt diese Sorte Menschen, die man ja im Alltag auch respektlos mit «Kaffern» bezeichnet, das Gewissen. Nach dem grellen Gemälde an der Schaubude des Löwenbesitzers nennt es Grude darum das «Kafferngewissen». Aber seine Eigentümlichkeit beruht darin, daß es zwar den Betroffenen seine Klauen und Zähne zeigt, sie zerfleischt; aber keine neuen, besseren Geschöpfe aus ihnen zu schaffen vermag. Gewiß wird Siebenmark ins Innerste getroffen, als der arme Vetter seine Liebe als bloße Selbst-Bespiegelung und -Vergötzung entlarvt. Gewiß rumort es gewaltig im alten Sedemund, als ihm der Sohn das Hinsiechen der Mutter an ihrem Gram und Ekel über den brutal-erbärmlichen Gatten vorwirft. Aber der smarte Hamburger Kaufmann wie der reputierliche mecklenburgische Bürger schläfern die Bestien ein. «Des Löwen Krallen sind jetzt kurz gekratzt und seine Zähne zahm gekaut, er wird vor unserm Hohn heimhinken, und unser Baß wird sein Brüllen brechen.» Damit bricht der alte Sedemund die Mauern der Hölle. Er gibt dem Löwen zu fressen, gesteht seine verheimlichten Sünden und Schand-taten. Aber so ist er nun einmal und er bleibt am Ende, wie er war. Ebenso landet Sybille schließlich wieder bei Syros, der alles Schuldbewußtsein mit der Erinnerung an die alte, böse Zeit resolut von sich abschiebt. Selbst der Lauenburger Herzog Albrecht geht nur äußerlich auf die Kreuzfahrt, bleibt mit seinen Gedanken schließlich doch der Heimat verhaftet und ihren Kleinlichkeiten. Auch die Mutter aus dem «Toten Tag» gehört noch hierhin. Nicht aus Glauben an das Böse verneint sie die göttliche Berufung des Sohnes, nur aus der Besitzgier der Mutter will sie den einzigen Sohn halten, selbst wenn sie seines Lebens Sinn und Zweck zerstört. Schließlich muß sie das Vergebliche und Verderbliche ihrer Tat erken-nen; das treibt sie wohl zur Verzweiflung, doch nicht zu neuem Werden.

Diesem strebt endlich eine Gruppe zu, die man mit dem Stichwort aus dem «Findling» als «Kasperseelen» bezeichnen könnte. In dem allegorischen Puppenspiel dort wird Kasper vom Teufel in die Hölle geschleppt, bedroht und gefoltert, aber dennoch schreit er seiner Seele zu, an der Himmelstür zu bleiben. Es sind die Zwiespältigen, die zwar in der Materie noch stecken, doch voll Sehnsucht vom anderen Lande träu-men und von diesem sprechen, als ob sie schon darin ständen. Pfingsten, der Prophet im «Findling», ist von dieser Art, aber auch Grude. Es spukt in ihm das andere, Neue; aber er bleibt

ein Doppelgänger, der mit dem Verborgenen Schäkerei treibt.
Koboldhaft wie Puck im «Sommernachtstraum», bringt er
zwar Unruhe in die Bürgerlichkeit der Kleinstadt, doch er
hat nur das Fell eines Löwen; und so ist es nur das «Kafferngewissen», das durch ihn geweckt, nicht Neugeburt der Seelen, die durch ihn erzeugt werden könnte. Verwandt ist ihm
Sabine. Die Schöne sitzt gelähmt im Rollstuhl, träumt von
Liebe und sehnt sich nach dem Leben. Steht ihr Aussehen
einer keuschen Heiligen im Widerspruch zu ihrem Sehnen
nach Wohllust, so will Grete im «Blauen Boll» gerade heraus
aus der Fleischlichkeit in das Reich des Geistes. Auch aus
ihr spricht die Sehnsucht, die jedoch nicht die Fesseln der
Materie zu brechen vermag. Deswegen gehört sie nicht zu
der anderen großen Gruppe Barlachischer Figuren, deren
Richtung auf das Geistige entscheidend ist. Gewiß sind auch
diese keine ätherischen Wesen aus einer besseren Welt. Nein,
auch sie sind voll Erdenschwere meist; aber sie wurzeln
doch nicht mehr im Materiellen und ihr Verhalten wird vom
Geiste bestimmt.

Hier treffen wir zunächst die Schar der Ringenden. Ihr
gehören sämtliche Hauptpersonen der Dramen an. Dumpf
lebt im «Toten Tag» der Sohn; die Hülle der Kindheit beginnt
erst zu springen. Nur im Traume erscheint ihm das Märchen-
roß, um ihn in die Welt zu Abenteuern zu führen. Der Ruf
des göttlichen Vaters hat sich noch nicht artikuliert, als unbe-
stimmtes Sehnen zieht er nur am Herzen des nach vollem
Erwachen Lechzenden. Aber Leben heißt tief einsam sein.
Und da er im Nebel diese Erfahrung zu machen beginnt,
schreckt er zurück vor so fürchterlicher Wanderung und ruft
nach der hegenden Hütte der Mutter. Dennoch darf man ihn
keine Kasperseele, keinen schwächlichen Träumer nennen;
denn er vermag in solcher Halbheit nicht zu existieren. So
fällt er, ein Opfer seines Ringens. Sein wie unser aller «Armer
Vetter» ist Iver. Auch er scheitert auf seinem Wege zum
Geist, ihm wird das Leben zur Krankheit, daß er es voll Ekel
fortwirft. Leer, ganz leer, unpositiv, negativ – aber doch «voll
Gier und Hoffnung» steht er am Strande der Unendlichkeit
voll Begier, daß seine ärmliche Funzel von Lebenslicht er-

lischt. Heraus aus dieser Zwangsjacke des elenden, schäbigen Ich; hinauf, hinüber zu den Sternen! Schmerzhafte Bitterkeit streckt hier die Waffen vor der niederziehenden Gewalt des Lebens; nur Neugeburt in tauglicherer Verkörperung könnte helfen. Der junge Sedemund will die Wiedergeburt des Menschen hier auf Erden betreiben. Doch mit der Gründung einer Zeitschrift und einer Siedlung ist's nicht getan. Am Vater schon versagt seine Kraft; ihn gestaltet er nicht um, ja, muß erkennen, wie einseitig er alles von seinem Standpunkt gesehen. Mit skeptischem Lächeln geht der Reformator und Prophet ins Nerven-Sanatorium; nicht, daß er den Geist und seine Forderung verschmähte; aber der Materie muß er ihre Beharrlichkeit lassen. Naiver Optimismus erfüllt dagegen Boll. Zunächst zwar merkt er nur, daß es so wie früher, nämlich nach dem Fleische, nicht fürderhin geht. Eine stämmige Geduld läßt seine Erwartung nicht matt werden. Mühsam durch dunkle, zähe Schollen ringt sich wie eine Pflanze aus lehmigem Boden sein geistiges Selbst durch und sprengt die Hülle des irdischen Ich. Noch droht der Selbstmord, doch wird er als Gefahr des Übereilens überwunden zu Gunsten wachstümlicher Entfaltung – und so gelingt hier die Menschwerdung, die Wiedergeburt aus dem Geiste. Auch Fräulein Isenbarn wird durch das Erlebnis mit dem «Armen Vetter» zum Durchbruch geführt. Die Vergangenheit kann sie nicht mehr binden und wie den Sohn im «Toten Tag» zurückhalten. Sie geht hin und gestaltet ihr Leben nach der göttlichen Weisung in sich, dient dem hohen Herren. So lebt sie in der Welt des Materiellen und doch ihr gegenüber, gleichsam wie eine Nonne. Den schwersten Kampf führt Calan. Sein Wille zur Macht unterwirft wohl Land und Tier und Mensch; doch all dieser tote Besitz zerfällt, er kann ihn nicht halten. Daß er mit Gott sich messen wollte, erkennt er endlich als Vermessenheit. So wirft er sich sterbend in den Ewigen, um ihn in anderer Form zu finden, als Noahs extensive Formel ihn faßte, als Herrn der Kraft und des Werdens. Ähnlich gelangt Heinrich, Graf von Ratzeburg, auf seinem Wege nicht zu einem vorgesetzten Zielpunkt, sondern zum Eigentlichen, das höher ist als sein Ich. Selbst Gott ist nicht sein Ziel. Das

Schlagwort vom Gottsucher gilt von ihm so wenig wie von Barlach selbst. Es gilt von beiden das Paradoxon (571) «ich habe keinen Gott, aber Gott hat mich». Sein «Gehorsam ... verschwindet und schwimmt ... im Meer seiner grenzenlosen Gewißheit» (572). So gelangt er vom Gelten in der Welt zum Sein im Wesenhaften und opfert sich für seinen Sohn.

Kampf ist für Barlach des Mannes Natur und Aufgabe, darum sind fast stets Männer die zentralen Gestalten seiner Dramen. Aber als Begnadete begegnen sie selten. Noah wird keineswegs als Idealgestalt gezeichnet. Bei aller Betulichkeit hat sein guter Wille doch etwas Sattes und Spießerhaftes. Die Gnade ist ihm naiver Besitz, Geschenk, wie es einem folgsamen Kinde zukommt. Für Thomas liegt das Weihnachtserlebnis im Stalle bereits vor dem Anfang des «Findlings», doch wird seine Entwicklung erst abgeschlossen durch Elise, wie auch Noah durch Awah in seinem Glauben gestärkt wird. Die Frau wird also Trägerin des Höchsten. In demütiger Liebe neigt sich Elise mütterlich zu dem Elendskind. Mutterliebe, die alle Tragik ahnt, macht Frau Grude aus einem dummen Ding zum Menschen. In der Haupthandlung der «Guten Zeit» verwirklicht Celestine ihre Selbsterlösung durch den Opfertod, der Erlösung schafft für die andern. Gottesliebe erhöht Awah zur visionären Prophetin. Wird den Frauen die Begnadung geschenkt, so erscheint ihnen als höchste Mission, den Heiland zu gebären; dem Ideal der Madonna steht bei den Männern der Weise gegenüber. Des Lebens ganzes Leid hat Kule in sich aufgenommen. Im Ringen mit der brutalen Materialität der Wirklichkeit wurden seine Augen blind; nun schauen sie nach innen die schönen Gestalten einer besseren Zukunft. Aber dieser Welt des Geistes ans Tageslicht zu helfen, das vermag nicht er; die Tat der Erlösung harrt des Sohnes. Kules Weisheit ist das Wissen aus Mitleid. Er ringt mit dem Alb, dem nächtlichen Bruder des Löwen, doch lenkt er ihn nur von seinen Opfern ab, sein Herz zu töten vermag er nicht. Hierher gehört endlich Offerus aus dem «Graf von Ratzeburg». Sein Suchen nach dem Mächtigsten findet schließlich das Christuskind. Seinem Dienst opfert er sein eigenwilliges Selbst: «so vergehe ich elend in mir und

bleibe herrlich in Dir» (559). So bleibt auch diese höchste
Stufe des geistigen Typus bei Barlach noch ein Ringer.

Doch darin sind sie alle sich ähnlich: sie verlieren sich
nicht in Reflexionen, noch vergrübeln sie sich wie etwa
Strindbergs Gestalten. Sie lauschen; nur den Kopf haben sie
erhoben, stehen da harrend und wartend. Von den Sternen
tropft ihnen Ahnung, Sprüche der Ewigkeit raunt ihnen die
Nacht. Ihr Intellekt vermag sich nicht aus Begriffen eine
Weltformel zu spinnen; nur Ahnung der kosmischen Zusammenhänge wird ihnen geschenkt, keinerlei intellektuelle Anschauung der Ganzheit wie den romantischen Philosophen.
Menschen des Gefühls sind sie, bleiben von dessen warmer,
dichter Atmosphäre umwoben und dadurch bewahrt, es ana-
lysierend zu zersetzen. So erscheinen sie verwandt der Schar
der elementaren Triebmenschen, deren Brutalität nur naive
Lebenskraft, deren Schlauheit lediglich Mutterwitz ist, deren
Kampf und Unruhe letztlich doch aus der Sehnsucht nach
dem Geist, dem Vater kommt.

Dasselbe gilt jedoch nicht von den Figuren der beiden Romane. Schon die Hauptpersonen sind anders. Sie bleiben
distanzierte Beobachter, auch gegenüber sich selbst und ihren
Schwierigkeiten. Nur die eine oder andere Nebenperson erlangt in ihrer episodischen Gastrolle einen knappen Umriß.
Aber im Ganzen bleibt in unserer Erinnerung keine der vielen Gestalten haften wie doch noch zahlreiche Nebenfiguren
der Dramen. Es handelt sich offenbar um andersartige Gebilde, um vorwiegend «Augenerlebnisse», die Barlach «zu so
viel größeren Wichtigkeiten» wurden, so «daß er dem Vor-
rücken oder Weichen der Handlung durch die verschiedensten Räume des Geistes keine Aufmerksamkeit gönnen
konnte» (Sp 152). Gewiß erfahren wir an dieser Stelle in
Bezug auf den Doktor: «Seespeck sah einen bäurisch-kanti-
gen, lutherhaften Kopf auf einem nicht eigentlich fetten,
sondern mehr wie mit der Axt aus einem kurzen Klotz zuge-
hauenen Körper» (134). Aber es erfolgt nicht wie im Drama
die geistige Vertiefung, keine noch so problematische Wesen-
haftigkeit wird erahnt, vielmehr dieser Weg ins Innere seltsam verstellt durch die gleich folgende Bemerkung. «Und

doch war seiner Erscheinung ... eine Lächerlichkeit gesellt, als ob ein Affe hinter ihm stände und seine Grimassen zöge». So erhält auch sein Disput mit Däubler keine geistige Verbindlichkeit; es herrscht nur «Freude an der glänzenden Redekraft Däublers». Es bleiben Menschen und Begebenheiten bloß «Ersparnisse seiner Augen» (Sp 127) wie die vielen Zeichnungen seiner Skizzenbücher. Sie sind nichts «als Stücke dieser Erde, als Teile eines Weltwinkels, ein Stück Sein, vom Sein des Ganzen» (ebd), wohingegen die Figuren des Drames unmittelbare Ganzheitlichkeit besitzen. Beide Prosawerke stehen dem Tagebuch, nicht etwa als darstellerischer Kunstgriff, sondern als unverbindliche Kladde zu nahe, sind nicht auf Grund eines Bedeutungserlebnisses zur Dichtung erwachsen. Sie entstammen einer distanzierten Haltung, es ist «der stumm blickende Seespeck» (97). «Tagelang lag er dann versteckt in seinem Bau ... las oder simulierte stillvergnügt im Verborgenen», gelegentlich «holte er sich mit den Augen wie mit dem geistigen Fangorgan, was so auf den Straßen ... an menschlichem Wesen vorkam» (83). Es ist höchst bezeichnend, daß Barlach als einzige Stelle aus dem «Seespeck» nur diese Schilderung veröffentlichte, wie er an den Festtagen nachmittags im Ausflugslokal saß «und fühlte sich im Gedränge der Kaffeeschlacht mitten im Gewühl der sonntäglichen Allerweltsmenschlichkeit zugleich gerettet und verloren. Ohne Freunde erlaubte er seinen Augen, im Versteck der Einsamkeit, Freundschaft mit aller Dinglichkeit». Im «Gestohlenen Mond» wird noch deutlicher diese Funktion der Niederschrift: ein von sich wegschieben der drückenden Alltagswelt. Nicht ihre Überwindung aus dem großen Humor wie bei Gottfried Keller. Nur den Affen dahinter zu sehen vermochte er. Deshalb verbarg er auch vor den Nächsten die Existenz dieser Hefte. Die Gestückeltheit des Inhalts und die Flächigkeit der Figuren erklären sich aus dem Fehlen eines tragenden Bedeutungserlebnisses. So ist es auch bezeichnend, daß nicht im Drama, sondern allein im Schlußkapitel des «Seespeck», überschrieben «Der Löwe ist los» die Spannung sich auflöst mit dem Einfangen eines entsprungenen Pavians. Dabei kommt der besoffene Schneider mit seiner Medaille

vor. Er wird als Schneider Mankmoos in den «echten Sedemunds» verwertet. Obwohl er nur Episodenfigur ist, wird
er menschlich vertieft. Seine Frau ist gestorben, die gewich-
tige, 160 Pfund schwere, mit der man ihn so oft verulkt hatte.
Nun will er den alten Sedemund um das Begräbnisgeld an-
pumpen. Seine Trunksucht verstehen wir als eine Flucht vor
der Schwere des Lebens. Er wird als «ein guter Höllenbraten»
der vom Vater Sedemund dirigierten Schar als Nachhut an-
gegliedert. So erhält er Bedeutsamkeit, verstärkt die symbolische Wucht des 6. Bildes mit seiner skurrilen Dämonie.

Vom Gehalt her erhält alles erst volles Leben, erhalten die
Figuren ihre Dreidimensionalität. So vom Geistigen her rührt
auch ihre Verwandtschaft. Die Wurzel bildet Barlachs Grunderlebnis des Kampfs zwischen dem materiellen und dem geistigen Pol im Menschen. Innerhalb des einzelnen Dramas
bildet das spezielle Problem die Zentralsonne, um welche die
einzelnen Personen in näherem oder weiterem Abstand kreisen. Wie Sterne bleiben sie aber auch einsam, nicht zu Par-
teien schließen sie sich zusammen, noch sind sie in unlöslicher
Gegnerschaft verbissen; selbst in Freundschaft, Kindschaft,
Liebe bleiben sie Alleingänger. Darum interessieren sie für
sich, nicht im Kampf mit dem andern, wie das Theaterpubli-
kum es verlangt. Die Personenzeichnung wird vom Gehalt
her bestimmt. Nicht reizt es den Künstler, möchglichste Viel-
spältigkeit seelischen Lebens darzustellen wie im Charakter-
drama des Realismus oder Naturalismus; auf zahlreiche psy-
chologische Einzelbeobachtungen kommt es nicht, wie bei
den Impressionisten, an; nur der Wesenszug wird eindeutig
gegeben, wie der Plastiker es bei der Statue tut; alles Gewicht
darauf gelegt, wie aus den Hüllen des alten Menschen der
Keim des neuen bricht. Wegen der Echtheit des menschlichen
Konfliktes wirken diese Gestalten wahr, wegen der Energie,
mit welcher der geistige Gehalt des Stückes durchgeführt
wird, überzeugend.

Ihre Vereinzelung wird noch durch einen weiteren Umstand auffällig. Wenn wir nämlich betrachten, mit welchen
technischen Mitteln Barlach seine Figuren charakterisiert, so
erstaunen wir, wie überwiegend die direkte Art vorherrscht.

Meist sagen die Personen selbst, wie ihnen zu Mute ist, was
in ihrer Seele vorgeht, wie das Publikum sie sehen und deuten
soll. Da das Stück stets geladen ist mit der Wucht tiefer
Menschlichkeit, so ist das, was sie sagen, nicht unbedeutend,
aber technisch ist solch Verfahren ungeschickt. Dabei handelt es sich nicht um reizvolle Analysen und intellektuelle
Bespiegelungen, sondern um schlichte Konstatierungen eines
inneren Bestandes. Die Etappe des inneren Ringens wird
einfach festgelegt. Wenn ein Partner herangezogen wird, so
gibt auch er seiner Meinung direkten Ausdruck. Indirekte
Charakteristik durch Benehmen oder Tun statt der Worte
findet sich kaum. Die Gebärde allein, Widerspruch von Geste
und Wort begegnet gelegentlich zu komischer Wirkung, am
ehesten beim Onkel Waldemar («Sedemunds»). Charakteristik durch ein Tun kann man nur in dem Verhalten des alten
Sedemund vor dem Erbbegräbnis finden, zumal wie er zu-
schließt und den Schlüssel einsteckt. Zur Aufklärung über
eine einzelne Person genügt wohl die Methode direkter Aussagen, aber im Drama stehen doch mehrere Figuren miteinander in Beziehung gesetzt da. Hier ist das Natürlichste, daß
sie sie durch ihren Anteil an der Handlung charakterisieren.

«Handlung» meint ja nicht äußere Vorgänge, die an einem
unbeteiligten Stillstehenden vorbeiwirbeln, sondern Beteiligt-,
Verwickelt-sein in das Ringen um ein gemeinsames Objekt.
Wie die Mitspieler sich dazu stellen und dabei mitwirken,
gruppiert und kennzeichnet sie, mißt sie an einem objektiven
Maßstab, der aller Subjektivität eigener Einschätzung wie
fremder Deutung gleich entrückt und überlegen ist. Aber
gerade hier, in der Verflechtung der Figuren mit der Handlung offenbart sich am deutlichsten die Eigentümlichkeit der
Barlachschen Dramen. Es geht immer um die Menschwerdung; aber nur für die Hauptperson; die anderen bleiben
unbeteiligt, ja nichtsahnend für sich. Sie stehen also nicht als
Gegner abwehrend davor, bestreiten seine Anerkennung;
nein, falls sie das Problem und seinen Wert erkennen wie
etwa Siebenmark oder selbst der alte Sedemund, so richten
sie sich weder danach, noch kämpfen sie dagegen an. So verbindet nicht der Kampf um das gleiche Objekt die Streiten-

den zu höherer Einheit; im Gegenteil: hoffnungslos einsam bleibt die Hauptperson in ihrem Ringen, das nicht zu den Menschen führt, nur aufwärts zu Gott. Damit wird eine Handlung im dramatischen Sinne unmöglich, denn der andere Kontrahent, der nun einmal nach der Natur der Sache zum Handeln gehört, bleibt jenseits, ja, bleibt ein Gesuchter, sei es als unbekannter Vater, wie beim Sohn im «Toten Tag», sei es als «hoher Herr» wie im «Armen Vetter» und im «Findling», als der echte, lebendige Löwe in den «Sedemunds» oder als der Eine, den Calan sucht als seinen Gott. Wenn auch in der «Sündflut» oder im «Blauen Boll» der Herr gelegentlich auftritt, so wird er doch nie zum Partner, wird nicht als zweiter Pol der Handlung aktiv.

Darum ist es ebenso wenig bloßer Zufall wie lediglich technisches Ungenügen, wenn in Barlachs Dramen der eigentliche Gegner fehlt. Ihn zu Boll zu konstruieren, wäre Rabulistik. In der «Guten Zeit» kommt zwar Korniloff, um Celestine zur Rückkehr zu zwingen, und das Gespräch zwischen beiden gehört zum Besten, was Barlach dramatisch leistete, jedoch Gegenspieler wird der Baron damit nicht; er bleibt Episodenfigur. Aber ist nicht Siebenmark so zum armen Vetter gemeint? Nein, dieser tritt ja gar nicht einmal als Rivale um Fräulein Isenbarn auf, viel weniger, daß er jenen als zwischen ihn und sein Ziel sich stellend empfände. Selbst Calan handelt nicht gegen Noah, obwohl er seine Seele fangen und seinen Glauben wankend machen möchte. Er selbst verläßt schließlich die Arche aus eigenem Antriebe. Nicht suchen Noah und Calan im Wettstreit gemeinsam den einen Gott; Noah besitzt schon den seinen; Calan fragt trotzig nach dem ihm verwandten und gemäßen, und schiebt Noahs Vorstellungen und Worte beiseite. Zum Grafen von Ratzeburg ist Offerus keine Kontrastfigur und auch der Bruder kein Gegner, nur ein schäbiger Nutznießer. Aber die Mutter im «Toten Tag», handelt sie nicht gegen ihr Kind, da sie das ihm gesandte Götterroß tötet? Hier allerdings wäre dramatische Handlung möglich; hier ist das gemeinsame Ziel die Loslösung des Sohnes. Die dramatisch so dankbare Gestalt der Mutter bleibt jedoch isoliert; obwohl in Gegensetzung, doch nicht in offener Gegner-

schaft; heimlich meuchelt sie das Roß! Außerdem wird die
letzte Entscheidung einzig in die Seele des Sohnes gelegt. Er
versagt, anstatt innerlich siegend zugrunde zu gehen. Uns
packt wohl jene Szene am ehesten, wo er mit dem Alb ringt;
denn alles ist sinnfällig und echt dramatisch verkörpert. Dagegen wird das eigentliche Versagen im Nebel nur durch eine
erinnernde Vision uns vorgeführt, verdeutlicht, aber nicht
dramatisch lebendig gemacht. Wie ganz anders wird die nicht
minder schmerzvolle Geburt des neuen Menschen in Kleists
«Prinzen von Homburg» veranschaulicht. Der Kurfürst als
Repräsentant der Mannesreife tritt ihm gar nicht als «Feind»
entgegen, doch als Gegner; und im Ringen mit ihm wächst
der Prinz, überwindet er sein triebhaftes Ich voll egoistischer
Ruhmgier und findet sein höheres Selbst mit der Ehrfurcht
vor den ewigen, kosmischen Gesetzen. Der Konflikt ist verwandt dem Barlachs und sicher nicht minder tief und schwer.
Aber seine dramatische Wucht entfaltet sich bei Kleist zum
fortreißenden Ringen zweier Kräfte, in Menschen verkörpert,
mit- und gegeneinander. Mit Recht bezeichnet man also die
dramatische Handlung als ihrem Wesen nach zweipolig. Bei
Barlach rückt nur der eine Pol in den Mittelpunkt, der andere
ins Unendliche. Doch verliert dieser damit nicht seine zie-
hende Kraft: Gott ist es als der unsichtbare Vater. Aber nur
die Hauptpersonen sehen wir in ihrem einsamen Ringen, das
nicht mit oder gegen jemand sich richtet, sondern wo es um
etwas geht, das nur auf sie allein Bezug hat. Die übrigen
Personen erschweren oder erleichtern ihr das Streben; aber
das sind nur Hemmungen, gleichsam Wände, die entgegenstehen und durchbohrt werden sollen. Im «Blauen Boll» ist
es das eigene tote und sündhafte Fleisch, das den Durchbruch
des Geistigen hindert. Im «Armen Vetter» vertritt Siebenmark
gar nicht das materielle Prinzip und kann deshalb auch nicht
dramatischer Gegner zu Iver sein. Jener tobt in der Heide
gegen sich selbst, während Iver einige hundert Meter entfernt
im Gebüsch liegt und den Tod als Erlöser erwartet. Es ringt
also jeder mit sich selbst und in sich hinein; ein gemeinsamer
Kampfplatz fehlt ebenso wie ein offener Kampf. Ein gebore-
ner Dramatiker hätte den brutalen Materialisten bis zum letz-

ten direkt mit dem geistigen Menschen kämpfen lassen. Dagegen kommt es bei Barlach nur zum passiven Hemmnis statt zur aktiven Gegnerschaft, und der Inhalt zeigt nicht einmal wohl abgemessene Etappen eines seelischen Werde- oder Wandlungsprozesses. Gewiß eignet allem volle Wahrhaftigkeit und menschliche Tiefe, so daß der Leser ergriffen wird; doch eben nachhaltiger beim betrachtsamen Lesen, weniger bei der rasch vorübergleitenden Aufführung. Es packt uns die menschliche Qualität des Gehaltes, nicht eine spannend abrollende Handlung.

Mit Recht wird man das als höchste dichterische Leistung preisen, wenn vollrunde Menschen uns begegnen und unvergeßbar bleiben. Bei Barlach jedoch ist das Dichterische stärker als das eigentlich Dramatische. Sicherlich verdienen seine Gestalten das Lob, blutwarm und echt geraten zu sein, sie sind ganz voll eigenem Leben, aus echtem Erlebnis erwachsen. Aber sie werden nicht restlos in handelnde Personen eines Dramas umgesetzt. Deswegen hat der Zuschauer teils den Eindruck, die Hauptpersonen ständen isoliert eben wie Plastiken da, die stellenweise zwar etwas sagen; oder aber es verwirrt ihn ein Zuviel von Personen, die wohl an sich lebendig geschaut, doch ohne innere Verbindung zu sein scheinen. Es fehlt eben oder versagt eine Handlung, welche all das Tun und Sagen erst zu konkretem Leben zusammenflicht und in Bewegung setzt. Dadurch würden die Personen aus ihrer Isoliertheit erlöst werden, in die sie ihre bloß geistige Bedeutung gedrängt hatte. Außerdem macht Barlach noch heute wie schon als Knabe beim Kasperltheater der Anfang besondere Schwierigkeiten. Dadurch erschwert er Leser wie Zuschauer, den Zugang zu finden, Richtung und Sinn der inneren Handlung zu erspähen.

Wie mitreißend hat dagegen Schiller es verstanden, gleich im ersten Akt seiner «Maria Stuart» den Blick auf das Ende zu richten, auf das drohende Ziel des Todes, das die Gegenpartei erstrebt, während die Gefangene das entgegengesetzte, die Befreiung durchzusetzen sucht. Stachelt sie hier der natürliche Trieb nach Glück und Liebeserfüllung, so steht doch in ihrer eigenen Brust der Sühnewille dagegen und bejaht als

Buße für ihre Schuld den Tod. So schließt sich der historisch-
politische Druck des äußeren Geschehens zusammen mit den
ethisch-psychologischen Triebkräften zu einer gemeinsamen
dramatischen Handlung von spannender Zielgerichtetheit.
Barlach jedoch verwendet nirgends eine Zielhandlung. Das
hängt damit zusammen, was den Inhalt eines Stückes für ihn
eigentlich ausmacht, nämlich das Klarwerden eines geistig
bedeutenden Problems. Wie durch dicken Nebel getrennt, ta-
stet jeder weiter; wohl rufen und raunen sie sich gelegentlich
einiges zu, berühren zufällig die Hand oder Schulter des andern, doch gehen dann weiter ihren Weg. Der seelische Konflikt manifestiert sich nicht als Zusammenprall mit einer
feindlichen Umwelt, brandet nicht an der einen Person, die
den genauen Gegenwurf zum Helden darstellt. Die Figuren
ringen nicht miteinander um ein etwas Gemeinsames. Jede
hat, wie im «Toten Tag» ihren Alb, der sie heimsucht im Geheimnis und Schweigen der Nacht. Er schüttelt und foltert sie
in ihrer Einsamkeit; wie Stöhnen, Seufzen, Schrei tropfen
ihre Worte unter dem Druck des drosselnden Würgers. Wie
in Morast sind sie versackt in ihr Alltagsdasein, aus dem sie
herausverlangen. Daraus entsteht keine fortlaufende innere
Handlung, die sich in deutlichen Linien ausschwingt wie bei
Hauptmann oder Ibsen. Statt dessen gibt es eine Reihe von
Situationen, wo die Hauptperson über ihr Inneres eigentlich
mehr selber Aufschluß sucht als gibt. So erhalten wir Momentbilder der Problematik; es wird gleichsam abgeleuchtet,
welcher Zustand jetzt innerlich vorhanden ist. Innerseelisches
Geschehen ergibt noch keine dramatische Handlung, so
menschlich wertvoll und bezeichnend es sein kann. Selbst
wenn es Knotenpunkte des Wachstums sind, wo neue Erkenntnis auftaucht, so sind das doch einsame und zufällige
Geschenke, Begnadungen, Erleuchtungen, vor allem kein gemeinsames Erringen. Dies aber macht nun einmal das Wesen der inneren «Handlung» aus. Die eigentliche Haupthandlung erscheint dem Publikum meist verzettelt und stagnie-
rend; sie rollt nicht aus eigenem Schwergewicht lawinenhaft
und mitreißend ab; im Gegenteil, man erkennt zunächst kein
Ziel, keine Richtung, wohin sie strebt, und ihr voller Sinn

vollendet sich überhaupt erst am Schluß. Deutlich trennen
sich im «Armen Vetter» die Szenen, welche Iver gehören,
von jenen, die Fräulein Isenbarn zum Mittelpunkt haben.
Erst in der Mitte des Stückes stehen sich beide direkt gegenüber (6. Bild). Aber auch dort hören wir nur Fragmente eines
Gespräches, das aphoristisch und andeutungsreich kurze Zeit
sickert, umtobt von dem äußerlichen Lärm der Gäste. Was
man eine «Aussprache» zu nennen pflegt, fehlt überhaupt.
Erst im 12. Bilde, dem Abschluß des Stückes, sagt Fräulein
Isenbarn sich von Siebenmark los, natürlich nicht mit der
intellektuellen Deutlichkeit wie etwa bei Ibsens großen Ab-
rechnungen, man denke an Nora. Auch die beiden so un-
gleichen Rivalen, der schmächtige Iver und der grobschläch-
tige Siebenmark, stehen zwar vom 4. Bilde an deutlich in
Gegenstellung, doch fehlt ihnen die gemeinsame Plattform
zu wirklichem Kampf; Geld und Prügel streitet gegen Geist
und Ironie. Da bleibt Iver im Grunde so unberührt wie
seine Leiche, als sie im letzten Bild von Siebenmarks Faust-
schlägen getroffen wird.

Das Fehlen der Kontinuität macht das verstehende Mitgehen des Lesers und noch mehr des Zuschauers so schwer. Es
sind keine zusammengehörenden Etappen menschlichen Rei-
fens, noch Schritte zur Erkenntnis, eher «Wegmarken des Geschehens» (26. 9. 26), Stationen auf einer Wanderschaft.
«Wohin geht der Weg» so fragt Wahl im «Gestohlenen
Mond» (31) und erhält die bezeichnende Antwort: «Wie soll
ich das im voraus wissen, das wird sich erweisen, wenn ich
am Ziel bin». Aber das gibt es eigentlich grade nicht. «Denn
das Ziel benennen, beschreiben, klärlich aufweisen, hieße ja,
es schon besitzen». Die Antwort gibt schon der «Tote Tag»
symbolisch: den blinden Wanderer führt sein Stab und dessen von Gott stammende Kraft. Das wird noch einmal ganz
deutlich an Heinrich, Grafen von Ratzeburg im Unterschied
zu Offerus, der etwas Bestimmtes sucht und ja auch im
Christkind schließlich findet. Er ist ein Gottsucher, nicht
Heinrich, der ein blind Wandernder bleibt, den die göttliche
Gnade schließlich zu seinem Ende lenkt. Aus dieser Grundüberzeugung also ergibt sich ein inneres Gestaltungsprinzip

der Handlung und das Wirken eines Idealnexus aus dem geistigen Sinngehalt, der zu einer künstlerischen Ganzheit führt.

Aus dem Gefühl, sich von der auf dem Theater üblichen Art zu unterscheiden, hat Barlach den in seinem Erstling noch beibehaltenen Ausdruck «Akt» fallen gelassen. Akt heißt ja «Handlung»! «Teile» nennt er sie in der «Sündflut» und numeriert sie nur im «Armen Vetter». Aus «Mittelstück» mit «Vorspiel» und «Schlußspiel» besteht der «Findling». «Bilder» heißt es vielleicht am treffendsten in den «Sedemunds» und dem «Blauen Boll». Situationen sind es, Stationen, die nebeneinander stehen; aus ihnen heraus sprechen die Personen, ja bereden sie. Auf der Bühne wird am deutlichsten, daß nicht eine seelische Handlung sich da ausschwingt und gleichsam den Raum erst erzeugt, die Menschen bewegt, sondern daß es nur ein rasches Wechseln kleiner Situationselemente ist, die an sich starr sind. Sie gehen nicht ineinander über, folgen sich vielmehr ruckweise, abgerissen, ziemlich eilig. Gerade dadurch verliert der Zuschauer innerlich so leicht den Faden; sein inneres Mitfühlen reißt ab und will sich nicht so leicht und nicht immer von neuem wieder anknüpfen lassen.

Ähnlich steht es mit den beiden Prosawerken. Auch hier fehlt die Kontinuität in noch auffallenderem Maße. Wir vermissen den Fortlauf des Geschehens wie den Tiefgang des Gehaltes. Die Figuren packen nicht durch ihre menschliche Substanz, noch fesseln sie wegen ihrer seelischen Differenziertheit oder Problematik. Es bleiben zufällige Momentbilder und wenig ergiebige Begegnungen. Alles scheint ohne größeren Plan und tieferen Sinn rein äußerlich nebeneinandergesetzt, aus zufälligen Eindrücken herrührend, so garnicht ,romanhaft'. Dagegen wirken die Prosaskizzen aus Paris und Altona, auch noch aus der ersten Güstrower Zeit als geschlossene Gebilde. Es sind keine «Fragmente», sondern Impressionen. Sie beruhen auf Eindruckserlebnissen, sind jedoch nicht Ausdruck von Bedeutungserlebnissen wie die Dramen. Schon der erste Ansatz zu einem Roman in der Pariser Zeit und sein Versanden ist bezeichnend. Barlach berichtet (SLP 35): «Ich schrieb damals etwas wie einen Geisterroman, in dem ich zwei symbolische Gestalten mit einander ziehen und, nun eben in Paris abenteuern ließ. Zuviel Schnurrigkeit, absonderliches Überschlagen aus der Alltäglichkeit ins Märchenhafte und in Traumwillkür, kleinmäßig zufrieden schwelgende Gemütlichkeit mögen seine Hauptfehler gewesen sein». Ging es später noch mit Wau und Wahl und ihrem Wähnen nicht doch ziemlich ähnlich?

Dagegen sind die Stücke, selbst die «Sedemunds», gewiß kein Sack voll zusammenhangloser Impressionen; ohne Zweifel stellt jedes ein in sich einheitliches Ganze dar. Reißt uns zwar nicht die Handlung in kühnem Schwung vom Anfang an bis zu einem unvermeidbaren Ende mit, so hält doch der geistige Gehalt alles zusammen, weil er es mit einheitlichem Sinn durchtränkt. Aber erst am Schluß hat er sich voll enthüllt und erst rückblickend erkennen wir, wie alles sich zusammenfügt. Das einheitgebende Prinzip ist nicht starre architektonische Disposition, sondern musikalische Dynamik. Der geistige Gehalt verkörpert sich in ein Grundmotiv; dieses modifiziert sich für die verschiedenen Personen entsprechend ihrer Eigenart, durchklingt ihre Nebenhandlungen und setzt sie so zum geistigen Kern in Beziehung. Am leichtesten läßt sich in der «Sündflut» verfolgen, wie das Hauptthema in mehreren Variationen oder ‚Durchführungen' abgerundet wird. Es ergeben sich dadurch gewisse Handlungskreise. In der «Guten Zeit», um ein anderes Beispiel noch zu geben, liefert die Bedrohung der Eltern, zumal der Mutter, durch das Kind das Grundmotiv. In brutaler Weise setzen die Gebirgshirten nach Urzeitbrauch die überzähligen Kinder aus; mit den Mitteln moderner Medizin, «entbürdet» das Sanatorium seine Insassen von diesen Sorgen. Aus beiden Kreisen löst sich eine Gestalt: den alten Syros versuchen seine Söhne vergeblich zur Rückkehr in das Gebirgsleben zu zwingen; die üppige Sybille wehrt sich gelangweilt gegen die Surrogatliebe im Sanatorium. Aber den Kreis der Haupthandlung um Celestine tangieren die Nebenhandlungen nur und tragen aus sich nichts Direktes für ihre Entwicklung und Richtung bei. Sie dienen also nicht der gemeinsamen dramatischen Spannung, mehr der geistigen Weitung des Problemgehaltes.

Zumal in den Nebenszenen macht sich nicht selten ein verschnörkelndes Ausmalen breit, gefällt sich Barlach «in einem
vertrakten Zuschnitt von Putzigkeit», den er schon bei seiner Jünglingsdichterei konstatiert (Leben 31). Man denke nur
an den Venustrall im «Armen Vetter», an die Zechbrüder
und die sich vorbeidrückenden Gemeinschaftschristen im
«Blauen Boll», an den Zug der Höllenbrüder mit dem Leierkasten in den «Sedemunds», vor allem an die ganze Löwenjagd oder an die Sanatoriumsgäste und Urzeithirten der «Guten Zeit». Aber das sind keine zentralen Szenen, sie gehören
doch nur zur ‚äußeren Handlung‘. Gerade die «Sedemunds»
zeigen am deutlichsten die Gefahr, eine äußere Bewegung als
Vehikel der stagnierenden inneren Handlung zu schaffen.
Alles das sind doch nur Vorgänge, eben etwas, was vorbeizieht. Die Personen mögen dadurch zwar lustig durcheinander gewirbelt werden, aber der innere Kampf wird auf solche
Weise nicht ausgetragen. Günstigsten Falls lassen sich auf
diese Weise ungewöhnliche Situationen für Aussprachen bewirken.

Es ist das Auge des Graphikers, das solche Szenen konzipiert, die Freude des Stiftes, die sie ausmalt. Dabei kann
der bildende Künstler sich oft nicht genugtun und vergißt
die innere Ökonomie des Dramas gar leicht und allzu sehr.
Ein Rankenwerk umwuchert und umschlingt den eigentlichen
Stamm des Stückes und droht Einheit und Sinn des Ganzen
zu verdecken und zu verdunkeln. Das wäre leicht am «Grafen von Ratzeburg» zu belegen. Doch wäre es ungerecht, weil
das Stück ja nicht in endgültiger Form vorliegt.

Besonders die «Sedemunds» haben darunter zu leiden.
Auch kann nicht verheimlicht werden, daß die ganze Löwenjagd nur allegorisch den Gehalt des Stückes einkleidet, nämlich Erwachen und Überfall des Gewissens. Eigentlich ist die
Suche nach dem entsprungenen Löwen nur ein Künstlerulk,
wie er im «Armen Vetter» vom «Schönen Emil» berichtet
wird. Der zweite und vierte Akt entpuppt sich als Ausfluß der
Fabulierlust und stellt nur den Auftakt für den jeweils folgenden Teil dar. Daß er fast ebenso lang geriet wie dieser, stärkt
nicht gerade die architektonische Klarheit. Nicht als Not-

helfer kann man Goethe anrufen, im Gegenteil muß der erste
Akt seines «Egmont» geradezu als Gegenbeispiel bezeichnet
werden. Das Treiben beim Königsschießen dient dort höchst
zielbewußt den Voraussetzungen der Handlung, nämlich die
geschichtliche Situation, Art und Denken des Volkes ähnlich
«Wallensteins Lager» an Volkstypen anschaulich vorzufüh-
ren. Gerade diese Einstellung auf das Ganze und die Handlung fehlt dem Treiben beim Schützenfest der mecklenburgischen Kleinstadt. So entsteht der Eindruck eines Karussells,
eines wirren Wechsels phantastisch-satirischer Einzelbilder,
wie es Jessner inszenierte und worüber Barlach so erschrack.
Was von den Seiten dieses Aktes (198–208) als vorbereitend
für die Handlung in Betracht kommt, ist lediglich Grudes Zusammentreffen mit Onkel Waldemar, dem er nun die Fabel
vom Begräbnis des jungen Sedemund aufbindet. Dadurch be-
wirkt er, daß der Alte herbeigeholt wird, und bereitet somit
das Zusammentreffen zwischen Vater und Sohn im nächsten
Bilde vor. Dazu braucht es noch nicht einmal volle drei Seiten; (203–205) Zweidrittel des Aktes sind bloßes Rankenwerk. Daß alles so deutlich und ergötzlich gesehen ist, ver-
söhnt wenigstens beim Lesen einigermaßen, wie man auch
Jean Pauls Romane trotz seiner Reflexionen und Einfälle zu
genießen vermag. In der «Sündflut» dagegen zeigt sich diese
ausspinnende Erfindungsfülle von ihrer besten Seite. Der
Faden der Handlung war einigermaßen gegeben; aber er war
recht dünn, und die Gestalten schemenhaft und flach. Da
setzt nun die Sonderbegabung Barlachs ein, schafft die neuen
lebensvollen Gestalten, malt die bezeichnenden Situationen
voll packender Bedeutsamkeit. Hier leuchtet aus beiden der
geistige Gehalt, erfüllt sie mit der Transparenz des echten
Symbols.

Die Schwierigkeiten, welche so manches Stück Barlachs
gerade einer Aufführung entgegensetzt, liegen also nicht nur
in mangelhafter ‚theatralischer Technik' oder in der Unbe-
kümmertheit, womit die innere Schau sich über die Beschrän-
kungen des zeitgenössischen Theaters hinwegsetzt, nein, weit
tiefer wurzeln sie, im wirklich Künstlerischen. Barlachs produktive Phantasie, die niemand in Zweifel zu ziehen wagen

kann, geht andere Wege als die eigentlich zum Drama führenden. In wunderbarer Deutlichkeit stehen Figuren vor seinem geistigen Auge, finden sich in verschiedenen klar gesehenen Situationen, in denen sich ihr innerer Bestand ausspricht. Die Konzeption bleibt jedoch Bedeutungserlebnis voll hohen menschlichen Lebensgehaltes, setzt sich dagegen nicht genügend um in dramatisches Leben. Die Schauungen bleiben starr, die Hauptpersonen stehen wie Statuen für sich. Ibsen oder Shaw konzipieren als Dialektiker, sehen ihre Hauptpersonen als Prozeßgegner. Barlach schaut sie als Plastiker, und Schnitt um Schnitt, wie aus dem Holzklotz, holt er auch in seinen Dramen das seelische Ringen heraus. Während ihm das Holz die Materie zur Verkörperung seiner Gesichte unmittelbar liefert, muß der Dichter aus weit weniger substantiellem Stoff seine Gestalten formen. Beim Dramatiker geschieht das eben durch die dramatische Handlung. Wo er darin nicht bildet, fehlt seinen Figuren die letzte greifbare Wirklichkeit, drohen sie, schemenhaft zu bleiben, so daß man den Eindruck erhält, sie ständen hinter Nebelschleiern und man könnte ihr Gesicht nicht erkennen. Ganz entgegengesetzt erscheinen die Nebenpersonen scharf umrissen, mit dem spitzen Stift des Graphikers gezeichnet, nur daß sie an eine einzige Geste gebunden bleiben und mit einer ganzen Gruppe anderer verkoppelt sind.

Die großen Dramatiker schauen ihre Personen, in Handlung verflochten, spielend. Bei Barlach scheint die dramatische Geburt zu erfolgen, wenn Statuen zu reden beginnen. Er sagt selbst (10. 5. 26), daß er «beim Schreiben Handlungen und Gestalten wahrnehme, für die ich nur ein übriges tun müßte, um ihre Worte zu erlauschen». Zumal bei Aufführungen bleibt der Hauch ihres Mundes leicht wie Wölkchen in kalter Luft erstarrt hängen wie auf alten Holzschnitten. So rückt das Sprachliche über den Schauspieler hinauf, gibt die Exegese seiner Situation, ja die Ausdeutung der ganzen Szene. Damit wird das gestalterische Tun des Darstellers entwertet, wenn nicht verhindert. Er vermag nur noch die Figur zu verkörpern statt sie wahrhaft schöpferisch einzuleiben und darzuleben. Isoliert stehen die Sätze seiner Rolle als selbständiger

Text da, tiefsinnige Aussprüche für Leser, statt des Herzens warmes Pulsen direkt ins Publikum hinüberzuleiten. Auf zwei verschiedenen Ebenen stehen da Wort und Sprecher, das ist die weitere störende Erfahrung, die wir an Barlachs Dramen nur zu oft machen. Sie hängt nahe zusammen mit dem Versagen der dramatischen Handlung. Nicht bloßes Tun noch lediglich seelisches Geschehen machen sie aus, sondern nur kämpferisches Erringen eines geistigen Zieles. In der Sprache besitzt der Mensch dafür das geistige Ausdrucksmittel. Die Handlung wird demnach erst mit den Sinnen erfaßbar durch das Sprechen. Das Wort ist das Fleisch der Handlung. Den Dialog bietet uns die Natur als Ausdrucksmittel gemeinsamer geistiger Aussprache, die ein vorschwebendes Ziel erstrebt. Da ja beim Drama im Gegensatz zum philosophischen Dialog nicht nur die Köpfe streiten, sondern Menschen in der ganzen Wirklichkeit ihres Daseins handeln, so darf der dramatische Dialog nicht nur mit dem Mund verlautbart werden, sondern man muß ihn «spielen»: Gebärde, Geste, Bewegung gehört zum inneren Leben von Gefühl, Wille, Verstand als Ausdrucksmittel dazu. Nicht nur der Theaterroutinier wird nun behaupten, daß Barlach keinen rechten dramatischen Dialog zu schreiben pflege. Genau besehen, enthalten die wichtigen Stellen alle Monologe. Geständnisse sind es, welche Klarheiten, die der Person geschenkt wurden, lediglich aussprechen, oder selbst sich zu ihnen hintasten. Daneben gibt es allerhand Gespräche, aber stets als Rankenwerk. Der Repliken der tierärztlichen Venus im «Armen Vetter» braucht sich der gewandteste Komödienschreiber nicht zu schämen. Sonst dient aber der Dialog eher zum Verschleiern, nicht aber als Ausdrucksmittel des Problems.

In Barlachs Roman ist es ähnlich. Entweder wird das Geschwätz des spießerigen Alltags schmunzelnd belauscht, oder er läßt wie Wau im «Gestohlenen Mond» (58) «im stillen Gespräch seinen vorgestellten Partner hübsch leicht zu zerpflückende Dinge vorbringen, während er sich selbst den Vorteil vorbehielt, weit ausholen (!) zu können und die gegenteiligen Einwände vernichtend zu treffen». Das ergibt also verkappte Monologe. Das gleiche zeigen Barlachs Briefe. Ein

so eifriger, ja pflichtbewußter Beantworter er war, sind es
eigentlich doch Geständnisse, die er macht, also ganz so wie
die wichtigen Figuren seiner Dramen. Auch sie können nur
aneinander vorbeimonologisieren, kaum daß der andere ahnt,
was sie meinen. «Ich sprach kaum mit meinem Sohn, ich
sprach nur von meinem kleinen Jungen», so sagt schon die
Mutter im Erstlingsdrama, und so ist es geblieben. Das Ringen der eigenen Seele drängt die Personen, nur zueinander
zu sprechen, von sich, über ihr Problem; aber nicht miteinander im Zwiegespräch sich wechselseitig um gemeinsame Ziele
zu mühen, wobei jeder in gleicher Aktivität sich beteiligt. Der
Prototyp des Menschen ist eben bei Barlach der Wanderer.
Er hat die Einstellung seines Schöpfers, der bekennt (26. 9.
26): «ich bin verwegen genug, weder zu fragen, wohin es
geht, noch überhaupt Sorge zu tragen, ob es sich lohnt.» Dazu paßt als Redeweise keineswegs das Fragen eines Suchers,
sei sein Ziel auch Gott. Es ist die Aussage, nicht als lyrischer
Erguß, sondern als Finden und schließlich als Annehmen, so
daß das «Sollen zum Wollen wird». Aufhorchend hält man
inne und antwortet, das Vernehmen des Anrufers ergibt die
dramatische Situation, vom Hören bis zum Gehorchen,
macht die Handlung aus. Sprache bringt hier also keinen Aus-
tausch, was ja ein Fragen noch herbeiführte, vielmehr ein
Auftauchen aus dunklen Tiefen, ein Emporblicken zu Ster-
nenhöhen. Hier ergeht sich kein mitteilsames Reden in der
Horizontale der Kommunikation (Jaspers) vom Ich zum Du,
nein in der Vertikale steigt es auf und empor. Die Beichte ist
die eigentliche Ausdrucksform des Einsamen und seiner ver-
schlossenen Seelennot, Abschluß gegenüber fremder Zuhö-
rerschaft und dabei doch Drang zur Äußerung. Hat der Partner wirkliches Verständnis wie Grete für Boll, so ermuntert
er nur in den Pausen, wo das Bekenntnis abreißt, mit Worten
wie «weiter» oder «sprich zu Ende». Es ist ein schweres
Sprechen, weiß man wie Iver doch nicht, wie man sich verständlich machen soll, ohne sich zu prostituieren. Denn das
bloßgelegte Herz stirbt, und trotzdem würde sein Zucken
nicht nachgefühlt worden sein.
　　Damit soll die Form der einstimmigen Aussprache nicht

menschlich als geringwertig gegenüber dem zweistimmigen Durchsprechen hingestellt sein. Entscheidend bleibt stets, inwieweit jede dieser beiden Ausdrucksweisen als künstlerisches Mittel am geeignetsten ist, dramatische Handlung zu verleiblichen. Daß wir im Leben aneinander vorbeireden, beweist nichts gegen den Dialog als Kunstmittel, sonst müßte man vom Plastiker auch verlangen, daß er seine Statuen in die heutige Mode kleidete. Statt eigentlicher Zwiesprache herrscht an entscheidenden Stellen bei Barlach eine ganz eigentümliche Art der Dialogführung. Der Partner geht innerlich nicht in Richtung des Gespräches weiter, sondern ein Einzelwort trifft ihn, es faßt in seiner Brust Wurzel und beginnt zu wachsen: es wird gleichsam zur Inspiration, die klärend, zielsetzend wirkt. Auf diese Weise wird in der «Guten Zeit» der Anstoß zur Handlung gegeben. Es ist die auf dem Umschlagsbild festgehaltene Situation (468), wie Syros das Halskreuzchen Celestines nachdenklich betrachtet und sagt: «Gut – wie die gute Zeit, wenn sie wirklich ist?» Dieses Wort, «wirklich» trifft und bohrt sich immer tiefer in Celestines Seele, und das Gespräch mit Korniloff (485) beweist, wie jenes Wort in ihr festgewurzelt ist und ihr die entscheidende Klarheit gebracht hat; noch die letzten Worte Celestines (516) weisen ihre Tat aus als den Vollzug jener Erkenntnis. Im selben Stück wirkt ähnlich der Ruf des Wildgottes «Recht auf dem wilden Gebirg macht frei von Schuld und Schande» (507). Bezeichnend ist ferner, wie Celestine Ambrosias Ausspruch vom Vertrauen, das die Seele des ungeborenen Kindes sucht (487), in der späteren Szene (490) wieder aufgreift: «Dein Wort vom Vertrauen... ja das gibt zu denken...» Durch diese Hakentechnik des Dialoges wird dem Leser, der nur an das Ruck-zuck-fechten der Argumente gewöhnt ist, das Mitgehen sicher schon erschwert, auf der Bühne aber wird es kaum haften. Nachdenkliches Aufnehmen ist dafür Voraussetzung; sonst bleibt die innere Handlung, etwa des «Armen Vetters», ganz unverfolgbar. Wenn auch für die Theaterwirkung und eine spezifisch dramatische Handlung diese Ausdrucksweise unergiebig, ja vorwiegend verwendet, schädlich ist, so entspricht sie sicherlich der innerlichen Einsamkeit sei-

ner Menschen und auch der ihres Schöpfers. Denn obschon
Barlach im Gespräch sehr wohl zuhörte, nahm er doch mehr
wahr, als direkt gesagt wurde, und das Unausgesprochene
gerade konnte ihn treffen und zu einem Ausspruch veranlas-
sen, der keine direkte ‚Antwort‘ gab und scheinbar von wo
ganz andersher kam.

All diese Beobachtungen wollen keine ‚Kritik‘ an Barlachs Stücken vorstellen, welche sie mit einer dogmatischen
Normalelle mißt – und für zu kurz, richtiger inkommen-
surabel, befindet. Sie sollen vielmehr das tatsächlich Vorhandene feststellen und damit die Eigentümlichkeit der künstlerischen Gebilde zeichnen. Diese Erkenntnis lehrt uns aber
zugleich die wichtige Tatsache des immer wieder ausbleiben-
den Publikumserfolges zumal im Theater verstehen. Dem
blinden Verehrer scheint die dauernde Ablehnung durch
Theaterbesucher und -kritik lediglich ein Zeichen des Unver-
standes; vielleicht schiebt er unbewußt auf solche Weise nur
die Beunruhigung über sein eigenes anderes Reagieren von
sich ab. Die Wissenschaft muß nach dem Warum solcher
Verschiedenheit fragen und ihren Grund aufspüren. Rechte
Liebe wird sich nicht davon beunruhigen lassen, wenn sie
Schwächen wahrnimmt, bei Werken so wenig wie bei Menschen. Aus solchem verstehenden Wissen heraus wird der
Einsichtige handeln. Kann er von unsern Theatern die Aufführung Barlachscher Dramen als künstlerische Verpflichtung und kulturelle Tat wünschen oder verlangen? Seit Jessner es in Berlin versuchte, sind immer wieder große und kleinere Bühnen an die Aufgabe gegangen, diese Dichtungen der
Bühne zu erobern; Mühe und Kosten wurden nicht gescheut,
so daß kein Stück unaufgeführt blieb. Doch der Erfolg war
überwiegend gering und recht vorsichtig lavierte die Kritik.
Der Sinn des Ganzen wird eben nicht leicht deutlich, die innere Handlung erfaßt ein größeres Publikum nicht – und wir
wissen jetzt warum: weil sie wie die Dialogführung nicht genügend dramatische Art und Kraft hat. Das Theater sucht sich
da auf zwei Weisen zu helfen. Überwiegt das Theaterblut der
Verantwortlichen, so halten sie sich an alles, was äußere
Handlung erlaubt, und holen daraus allerhand Vorgänge

heraus, die wohl etwas zu sehen bieten, aber eben gerade vom Eigentlichen ablenken. Will man diesen Irrweg vermeiden, so bleibt nichts anderes übrig, als zu ‚stilisieren‘. Bereits das Kölner Schauspielhaus (November 1927) hatte die szenische Umgebung nur angedeutet, alles auf Licht-Schattenwirkung eingestellt. Daß auch dies zu Gewalttätigkeiten führen kann, leuchtet ein. Barlach selbst war damit nicht einverstanden. «Da stehen denn zwischen expressionistischen Stilisierungen ganz natürliche Menschen und ahnen offenbar nicht, wie schlecht sie dahin gehören» (18. 10. 24). Heut sucht man seit Sellners Vorstoß konstruktiv der innewohnenden Dynamik zu entsprechen. Am überzeugendsten fand ich das H. J. Klein in Mannheim gelungen für Bühnenbild wie Spielgestaltung der «Sündflut». Der kurvige Schwung der Spielfläche in voller Dreidimensionalität des Raumes bewährte sich als besonders praktisch und ausdrucksreich. Dazu müssen die Bühnenbilder auch etwas Spukhaftes mit gedämpftem, farbig gefiltertem Licht behalten. Denn selbst in den Szenen der Haupthandlung, in denen die Szenerie realistischer Hintergrund zu sein scheint, hat sie ausgesprochenen Stimmungswert und muß dementsprechend stilisiert werden; sonst aber ist sie symbolisch, abgesehen von manchem direkt Spukhaften. Für den ungemein schwierigen Schluß der Szene in der Teufelsspelunke («Blauer Boll») hat Barlach uns einen Anhalt gegeben. Er schuf als eines der ersten Werke seines Meistertums 1907 ein «sitzendes Weib» (SLP 2). Das ist die Vision der dicken Doris, in deren Schoß Grete sich birgt. Eine Gestalt dieser Prägung muß da also überlebensgroß auf den Hintergrund der Bühne projiziert werden, monumental-unheimlich. Zur «Sündflut» hat er Figurinen gezeichnet

Wird hinsichtlich der Szenerie schon Ungemeines von der Bühne verlangt, so stöhnt der Schauspieler am meisten unter der Last der Rollen. Er will doch spielen, aber er weiß recht lange Stellen hindurch nicht, was er mit seinem Körper anfangen soll, im grellen Rampenlicht wirkt er steif. Darum läßt er leicht seinem mimischen Triebe freien Lauf, erfindet sich Beschäftigung und glaubt, so des Dichters kahle Art lebendig und farbig zu machen. Das andere Extrem gibt alles besonders starr als sprechende Holzfiguren. Auch das wäre nur äußerliche Stilisierung, während es auf die Übermittlung des inneren Lebens der Figuren ankommt.

Nie versuche man, etwa Barlachs graphische Blätter nachmachen zu wollen. Sie sind gar nicht als Illustration gedacht, sondern selbständige Variationen über dasselbe Thema. Gewiß wird man viel Breite und Massigkeit beim Stehen der Männer gebrauchen; dann gibt es viel Geducktes und endlich ein gestrecktes Vorstoßen als entscheidende Bewegung. Seine Plastiken zeigen die innere Bedeutung dieser Stellungen. Während der Arm wie durch Hüllen gehemmt gehalten wird, entfaltet sich das Spiel der Hände vielsagend, ähnlich wie beim Menschen Barlach selbst. Der eigentliche Stil der Darstellung darf jedoch keineswegs von einer Kennerschaft des graphischen oder plastischen Werkes ausgehen, noch gar ‚den Mecklenburger' nachahmen wollen; einzig aus der Schau der Gestalt muß die Verkörperungsweise hervorbrechen und sich dem inneren Wandel ihres Erlebens anpassen.

Seelische Konzentration und geistige Vertiefung wird in ungewöhnlichem Maße vom Darsteller verlangt. Das dabei Erahnte in schauspielerische Wirklichkeit umzusetzen und leibhaftig werden zu lassen, wird ungeheuer erschwert durch die Schwäche der dramatischen Handlung. Kann die große Bühne es sich leisten, eine starke Persönlichkeit zu beauftragen, wie in Berlin etwa Heinrich George den Boll spielte, so besteht die Gefahr, daß die menschlich-empirische Art des Schauspielers sich vor die vom Dichter geschaute Figur schiebt, daß also die schauspielerische Stofflichkeit das dichterische Gebilde verdeckt. Dadurch wird die Hauptperson wohl theatermöglich, aber die Vision des Dichters noch nicht bühnenwirklich. So bleibt die Aufführung von Barlachs Stücken innerlich problematisch. Den Spielplan werden sie nicht erobern. Selten und vielleicht zu besonderer Gelegenheit und für ein besonders interessiertes, ja vorgebildetes Publikum ließen sich einige Vorstellungen erfolgreich durchführen. Ob aber gerade diejenigen, denen die Dichtungen lieb und vertraut geworden sind, dorthin gehen werden, oder gar befriedigt heimkehren? Sie werden an dem Gesehenen

wohl Einzelnes zu rühmen finden, aber als Ganzes werden
sie eines meist vermißt haben: die Atmosphäre. Sie aber wob
gerade beim Lesen für den Vertrautgewordenen alles in eine
eigene Welt ein und zusammen, gab die allen gemeinsame
Lebensluft. Nun die Bühne sie ihnen nicht zu schaffen vermag, scheint alles zu verdorren, erstarrt auseinander zu fallen.

Schon der «Tote Tag» war ganz erfüllt von dieser eigenen
Atmosphäre, die in bräunlichen Dämmer alles einhüllte; im
«Armen Vetter» schmeckt man fast die herbe Luft von Elbe
und Nordsee; modrigmuffig riecht es in den «Sedemunds».
So etwas läßt sich nicht machen, noch erzwingen; es wird
vom Schöpfer seiner kleinen Welt eingehaucht als Lebens-
odem. Äußere Formglätte und bühnengerechte Konstruktion
können nie über das Fehlen der Atmosphäre hinwegtäuschen,
naturalistische Ausmalung des stinkenden Armleutemilieus
sie nimmer ersetzen. Es gibt keine technischen Mittel, sie
hervorzubringen, wohl aber kann die Bühnentechnik sie leicht
fortjagen; sie entspringt der Intensität von Leben und Wachsen des Stückes im Autor, ist die Verdichtung seiner Schaf-
fensmagie und das untrüglichste Kennzeichen von Dichtung
überhaupt. Jeder Gutwillige, der etwas Witterung dafür von
der Natur mitbekommen hat, wird sich dem Weben der dichterischen Atmosphäre bei Barlachs Stücken nicht entziehen
können. Ja mehr noch, sie werden ihm gerade durch diese
Kraft und Eigenart im Innern lebendig bleiben, obwohl die
Einzelheiten ihm längst aus dem Gedächtnis schwanden. Als
ein in sich schwingendes Ganze empfindet er dadurch das
Stück und erst bei genauer Erinnerung vermag er das geistige
Problem und die Hauptgestalten zu benennen. – Wer aber
nur das eine oder andere der Stücke angelesen und rasch
beiseite gelegt hat, in ihm wirkt immerhin ein beunruhigen-
des Gefühl innerer Ratlosigkeit nach. Kunst ist allerdings
kein Genuß- und Reizmittel für Halbermüdete oder ganz
Abgespannte; wie der Dichter aus höchster Sammlung schuf,
verlangt auch das Werk hingebende Intensität beim Aufnehmenden. Um aber einem nun einmal nicht «leichten» Autor
nahe zu kommen, ist ein sozusagen aufsteigendes Sichein-
lesen dienlich. Mit Barlachs Erstling, dem «Toten Tag», würde

ich beginnen, dann zur «Sündflut» greifen, nicht weil sie
leicht, sondern durch die Monumentalität ihres Problems
packend und einleuchtend ist. Danach würde ich den «Blauen
Boll» und die «Gute Zeit» wählen, die den Durchbruch zu
wesenhaftem Menschtum behandeln. Von diesem Drama
leitet die Idee stellvertretenden Liebesopfers zum Verständnis des «Findlings»; vom «Blauen Boll» kann man sich zum
«Armen Vetter» finden und von dort endlich sich zu den
«Echten Sedemunds» tasten. Das wird Zeit erfordern, denn
die Stücke kann man nicht rasch durchrasen, um «orientiert»
zu sein. Die erste Lesung wird einen meist wohl gerade soweit bringen, daß man einsieht, sofort von neuem das Buch
vornehmen zu müssen zu gesammeltem Eindringen; und
Mephistos Rat «Du mußt es dreimal tun» verhilft meistens
zu endlicher Überwindung des Fremdheitsgefühls. Wie immer bei echter Kunst und wertvollem Menschtum, wird
man allerhand Feinheiten und tiefsinnige Bezüglichkeiten
noch später finden, wenn man wieder zu dem Buche greift.
Was man jedoch schon bei der ersten Begegnung mit den
Stücken merkt, ist eben ihre Atmosphäre, ist der eigene
Hauch, der ihre Welt umwittert und zu uns hinweht. Dichtungen sind es, wenn auch keine Dramen. Das ist der Grund,
warum sie auf der Bühne nicht zu vollem Leben erstehen,
sondern es eher noch verlieren. Im Gegensatz zu Shakespeares Dramen, wo jede Szene zu rufen scheint: spielt mich;
wo Macbeth, Lear oder Hamlet erst durch die Schauspieler
überwältigende Lebendigkeit und sprühende Menschlichkeit
erlangt. Obwohl das echte Drama schon beim Lesen ergreift,
verleiht erst die wesensgerechte Aufführung ihm höchste
Daseinsfülle und wahrste Wirklichkeit; nun erst entfaltet es
die ganze Geladenheit seiner Atmosphäre und umfängt damit die Zuschauer. Barlach hat zwar seine ersten Stücke noch
Dramen genannt; wir hatten betrachtet, wodurch sie sich
vom eigentlichen Drama unterschieden; und er selbst scheint,
vielleicht weniger intellektuell deutlich, Entsprechendes gefühlt zu haben, wenn er im «Blauen Boll» diesen Ausdruck
vermeidet und statt dessen die bezeichnende Angabe setzt
«Sieben Bilder». Nicht Aktionen auf der Bühne, sondern

Bilder für unsere innere Vorstellung bietet uns Barlach, und aus dem Buch steigen sie uns in besinnlicher Stunde ergreifender auf als bei der Vorstellung im Theater. Gänzlich vermied Barlach die Bezeichnungen ‚Komödie' und ‚Tragödie', und zwar von Anfang an. Denn beim «Toten Tag» hätte sie noch am nächsten gelegen. Aber der Sohn ist kein tragischer Held; vielmehr liegt das Eigentümliche darin, daß jede der drei Personen ihre eigene persönliche Tragik besitzt, sie nicht sämtlich in der gleichen, ihnen gemeinsamen Tragik verkettet sind. So finden sich wohl tragische Züge, jedoch keine vom Tragischen gespeiste und bewegte Handlung wie etwa in Ibsens «Gespenstern». Ebenso wenig ist der Graf von Ratzeburg eine tragische Figur und sein vorgeführtes Schicksal tragisch durchtränkt und gelenkt. Noch eindeutiger wird bei der Handlung im «Armen Vetter» die Verflechtung von tragischen und komischen Zügen. Man halte dagegen etwa Gerhart Hauptmanns «Rose Bernd». Das Ende der Celestine («die gute Zeit») würde eher auf ein Läuterungsschauspiel mit Überwindung der Tragik hinweisen. Aber wenn wir an ein so glänzendes Beispiel wie Schillers «Maria Stuart» denken, wird wieder der Unterschied nicht allein in Bau und Führung der Handlung offenbar. Endlich kann man auch nicht «die echten Sedemunds» als ‚Komödie' bezeichnen. Dazu ist das Ganze viel zu sinnbeschwert, die Handlung zu wenig beschwingt und die komischen Züge zu skurril oder bärbeißig. Das Stück ist eben nicht getragen von dem ‚großen Humor', der über alle Beschwernisse des Lebens lächelt. Nein, nirgends hielt sich Barlach an die überkommenen drei Modelle dramatischer Gestaltung. So ist es unzutreffend, ja recht eigentlich ungehörig diese Bezeichnungen nachträglich auf seine Stücke anzuwenden. Seit Lessing hat sich vielmehr für solche Werke der Ausdruck ‚Dramatisches Gedicht' eingebürgert, der das Eigentümliche dieser Art nicht uneben kennzeichnet.

SIEBTES KAPITEL

Sprachkunst

Wahrhaft bannend ist Barlachs sprachliche Ausdruckskraft. Sie zieht uns sofort in eine ganz eigene, dichte Atmosphäre. Aber so sehr sie uns anzieht, so sehr erstaunt sie auch, scheint uns ungewöhnlich und doch nicht eigentlich fremd oder gar ausschließend-esoterisch. Eher kommt es uns vor, als wenn wir es gegenüber den abgegriffenen Scheidemünzen unserer Alltagssprache mit frisch geprägten Goldstücken zu tun hätten, allerdings mit solchen früherer Zeiten. Auch ist das kein gestelzter Literatenjargon vielmehr etwas Urtümliches. Auf jeden Fall spüren wir eine unmittelbare innere Lebendigkeit und geistige Geladenheit. So zugehörig sie uns heut zu Barlach erscheint, so ist sie ihm nicht angeboren, selbstverständlich. Wir kennen frühe Niederschriften, besitzen ausreichend, ja überreichlich Briefe aus Zeiten der Jugend schon bis ins Alter. Da zeigt sich deutlich die Vertiefung von der bloßen Mitteilung zum persönlichen Aussprechen und zur bewußten Prägung von geistig Bedeutsamen. In seinen Dramen als den eigentlichen Dichtungen begegnen wir echter Sprachkunst.

Der Künstler hat auch hier wie in Graphik und Plastik sein Gestalten ernst genommen, sein Ausdrucksmittel zu beherrschen versucht. Er hat um die prägnante Versprachlichung, er hat mit dem Wort gerungen und wie qualvoll oft. Resigniert seufzt er (3. 12. 32), «daß das Wort ein elender Notbehelf, ein schäbiges Werkzeug ist, und das eigentliche und letztliche Wissen wortlos ist und bleiben muß. Es ist dem Menschen gegeben als Kleingeld zur Bestreitung ihrer Bedürftigkeit und maßt sich immer wieder die Ordnung absoluter Dinge an, ein irdischer Topf der Zeitlichkeit, der aus der Ewigkeit schöpfen möchte». Wieder merken wir, es geht ja Baralch stets um Bedeutungserlebnisse, die in ihrer Eigenart und Tiefe erfaßt werden sollen. So weiß er und braucht besonders die Mehrdimensionalität des Wortes. «Das Wort war bekanntlich am Anfang und sein Reich ist sowohl von dieser wie von jener Welt» (31. 3. 37). Aber leider grade für das Erleben vom Göttlichen, vom Schöpfergeist versagt es und es bleibt schließlich nur Verstummen oder etwas «in das Bettler-

kleid des dürftigen Wortes gekleidetes» Gedichtetes. Der
Mensch – und das gehört zu seiner menschlichsten Eigenart
und Begabung – «verlangt nach dem Wort, aber das Wort ist
untauglich, bestenfalls eine Krücke für die, denen das Hum-
peln genügt. Und dennoch ist im Wort etwas, was direkt ins
Innerste dringt, wo es aus dem Lautersten, der absoluten
Wahrheit. kommt» (18. 10. 32). Nun berührt im nächsten
Satz Barlach eine weitere Eigenart und Schwierigkeit jeglicher Versprachlichung, nämlich das adäquate Verstehen des
Gesagten oder Gelesenen. «Jeder aber versteht es anders, er
vernimmt das, was gemäß seiner Art Anteil am Ganzen, ihm
verständlich, sage lieber, wessen er sich bewußt wird». Mit
verstandesmäßiger Klarheit wird wohl wenig zu erreichen
sein. Der Dichter besitzt andere, unmittelbare Übertragungs-
mittel für das von ihm Gemeinte. Aber eben darum muß er
ringen und das grade tat Barlach. Ein ganzer Brief an Vetter
Karl (26. 12. 24) berichtet davon. «Ich kämpfe oft tagelang
mit einem einzigen Wort, dreh einen Satz von drei Worten
endlos hin und her und muß oft verzichten, weil ich kein
Wort mit der nötigen Silbenzahl finde; es gibt das Wort nicht,
sollte es aber geben. Die Meinung, der Gedanke, der Vorgang an sich ist völlig wertlos. Die sinnreichsten Sachen von
Kaulbach oder Sonstwem sind oft trotzdem längst verschol-
len. Aber mancher kleine Absatz bei, na Keller oder Sonstwem, steht wie ein bißchen Ewigkeit da und handelt dabei
von nichts.» Es gilt auch hier wieder die Ganzheitlichkeit als
sinnhaltige Synthese von Inhalt und Form zu finden. Ge-
suchtes, Übertriebenes hilft nichts .«Das Unerhörte kann nur
mit unerhörten Worten erzählt werden, aber die unerhörten
Worte werden plötzlich zu falschen Worten, denn das Selbstverständliche, das im Unerhörten liegt und das man zeigen
will, damit das Ergebnis befriedigt und hingenommen werden
muß, das Selbstverständliche bedingt wieder das schlichteste
Wort, die Aufgabe ist: zwingen und nicht bezwungen scheinen.» Im «gestohlenen Mond» wird der innere Vorgang des
Sprechens als Formen und Gestalten eindringlich beschrieben
(135): «Er ging wundersam leichten Fußes und auf das Regen
seiner Gefühle wie Schwingen von Flügeln achtend im Ge-

mach auf und ab, sprach mit sich selbst und gab doch keinem seiner Worte Laut, formte sie dennoch mit heiterer Bedächtigkeit, als wäre es ihm aufgegeben, jedes einzelne nach dem Lot zu setzen und mit dem Eisen der ziemlichsten Vernunft zum unerschütterlichen Ruhen und Lasten eines auf dem anderen zu graden und zu glätten». Wird ihm wieder recht schmerzlich deutlich, daß über ihn der «Fluch des Wortemachens verhängt» ist (136), so wird dieser doch auch als zugehörig zur menschlichen Beschränktheit angenommen als ein «gesegneter Fluch». «Darum, immer Worte gemacht, viele und frische, es kann nicht genug werden der strömenden und stürmenden Töne ... überall und immer, zwischen und über ihnen schafft der schweigende Schatten – und also redend und meine Wortschwingen schlagend, rühre ich an das stille Schaffen», eben des Weltgeistes. Er allein hat «schaffende Worte», dem menschlichen Künstler bleibt das «gestaltete Wort» (137). So erkennt Barlach klar, daß Dichtung primär Kunst kraft der Sprache, aus der Vollmacht des Sprachlichen ist.

Was zuerst und am meisten an Barlachs Sprachgebung auffällt und fesselt, ist ihre *Bildlichkeit*. Für den Graphiker und Plastiker scheint es uns selbstverständlich, daß er zum Bilde greift, um sich verständlich zu machen. Immerwährend tut das ja die Sprache. Am Bauern hat man, oft romantisch überschätzend, die Anschaulichkeit seines Ausdrucks gepriesen. Tatsächlich verwenden wir ohne darauf viel zu achten die Veranschaulichung des Gemeinten. Wir finden etwas federleicht oder bleischwer, rosenrot oder rabenschwarz, haben Wolfshunger oder eine Löwenmähne, vergießen Krokodilstränen über unser Hundeleben, beben wie Espenlaub oder stehen steif wie ein Stock. So handelt es sich also um keine Anleihe bei einer Nachbarkunst oder um eine Ausflucht des Bildhauers zu seiner eigentlichen Begabung hin. Vielmehr haben wir es mit der legitimen Äußerung lebendigen Sprechens zu tun, die sich im Dichterischen zu einem wichtigen Gestaltungsmittel steigert. Man darf es auch nicht als rhetorischen Aufputz, als äußerlichen Kunstgriff abwerten. Allerdings kann es zum bloßen Schmuck verblassen. Barlach jedoch liegt grade das ganz fern. Er weiß, was es wirklich leistet. «Das Eigentliche läßt sich fast nie sagen, man kann es im Gleichnis dürftig genug andeuten in der Hoffnung, daß es nicht eindruckslos bleibt» (11. 9. 32). Man will ja mit Worten nicht nur Dinge bezeichnen; was man eigentlich meint, das sind oft Nuancen, die besagen, was das Ding für uns bedeutet. So erscheint mir der Reiter auf dem Pferde als ‚hoch zu Roß‘ oder ich bemitleide ihn oder das Tier als ‚Mähre‘, ja ‚Schindmähre‘. Da Barlach immer Bedeutungserlebnisse zur Gestaltung drängten, neigte er naturnotwendig zur bildlichen Umschreibung. Schon Seespeck (124) wußte, daß «man eben mit Worten seine Gefühle ausmünzt» und dazu «Symbole» braucht. Dabei lag Barlach eine symbolische Verbrämung entsprechend der französischen Mode der Symbolisten fern. Er beklagt, daß man bei Aufführungen seiner Stücke alles «immer so aufgekratzt symbolisch» mache. Das echt «Symbolische versteht sich immer von selber». Gewiß verwendet er auch das «Dingsymbol», wie Hermann Pongs es nannte, das Leitbild. So wird für die «echten Sedemunds» der Löwe zum Symbol des Gewissens; er setzt die äußere Handlung in Bewegung und bezeichnet zugleich das Thema der inneren Handlung. In der «guten Zeit» erhält das Kreuz für die Hauptfigur immer tiefere Bedeutung. Zunächst trägt Celestine es als Schmuckstück an der Halskette, schließlich sieht sie es als Mittler ragen aus der Erde hinein in den Sternenhimmel. Im «Toten Tag» erhält neben dem Roß auch der Stab des Kule tiefere Bedeutung, im «Findling» das Elendskind. In anderen Fällen wird das Symbol nur für eine kürzere Strecke verwendet, beispielsweise die Kette als Fessel im «Graf von Ratzeburg».

Meist dient die Verbildlichung dazu, der geistigen Bedeutung Gewicht und Einprägsamkeit zu geben. Am geläufigsten ist für das Verhältnis der Menschen zu Gott das Verwandtschaftsverhältnis, als Vater, Sohn, Kind, und negativ Bastard, wie es in der «Sündflut» verwendet wird zugleich mit dem Zusatz des Wölfischen. Das wird noch ausgemalt: «in überfließender Liebe sind sie ausgeströmt und als frecher Haß geboren» (336). Sehr beliebt ist bei Barlach die Gestalt des

Wanderers und besonders des Bettlers. Schon Kule im «Toten
Tag» erscheint zwielichtig wie eine Sagafigur; ins Mythische
gehoben tritt in der «Sündflut» Gott selbst als «ein Bettler an
Krücken mit schleppenden Schritten» (335) auf und auch zu
Noah kommt er in dieser Gestalt (345 ff). Wie ihn Barlach
sich vorstellte, hat er in dem betreffenden Blatt des Cyclus
«die Wandlungen Gottes» (Nr. 3) festgehalten. Ebenso gehört
das Paar der Ureltern der Menschheit, Adam und Eva im
«Graf von Ratzeburg» hierher; sie werden in entsprechender
Funktion immer wieder verwendet.

Beachtung verdient das Fehlen der Allegorie bei Barlach,
sowohl in den Werken der bildenden Kunst wie auch in der
Dichtung. Goethe hat das Charakteristische der Allegorie
ebenso kurz wie treffend hervorgehoben. Sie «verwandelt die
Erscheinung in einen Begriff, den Begriff in ein Bild»; wobei
man «zum Allgemeinen das Besondere sucht», so daß dieses
«nur als Beispiel, als Exempel des Allgemeinen gilt». Der
Intellekt ist an diesem Umschaltungsprozeß besonders stark
beteiligt, ja genießt sein Spielen mit den Einzelheiten, mit
denen solche Figur ausgestattet wird. Renaissance und
Barock liefern viele bekannte Beispiele. Barlachs Bedeutungserlebnis dagegen besteht umgekehrt grade darin, daß er «im
Besonderen das Allgemeine schaut», wie Goethe das Symbol
definiert. Es «verwandelt die Erscheinung in Idee, die Idee in
ein Bild, und so, daß die Idee im Bild immer unendlich wirksam und unerreichbar bleibt». Dies «aber ist eigentlich die
Natur der Poesie». Das trifft ganz genau für Barlach zu. Eben
deshalb ist die Benennung seiner Statuen so schwierig und
mitunter nicht recht treffend.

Etwas anderes ist die Personifikation. «Es würgt eine Faust
an meiner Seele» heißt es im «Findling» (311) und das be-
schwichtigte Gewissen wird bärbeißig als «Stutzerchen in
Gnadenstiefeln und solch selbstgerechtem Hosenboden» bezeichnet (315). Oft macht sich der Plastiker, seine Schau von
Gestalten günstig bemerkbar. Das ist keine Spielerei, vielmehr markante Prägung, ein Zusammenpressen von Wesent-
lichem. So sagt der alte «Sedemund» (245): «daß Herr Sedemund nur der Kofferträger seiner selbst ist». Im «Armen

Vetter» wird die Ahnung der höheren Bestimmung und Art des Menschen als der «hohe Herr» greifbar. Im «Blauen Boll» wird immer wieder vom «Kälberleben», in das wir hineingeboren werden, gesprochen. Bei der «Hexe Dämmerung», die schon im frühen Fragment (EB. Ges. 1948, S. 9 f) vorkommt, wird die Personifikation ins Mythische gesteigert. Grotesk wirkt das «Kaferngewissen» als «Affenlöwe» bezeichnet.

Häufig geschieht ein Umsetzen von Gefühl oder Stimmung in etwas Konkretes. Man spricht vom «Netz der Gedanken» (Grf. v. R. 549), schilt Leben als «Hölle», «Zuchthaus», meint in einem «ganz raffinierten Zuchthaus» zu sitzen (19. 4. 25). Der Tod als «Falle, die nach dem Menschen schnappt mit geölten Gelenken und scharfen Kiefern» (B. Boll 391). Der Orden wird als «Krücke» für die «lahme Menschenwürde» von Seespeck ironisiert (175). Gern wird solche Vergegenständlichung als Vorgang ausgemalt. Der Alte «strich über den Schädel, als wollte er Rebhühner seiner Gedanken zwischen den Stoppelfeldern aufscheuchen» (Sp 92). «So fährt der Lästerwind auf und wirbelt durch die Zungen, und dann rauschen die Gewißheiten bald daher» (GMo 84). Ein Hang zum Bewegten, ein Drang zum Dynamischen ist unverkennbar. «Sturm sticht mich, Regen gibt mir den Rest, Kälte klemmt meine Knochen», stöhnt der Papst im «Findling» (277). Wie anschauungsgesättigt tritt vor unsere Phantasie solche Angabe: «ein sehr junges Weib, die Bürde des Sonnenbrandes schaukelt auf ihrer Schulter» (Sdfl 330). An die bekannte Zeichnung erinnert die Prägung: «es war wie eine Posaune und die alte Zeit fiel um» (Sdfl 364). Ironisch wird eine Stimmung der Erhobenheit von Seespeck (101) verdeutlicht: er «sah sich in einer Himmelfahrt, zu der das bißchen Eigen-ich das bellende Hündchen abgab, das vor dem Unverständlichen seine tierischen Laute nicht unterdrücken konnte». Im «Findling» wird die Gevatterin «neue Zeit» als «Schnattergans» charakterisiert. Unvergeßlich bleibt die treffende Veranschaulichung: «hilf nur die Welt vom tiefen Fall mit einem Fußbänkchen höher heben, halt nur ein wenig guten Willen her, ein Spänchen, eine Spur Willen wider den Weg

ins Wüste» (280). Dürfen wir nicht neben Shakespeares Verherrlichung der ‚mercy‘ Barlachs Formulierung stellen:
«Was wäre Gnade, wenn nicht ein Meer, und wo könnten
wir alle sein, wenn nicht gewiegt, umwellt, umwogt von lauter
Gnade». Die «Graulgestalt» des Findelkindes wird «ein Spiegel der Fratze des verzweifelten Gottes» genannt (281) und
ergreifend verdeutlicht: «Überall ist Gnade und hier ist Grab;
hier ist die Kammer, in die sich Gott zum Sterben hingelegt
hat, zum Selbstmord in einem wütenden Wahnsinn; er verstümmelt sich vor unseren Augen, er verunehrt sich vor unseren Ohren». Wie könnte ein noch so ausführliches Aussagen
des Erschauerns das Eigentliche auf uns übertragen; es würde
nur das Lebendige des Gefühls zerredet, getötet werden. Im
Bild wird es eingefangen und uns hingereicht. Seine gespeicherte Kraft empfangen wir nun unmittelbar. Was Kule an
Weltleid erlebte, wird im «Toten Tag» nicht genauer berichtet, allein sein Erblinden davon wird verdeutlicht (23): «Sieh
meine Augen, das waren zwei Spinnen, die saßen im Nest
ihrer Höhlen und fingen die Bilder der Welt, die hineinfielen,
fingen sie und genossen ihr Süße und Lust. Aber je mehr kamen, umso mehr wurden ihrer, die waren saftig von Bitterkeit
und fett von Gräßlichkeit; und endlich ertrugen die Augen
nicht mehr solche Bitterkeiten; da haben sie den Eingang zugewoben, saßen drinnen, hungerten lieber und starben. Wie
könnte ich mit Worten sagen, was meine Augen geblendet
hat?» Das also ist die Gefühlssubstanz, die den blinden Bettler an der Lübecker Katharinenkirche erfüllt. Lyrische Empfindungen werden auf diese Weise zu großflächiger Wirksamkeit umgeformt: «Der Schlaf ist ein Betrüger, er legt uns
eine Binde um die Augen, daß wir das leise Licht nicht sehen,
mit dem die Nacht ihre Gedanken beleuchtet, und stopft uns
Watte in die Ohren, daß wir das Gemurmel ihrer Stunden
überhören. – Und was murmelt sie dem, der nicht das Wachs
des Schlafes in den Ohren hat? – Sprichwörter der Ewigkeit».
Diese Stelle aus dem «Toten Tag» (33) halte man neben Mörikes bekanntes Gedicht: Gelassen stieg die Nacht ans Land.
Die Mutter dagegen nennt den Schlaf «Menschentöter»,
weil er «den Menschen mit Traum und Ruhe eine Zeitlang

lieblich tötet». Zu voller Monumentalität steigert sich das Bildliche in der «Sündflut». Schon Kule sagte (34) «der Götter Seufzen ist ein Sturm, ihr Weinen ein Regensturz». Nun heißt es von der herandrängenden Flut (363): «Der Sturm hat gekalbt und Gebrüll auf die Berge geworfen – das Gestein wimmert und winselt – der Sturm hat mir die Stimme in den Bauch hineingestopft, meine Füße wollten sich im Boden verkriechen – der Himmel ist geborsten und seine Fetzen schlottern uns um die Ohren». Und weiter (366): «Mein Herz ist mit Keulen erschlagen, meine Ohren voll nichts als Schreien». Oder als Gegensatz (367): «Awah, du bist zwischen ihnen allen wie ein Samenkorn, vom Wind aus den seligen Bereichen in die verfluchten Bereiche geweht. Keim der Freiheit, Keim der Freude».

Damit gelangen wir zu einem anderen Darbietungsschema, zum Vergleich. Berühmt sind ja seit altersher die ausgeführten Gleichnisse Homers. Barlach schreibt ironisch vom deftigen Mahl nach der kunstbegeisterten Besichtigung, die ihr «Unteres mürbe, müde und durstig gemacht» hatte, daß dabei «ihr Oberes gefälligst freundliche Miene machen (mußte) wie ein Pastor beim bäuerlichen Taufschmaus» (Sp 156). Prächtig ist die Formulierung: sie «sieht aus wie eine Walküre am Waschtage» (1913, EB Ges. 1951, S. 26). Wuchtig heißt es im «Findling»: «ihre Worte schroten ihn zwischen sich wie Mühlsteine». Feierlich und beschwörend sagt Elise (316): «Auf dieses Kindes grausame Gestalt lege ich die Hände, gleichwie auf die wehste Wunde der Welt». Im Gleichnis liegt immer eine große Emphase, darum wird es zumal im Drama nur selten und dann eben an besonders wichtiger Stelle anzuwenden sein. Allerdings kann es dem Verständnis leichter entgegenkommen als Barlachs nicht selten ungewöhnliche Bilder. Sie stehen plötzlich da vor dem unvorbereiteten Hörer, der es schwerer hat als der gemächlichere Leser, der absetzen und nachdenken kann. Das stört grade bei Aufführungen das Mitgehen des großen Publikums. Häufig verschweigt Barlach das direkt Gemeinte und setzt statt dessen allein den bildlichen Ausdruck. Da springt also eine Gedankenreihe in ganz anschauungshafte Analogievorstellungen um, sicherlich ganz ungesucht, ja gradezu unhemmbar beim Künstler, jedoch nicht so beim Aufnehmenden. Dieser vermißt eine Überleitung, ihm fehlt die Weichenstellung vom Seelisch-Geistigen ins Dinghaft-Anschauliche, oder umgekehrt. An wichtiger Stelle sagt beispielsweise Boll (421): «Weg mit Boll – und darf nicht einmal fragen, ob er will oder muß? Hab ich nicht den Zaum im Gebiß? Was hilfts – muß warten, bis er zuckt und zeigt, wohin die Reise geht». Einen Akt vorher (410) hatte Boll zu einem anderen Partner ganz allgemein gesagt, es «haben alle irgend so'n Zaum ins Maul gesteckt, da dürfen wir auf kauen und das haben wir umsonst – aber der Zaum bleibt». Der Partner nahm das Bild auf und erst am Ende seiner längeren Replik heißt es: «aber das is die Verantwortung für Grete, wo Sie auf beißen, da kommen sie nich von ab». Hat man diese gewiß wichtige Stelle aber später noch in der Erinnerung, wo sie fast wie eine Reminiszenz auftaucht und dabei doch ungemein wichtig ist? Sie wird jetzt aber nicht weiter ausgeführt, sondern schließt einen Abschnitt des Geschehens gleichsam mit einer Sentenz. So steht oft das Bildliche bei Barlach ganz für sich und der Sinn bleibt dahinter verborgen. Intellektuell wird die Stelle nicht unmittelbar klar. Ästhetisch jedoch bleibt sie reizvoll und besticht durch ihre plastische Einprägsamkeit. Sicherlich vermag hingegebenes Mitfühlen unvermittelt die darin liegende Meinung zu verstehen und braucht kein mühsames Begrübeln. Rein intellektuelle Zwischenschaltungen helfen meist wenig, weil eben Barlachs Bildprägung nicht vom Verstand gespeist wird, vielmehr direkt seiner visuellen Begabung entquillt. So entsteht meist mehr ein Inbild als ein Sinnbild. Das hat wie ein Zauberspruch magische Macht, bannt das Unsagbare.

Eine weitere Eigentümlichkeit der Sprachgebung Barlachs verstärkt den Eindruck des Ungewohnten. Sie wirkt der Neigung zum Konkreten direkt entgegen und erstrebt eine Entstaltung. Sie tut sich in der Wortwahl kund. Da fällt zuerst eine Vorliebe für Abstrakta auf -heit und -keit auf. Sie waren schon in der gotischen Mystik beliebt eben wegen der Entfernung vom Konkreten. Da wie bei jenen es sich bei Barlach stets um Bedeutungserlebnisse handelt, oft von metaphysischer

Tiefe, verstehen wir diese Richtung der Wortwahl als angemessen. Wie markant wird am Ende der «Sündflut» (383) das gegensätzliche Gotterlebnis von Noah und Calan in die grundlegenden Abstrakta gepreßt: Gott, der unwandelbare von Ewigkeit zu Ewigkeit bei dem Erzvater, wohingegen Calan bekennt: «Er ist ich geworden und ich Er – Er mit meiner Niedrigkeit, ich mit seiner Herrlichkeit – ein einziges Eins». Ähnliche Begriffe wie Dienstbarkeit, Verlorenheit, Verborgenheit, Treuherzigkeit, Geltung, Getrostheit kommen uns nicht ungewöhnlich vor und bezeichnen genau ein wichtiges Thema. Wenn aber im «Toten Tag» gesagt wird «Sohnes-Zukunft ist Mutter-Vergangenheit» (23), dann finden wir das erstaunend, vielleicht gesucht. Und doch drängt es einprägsam fest in eine Formel Persönliches und Allgemeingültiges zusammen; eben jenes Gefühl, aus welchem die Mutter handelt, also das Geschehen des Stückes bestimmt wird. Wenn Heinrich, Graf von Ratzeburg sagt (567): «Laß es Abgeltung aller Sohnesschuldigkeit sein, daß ich ... zu den Ungemächlichkeiten des gräflichen Hauses gezählt» werde, so empfinden wir das vielleicht als recht schwerfällig, während wir «selbstgeschaffene Furchtlosigkeit» willig hinnehmen. Eine Stimme, «die sich aus Dunkelheit der Dunkelheit und der dunklen Bangigkeit erbarmt» (568) nehmen wir als Anklang an die Mystik hin. Als ironisch gemeint finden wir uns wohl auch ab mit «väterliche Hochgeborenheit» und die «gräflichen Ungemächlichkeiten» (566). Das Eigentümlichste aber ist die Begegnung und Verquickung der beiden gegensätzlichen Neigungen, des Konkretisierens und des Abstrahierens in einer Formel. Noahs Augen verfangen sich gern im «frischen Geschlinge von Lieblichkeit, Leichtigkeit und Ergötzlichkeit» (327). Er jammert (340): «Leid hat mich eingeschaufelt, Bitterkeit hat mich begraben». Der Sohn im «Toten Tag» (82) stöhnt: «Erdschollen, Mutter, Gedankenschwere auf einen Lebenden geschaufelt». Calan und der Bettler liegen gefesselt «in schlammiger Getrostheit» (381) oder «innig von Banden der wahren Brüderlichkeit umwunden», «üppig in Traulichkeit und Getrostheit» (380). Auch hier findet sich die Aktivierung und Dynamisierung durch Verben: «Ich bleibe, wo Getrostheit

spricht» (380); oder «Ihr verhüllt mit Worten euer Wollen,
ich ließ mich von euren blasigen Worten umwinden». Groß-
artig wird das Abstraktum personifiziert: «Schwere schleicht
auf leichten Füßen, hört ein Wort und wirft den Schwall der
ewig leichten Herrlichkeit ans Herz – die ewige Herrlichkeit
steht auf und vergeht, die ewige Heiligkeit rauscht und entsteht» (363). Auf solche Weise wird etwas Lebendiges, Be-
deutunggeladenes erstellt, das weder nur konkret noch ganz
abstrakt ist. Solche Verwobenheit beider Reiche zeigt das
Bild unter der Herrschaft des Geistes. Zwischen blasser Allgemeinheit und einmaliger Besonderheit wird uns eine Ahnung
des Eigentlichen, Wesenhaften vermittelt, in uns erlebnishaft
erzeugt. Das gibt keine Entstaltung, aber eine Entgrenzung.

Daß dieses Stilideal vorschwebte, ohne zum bewußten Pro-
gramm erhoben zu werden, beweist die Verwendung der Adjektiva. Wir sahen in den Beispielen, welch hohe Bedeutung
dem Substantiv zukommt. Es liefert wirklich die Substanz,
das Tragende. Vermehrt wird es noch durch die Substanti-
vierung von Verben. Das Verbum behält dabei seine volle
Lebendigkeit und Kraft und dynamisiert das sonst Statische
der Substantive. Die Adjektiva werden nicht zu Schmuck
verwendet. Nichts von einem malerischen Schildern. Farben-
bezeichnung kommen auffallend selten vor. Sie gelten meist
einem ungewöhnlichen Zustand und werden nicht um sinn-
lich zu verdeutlichen gebraucht. So ist es ironisch gemeint,
wenn Awah sagt (354): «Die schönen Engel hatten keine
roten Nasen», im Gegensatz zu dem vorher Geäußerten: «Ihr
mit euren roten Nasen alle und euren blauen Fingern».

In die gleiche Richtung der Entgrenzung wirkt auch die
Verbindung zweier einander scheinbar widersprechender
Worte. Bei den Mystikern ist diese Stilfigur des Oxymorons
sehr beliebt und eben aus dem gleichen Grunde. Wie treffend
wird Gottes Unfaßlichkeit bildhaft, wenn es heißt: «Gott ist
die große Stille, ich höre Gott» (351). Noch weiter geht die
Benutzung von Synästhesien. Grade solche Verschmelzung
mehrerer Sinnesempfindungen sprengen die iridischen Be-
grenzungen, vermeiden die verführerischen Konkretisationen.
So sagt Awah (363): «Ich sehe, wie es klingt, ich höre wie es

schwingt». Barlach war selbst solcher Empfindungen fähig. Aber sie waren ihm nicht wie den Zeitgenossen interessante psychische Phänomene oder auszeichnende Begabungen des einzelnen. Sie wurden dienstbar gemacht dem geistig Bedeutsamen, wie ja für ihn das lediglich Individuelle eine Beschränktheit war, kein höchster Wert und Besitz. «Man muß sich über sich selbst erheben, wenn man nicht erliegen will», heißt es im Brief (5. 10. 27). Solch «Lichtblitz Jenseits» ist das Höchste, wo das Ich «unpersönlich, unbegrenzt gewesen», wennschon nur momentan (23. 9. 15).

So ungewöhnlich solche Versprachlichungsweise Barlachs auch wirkt, so erreicht sie doch eine innere dichterische Lebendigkeit sehr zum Unterschied einer bloß äußerlichen schriftstellerischen Gewandtheit. Es geschieht scheinbar ein Springen von einer «Schicht» in die andere, von der konkreten Gegenständlichkeit, der «Wirklichkeit» in die Abstraktheit; richtig gesehen stehen zwei Dimensionen des Sprachlichen, die gegenstandsgerichtete Bezeichnung mit der sinnbezogenen Bedeutung in stetem Wechselverhältnis. Sie ergänzen und vertiefen sich dadurch ständig. Die Einsträhnigkeit und damit allerdings auch die Eindeutigkeit des Alltagssprechens wird vermieden, eine tiefere und wesenhafte Bedeutsamkeit zum Erlebnis gebracht. Kommt darin die Geistigkeit des Menschen zur Geltung, so bleibt doch noch sein Gemüt. Dieses tut sich kund im Lautlichen.

Bei Barlach kommt auch diese dritte Dimension der Sprache voll zur Geltung. Zuerst wird man da nach gereimten Stellen suchen. Ganz vereinzelt steht der Bänkelsang von Grude in den «Echten Sedemunds» (226). Beim Fluch der Mutter im «Toten Tag» wird der Reim zur Verstärkung herangezogen. An anderen Stellen begegnet er, besonders bei chorähnlichen Partien. Am meisten wird er im «Findling» verwendet. Dort wird auch noch die lautliche Differenzierung der Stimmen eingesetzt und die Sprecher dementsprechend als Baß, Tenor, Diskant, Murmelnder bezeichnet. Der Holzschnitt dazu zeigt sie in Dreieckstellung angeordnet. Hier wie auch in dem Puppenspiel herrschen gereimte Knittelverse vor, während sonst Fünfheber üblich sind. Doch überall dringt freie Gestaltung durch, die sich von allem Schema fernhält und sich weder von festem Metrum noch irgend einer wiederkehrenden Ordnung der Reime beengen läßt. Oft werden sich einstellende Reime gar nicht abgesetzt, sondern fortlaufend wie Prosa geschrieben. Dabei entdeckt das Auge des aufmerksamen Philologen sogar gelegentlichen Binnenreim. So etwas ist eben nicht von der Absicht der Metrisierung ertüftelt, sondern von der Freude am Klanglichen als Ausdrucksakzent getragen. Auffallend ist die reichliche Verwendung der Alliteration. Sie entspricht ja in besonderem Maße der deutschen Betonungsweise und dient deshalb von germanischer Zeit her zur Hervorhebung der sinnschweren Wörter. Auch hier folgt Barlach wieder allein seinem Instinkt, keineswegs irgend einem Vorbild, etwa Richard Wagner. Andererseits läßt sich die absichtliche Wahl und Verwendung des Stabreims nicht verkennen. Wenn Thomas im «Findling» (286) sagt: «sieh, unsre Puppen sind parat und sollen prächtig predigen», so wurde offenbar wegen des P im Anlaut das Wort parat gewählt, auf das man sonst im Zusammenhang nicht als besonders naheliegend gekommen wäre. Mit welcher Intensität der Dichter selbst das Stimmungshafte der Laute auskostet, verrät etwa Awah als sie das Nahen der Sündflut empfindet (363): «es spielen Wort und Welle, heben heilige Gewalten auf und nieder ... es schwillt, es schweigt.» Ähnlich malt das w im «Findling» (280) das «Meer der Gnade»: «und wo könnten wir alle sein, wenn nicht gewiegt, umwellt, umwogt von lauter Gnade.» Dagegen nimmt der Steinklopfer höhnisch diesen Stabreim auf, zeigt seine Zähne und droht: «geht weiter, Leute, ich bin ein Werwolf in der Nacht, würge Witwen und Waisen.» Das Steigen der leichenbedeckten Wasser symbolisiert packend das l: «bis zum Rand des Himmels, leidlos, lautlos, leblos, träge in schlammiger Flut, die geblähten Leiber ans Licht wölbend» (368). In der weiteren Schilderung häufen und steigern sich die Widerstände der Verschlußlaute vom weichen b über t zu k und den S-Lauten: «Bauch an Bauch gedrängt, treibt die tote Menschheit und das tote Getier, Kamele, Kühe, Schafe, Stiere und Kälber, ein fleischiger Teppich stinkender Fäulnis, über der Tiefe.» Das eben ist ja das Eigentümliche der Alliteration, daß der Sprecher nicht wie beim Endreim schwelgt im Fließen des Wohlklangs der Vokale, sondern den Widerstand der Konsonanten lustvoll spürt und kraftvoll überwindet und also nicht melodisch glättet, sondern rhytmisch steigert. Am sinnfälligsten empfinden wir wohl bei den Zischlauten sowohl das Entgegenstehen wie das Überwinden. Schießen nicht solche Lautfolgen wie über Stromschnellen gischtend daher: «Schab ab von dir deine Schäbigkeit, schmeiß hin dem Schwamm deines Schadens, laß liegen das liebe Luder» (Findling 269). Solche Steigerung der rhytmisch-dynamischen Formmöglichkeiten geben Sprecher wie Hörer schütternde Stöße seelischer Explosionen. Wie pocht noch die Erregung in Chus' Bericht (Sündflut 324): «ein zorniger Flug großer Hornisse stieß auf die Kamele, stürzte ihnen Stiche über Nüstern und Augen, über Beine und Bäuche, bohrte ihnen Gift in Ohren und After». Wie anders klingt dagegen Japhets Schilderung von den hinwegfliegenden Engeln durch die Lautfolge w, f, r, l, h, (340): «Mir flogs vorbei wie heißer Wind – im Gewand wie fließendes Geflecht von Sonnenstrahlen, zwei redende Riesen mit Gerinne und Gehetz und Gekeuch und Gehusch von Flügeln aus Luft hinter sich an den Fersen . . .» Wie altgermanische Spruchweisheit wirken so gedrängte Formulierungen wie: «Geben gibt Gnade», «Glut nur ist Gott», «die Zeit ist reif für Gottes Rache.» Den Kontrast betont: «überall ist Gnade und hier ist ihr Grab» (281), wie ein Urteilsschluß klingt: «er ist im Grunde ohne Güte» (280). Wird nicht auch eine farbliche Empfindung geweckt, das milchige Weiß des Nebels durch die Lautung: «Deine Seele dunstet Sehnsucht». Das ist die endgültige Charakterisierung des Sohnes im «Toten Tag» (85). Zur Ausnutzung des Klanglichen für künstlerische Wirkung gehört auch die Verwendung des Dialektes. Er dient nicht einer bloßen Echtheit der Umwelt, sondern der Charakterisierung der Personen. Zwar Mundart im eigentlichen Sinn begegnen wir nur bei den Niedersachsen im «Armen Vetter». Sie ist ja Barlach von Herkunft her zugehörig und nicht nur in Wedel oder Hamburg aufgeschnappt. Solche Figuren wie der Schiffer Boltz werden in ihrer ganzen elementaren Deftig-

keit dadurch verlebendigt. Dagegen liefert Mecklenburg nur
die Leute der Kleinstadt, die kein Platt, sondern «Missingsch»
reden, das Barlachs große Ohren sehr genau einfingen und in
Aussprache, Satzbau und Redensart ebenso exakt wie ergötzlich wiedergaben. So wird die spießige Geschäftigkeit der
Frau Marta Boll durch typische Wendungen verdeutlicht wie:
Überall hab ich dich nachgefragt – und keinerwo bist du».
Und der Schalk Barlach setzt noch den Nachsatz schmunzelnd hinzu: «Wo soll man dich denn noch suchen, wenn du
nirgends bist?» (404). Auch der Schweinezüchter Grüntal
spricht nicht platt, sondern ähnlich städtisch und weiß nicht,
«wo er abgeblieben ist». Seine Redensart: «kommt nich auf
an» paßt zu Frau Martas «wo denkst du wohl an» oder zu
Bolls «setzt sich bei an» und Ottos «zusitzen» statt dasitzen.
Trefflich hebt sich davon das Sächseln des pfiffigen Orgel-
drehers ab, das ja seinem Charakter und seiner Funktion in
den «Sedemunds» so angemessen ist. Aber der Onkel Waldemar Sedemund wird mit beißender Satire behandelt. Wie dieser abgefeimte Phrasendrescher seinen breiten Mund auch
bei der Lautbildung vollnimmt, wird durch das auf breitem
Zungenrücken lässig geformte r, das dem w nahekommt eindringlich verdeutlicht. Dazu kommt noch das Kreischende
der Stimme mit dem ä, das aus «er» entstanden ist: «Gähad,
dä häßliche Junge». Was kann solchem Munde, der die Laute
mit vorgeschobenem Unterkiefer so elend quetscht und preßt,
wohl anderes entfahren als böswilliger Klatsch und Tratsch,
als hochnäsiges Pharisäertum und verlogene Idealistenphra-
sen? Nur im «Seespeck» spricht der Maurer Holk nieder-
deutsch (Löwenkapitel). Auch in der Wirklichkeit des Alltags
handelte Barlach nach der Maxime, die er im «Seespeck» (39)
niederschrieb: «daß man von den Dingen nicht so leicht etwas sagen kann, die wie Düfte in die Seelen dringen, daß man
vom Anhauch verlorener Stimmen eigentlich nur zu Ver-
trauten etwas auslassen darf, die unser Seelen-Deutsch schlank
in ihres übersetzen. Und wenn man merkt, daß man schwerfällig verstanden wird, greift man zu gröberen und unange-
messenen Ausdrücken, nur um nicht ganz und gar zum Anstoß zu werden».

Aus der Spannung zwischen Lautung und Bedeutung lebt das *Wortspiel*. Eine fast naive Freude daran merkt man häufig genug. Jedoch ist das nicht bloße Spielerei, sondern wird in den Dienst des Bedeutungserlebnisses gestellt und meist in ironisierender Weise verwendet. «Dicke Kanonen sind zeitgemäß in dieser mäßigen Zeit», heißt es in den «Sedemunds» oder «wenn der Mann 'nen Orden hat, hat er auch was Ordentliches zu bedeuten». Prächtig passen beim Venustrall im «Armen Vetter» (144 ff) die Zwei- und Mehrdeutigkeiten zum Charakter des angesäuselten Tierarztes und der Situation. Während sie hier in eleganter Unmittelbarkeit lustig hervorkollern, wirken sie an anderen Stellen abwegig oder gesucht. So etwa, wenn der Gärtnerlehrling seinen Meister nirgends zu finden vermag und er nun sagt (198): «Ja, ja, es fällt kein Meister vom Himmel – deinem gefällt es in seinem so gut, daß ihm nicht einfällt, daß das Kind zum Sarg noch fehlt». Der junge Sedemund (196) meint: «Übrigens will ich dir gern unsern ganzen Wickelkinderfall entwickeln, wenn du willst». Selbst der Kutscher in diesem Stück spricht geistreich: «Laßt euch die Zeit 'ne Zeitlang nicht zu lang werden». Aber selbst bei Shakespeare finden sich ausreichend Stellen, in denen die Freude am Wortspiel mit dem Autor durchgeht. Welch bitterer Sarkasmus ballt bei Barlach solche Formulierungen wie «unverwüstliche Wüstheiten» oder «lausige Lustigkeit». Durch die Bedeutsamkeit kann eine Überbelastung der Sinnhaltigkeit eintreten, so daß der Eindruck des Gesuchten entsteht wie etwa: «aber sieh, ich habe Fürchten gelernt und fürchte ehrfürchtig die Furchtbarkeit deines Anblicks» (550).

Aber die Sprache besteht ja nicht bloß aus Wörtern; im Sprechen setzen wir keine toten Vokabeln schematisch zu Sätzen zusammen. Dichtung besteht ja nicht in der Aufreihung schöner Wörter und klingender Floskeln. Wer an glatter Literatenpoesie Gefallen findet, wird Barlachs Sprache als abscheulich und vor allem stöckerig und holperig ablehnen. Gewiß sprudelt hier keine melodiöse Bildungskonvention; von innen her, tief von unten herauf wuchtet es ruckartig über die Lippen. Nur zur abwertenden Charakteristik

verlogener Durchschnittsmenschen wird glatte Rede verwandt, wie in der «guten Zeit» vom Direktor Atlas oder dem
Höfling Korniloff. Dagegen stößt die ringende Seele ihre
Lasten schlicht und direkt in schweren Ballungen von sich.
Ein Beispiel solchen Gebärens der bedeutungsvollen Inner-
lichkeit mag die Eigenart Barlachscher Sprachwerdung verdeutlichen. Boll beginnt seine Beichte folgendermaßen (447):
«Das Werden, weißt du, Grete, ist eine saure Sache; und
wenn du nach Parum rollst, kannst du in Parum aussteigen,
als wäre der Besitzer des Wagens der Mann im Mond und
Boll eine Vogelscheuche sonstwo.» Ganz dem Leben, ja dem
Alltag nahe, scheint dieser Satz, so wie er sich wirklich aus
bewegtem Herzen eines zurückhaltenden Menschen losringt.
Nicht fließend wird ein fertiger Bestand deklamiert, es wird
das Wort ans Licht gehoben aus tiefen Schächten. Gleich die
Hauptsache beginnt: «das Werden»; da stutzt schon der Fortgang; der eingeschobene Satz betont die Wichtigkeit des Sub-
jektes; dann erst, als wäre für das abgeschöpfte nun neues
Wasser nachgequollen, vollendet sich der Satz. Das gibt Gehalt und Sinn für den als Tatsache gegebenen schweren Entschluß, der schlicht wie eine Fortsetzung mit «und» ange-
schlossen wird. Kein Wort von der inneren Überwindung,
von schmerzvollem Verzicht um des Werdens willen, nur das
Resultat wird gegeben, daß Grete zurückfahren soll auf ihren
Katen, daß Boll nun für sie nicht mehr existieren wird, daß
er jeden Anspruch an sie aufgibt. Dadurch, daß dieser Satz
sich so ausdehnt und der Nachsatz sich verdoppelt, verrät
sich die Schwere des Entschlusses. Damit ist das Tatsächliche
knapp erledigt, nicht aber die seelische Bedeutsamkeit. Diese
malt das folgende Satzgebilde: «Das kannst du und das ist
Bolls saures Werk und bei dem Werk ist mein Werden reichlich in Schweiß gekommen – aber Werden und Gedeihen sollen ihr Recht kriegen und also wird der blaue Boll aus seinem
ungeheuren Elendstal eingehen in den blanken Saal der guten
Geheuerlichkeit und – hoch soll er leben in aufgetürmten
Gehäusen! Was?» Der Inhalt des Entschlusses wird bekräftigt, die Schwere betont und durch ein Bild ausgemalt. Nach
der Pause des Gedankenstriches wiederholt er diese Entschei-

dung und deutet ihren inneren Sinn und Zweck: Die Neugeburt Bolls. Aber wie das eigentlich geschehen soll, wird
verschluckt, auf das «und» folgt ein Gedankenstrich. Was
dann kommt, ist eine geheimnisvolle Andeutung auf den
Sprung vom Turm.

Ungemein deutlich und durchaus typisch zeigt diese Stelle
zugleich die Art Barlachscher Sprachbewegung. Die Hauptsache, der Sinn, taucht zuvörderst als Umriß auf. Dann wird
seine volle Gestalt allmählich herausgegraben. Immer tiefer
wird der Blick geführt und das Wesen, eben die innere Bedeutsamkeit, enthüllt. Ein geballter Vorstellungskomplex
wächst zu seiner eigentümlichen Gestalt, wie eine Statue wird
er aus dem Block herausgehauen. Dieser Vorgang bringt eine
Intensivierung, eine Vertiefung, ein Wesentlichwerden. Eine
Stelle aus der «Sündflut» (104) möge dies verdeutlichen:
«Mein Schwert? soll ich mich schlachten lassen wie ein Tier?
Nein, Ham, mein Schwert ist zu mir geboren, mein Schwert
ist ein Stück von mir – wollt ihr an mich, so wagt euch an
mein Schwert. Gott, ist er stärker als ich, wird euch Schwerter
in die Hände geben und ihnen befehlen, wie er den Bau des
Hauses geboten nach seinem Willen zu tun. Gibt euch Gott
keine Schwerter, so seid ihr meine Knechte – – seht, seht, was
für ein fingerlanges Vertrauen ihr zu ihm habt – habt nur
Vertrauen und ihr habt auch Schwerter in den Händen».
Gleich als erstes taucht fanfarenhaft der bedeutsame Gegenstand auf. Die Vorstellung vom Schwert knüpft sich zunächst
nur an Calan, dann an die Gegner und schließlich an Gott.
Höhnisch trumpft das Ende auf und gibt dem Ganzen erst
völlige geistige Tiefe.

Andere Dichter zeigen andere Arten der Sprachbewegung.
Recht entgegengesetzt ist etwa Ibsens Weise, das möge ein
kleiner Abschnitt aus Noras Abrechnung mit Helmer zeigen.
«Ich bin der Aufgabe (der Kindererziehung) nicht gewach-
sen. Da ist eine andere Aufgabe, die ich zuvor lösen muß.
Ich muß trachten, mich selbst zu erziehen. Du bist nicht der
Mann, mir dabei zu helfen. Das muß ich allein vollbringen.
Und darum verlasse ich dich jetzt.» Klar logisch folgt hier
Satz auf Satz wie ein Rechenexempel. Zur Hauptaufgabe ge-

hört vorher die Prämisse der Selbsterzogenheit, nicht der
Mann kann sie ihr geben, sie muß sie selbst anderswo suchen:
folglich muß sie ihn verlassen. Dieses Ziel der Vorstellung
wird in gerader Richtung erstrebt, pfeilhaft schießt die
Sprache auf dieses Resultat los; streng analytisch wurde von
dem Norweger die Sprache gehandhabt, nicht schlechter oder
besser, sondern eben anders, nämlich gemäß dem kausal-
analytischen Typus. Es ist nicht zuletzt dieser Art der Sprachbewegung zuzuschreiben, daß Ibsens Dialog so kühl klingt
und ohne Geheimnis, aber überzeugend und klärend. Dabei
ist der Norweger durchaus nicht kalt-intellektuell wie etwa
Sternheim; wie klingt er bei Ibsen doch nach; er bewahrte
sich dabei recht wohl die Obertöne des Gefühles. Aber er
bewegt sich gleichsam linear, wenn auch von Parallelen unterstrichen, energisch vorwärts. Diesem zielstrebigen Pfeile
steht Barlachs Typus als kubisches Gebilde gegenüber, als
Kugel und Kosmos. Er enthüllt mählich das Wesen, führt ins
Innere, während jener es eher definieren und folgern würde.
    Die Satzentfaltung besitzt also bei Barlach ebenso wie die
Wortprägung eine Dreidimensionalität. Es scheint der Verlauf zu stocken, sich zu stauen, ballen, ja verknoten. Gewiß
erscheint dem an zielstrebigen Fluß Gewöhnten ein Stam-
meln und Stutzen einerseits und assoziatives Abschweifen
und Wuchern andererseits verwunderlich, unverständlich.
Sinnschwere Substantiva drängen sich und erhalten mitunter
durch Allitteration und Bildlichkeit noch besondere Schwere,
sodaß Wirbel oder Knoten entstehen. Aber man überhöre
nicht, wie mit solchem Aufbrodeln aus der Tiefe sich das Gewicht zur Wucht steigert. So fern Barlach alles Pathetische
liegt, das Emphatische an dergleichen Stellen entquillt doch
tiefmenschlicher Bedeutsamkeit. Was von außen gesehen als
gewaltsam abschreckt, ist doch echte Prägung aus Barlachs
Wesen. Sie ist nicht gemacht, sondern gemußt. Er selbst war
der «Überzeugung, daß die mir gegebene Sprache und Darstellung – wenn auch stammelnderweise – von Etwas zeugt,
das vom Wort (der Alltagssprache), von Wille, Verstand und
Vernunft überhaupt nicht berührt wird» (1931, EB Ges. 1950
S. 16).

ACHTES KAPITEL

Die Dramen

Schon in Wedel (1901–04), so gestand Barlach, kam ihm der Gedanke, ein Drama zu schreiben. Ein Bauerndrama sollte es werden. Aber trotzdem er die Leute fast täglich vor Augen hatte, fürchtete er, daß sie nicht echt genug würden. Dann begann 1908/09 eine neue Konzeption ihn zu beschäftigen: «Blutgeschrei». Wenn auch das schließlich gedruckte Stück anders betitelt wurde, wir finden die bezeichnende Stelle noch im letzten Akt. Dort heißt es «Blut zeugt für Blut, Blut lügt nicht, Blut ist ein Schreier, der so lange schreit, wie Väter Söhne haben». So spricht der Gnom Steißbert zum Sohn (83) im «Toten Tag».

1. DER TOTE TAG

Der Dichter gibt selbst die Anregung dazu an (Nov. 1919, Gspr 17). Es ist der Prozeß um seinen Sohn Klaus. «Die Mutter wollte den Knaben nicht hergeben. Auf diese Weise mußte ich früher oder später notwendig Gott für ihn werden. Das war der Anstoß. Unter den Händen wuchs die Idee von selber ins Mythische». Eine andere Erfahrung kam noch hinzu, es ist das Zusammenleben mit der eigenen Mutter. Barlach war ja erst 14 Jahre alt, als er den Vater verlor. Vier Jahre umsorgte sie ihn und seine Brüder, bis er auf die Hamburger Gewerbeschule ging. «Das Leben meiner Mutter hatte schon lange keinen selbstigen Gehalt mehr», erzählt Barlach. «Die, denen sie das Leben gegeben, mußten ihr den Sinn fürs Dasein schaffen». Was sie wünschte, war «die leise glimmende Freude am Teilhaben eines am Leben des andern bei gemeinsamer Not und bescheiden bemessenem Glück». «So verlegte sie ihre Häuslichkeit dahin, wo ihre Söhne zur Ausbildung im Beruf für kurze Zeit lebten». Auch Barlach betreute sie und als er nach Dresden auf die Akademie ging, «vollzog sie den zehnten Umzug seit ihrer Heirat», um mit ihm hauszuhalten; «aber», so berichtet der Künstler, «es geriet uns beiden zu Unbehagen. Der Glaube an ein leise lächelndes Glück im Winkel bestimmter Art, und zwar einzig von ihrer opfernden Mütterlichkeit bestimmt, wurde wieder getäuscht, der damalige Aufflug ihres Vertrauens versagte, und in kurzem rumpelte der Möbelwagen zum elften Male mit dem reduzierten Hausrat davon». Es war nicht für immer. In Friedrichsroda war Barlach wieder bei ihr. Nach schwerer Zeit auf der «Hungerfarm» ihrer Zwillinge in Amerika hatte sie sich dann nach Güstrow zurückgezogen, wohin ihr Barlach seinen Sohn Klaus übergab und selbst zu ihr zog. Dieses liebevolle Hängen an der Mutter machte es unmöglich etwa in Art von Strindberg die Tragödie von Mutter und Sohn zu gestalten als Haßliebe. Sie ist auch nicht nach dem Rezept von Freud gefaßt. Ausdrücklich lehnt Barlach diese Deutung ab (Br 23. 4. 16). Er betont: «Meine Seele wußte nichts von alledem... Ich bedachte nur dies und empfand es: wie niedrig ist der Mensch, an seine Erzeugerin gebunden, wie banal, wie bürgerlich seine Existenz... Mein Kernproblem ist dies: wie kommt es, daß ich (oder sonstwer) Trieb und Zwang über mich hinaus empfinde. Fort vom Mütterlichen, vom Schmeichelnden, Wohlberatenen, Sich-aneinander-genügendem und am Ende (in meinem Falle) weg von dem ewigen Sexuellen. Schluß: etwas Fremdes, aber doch Verwandtes ist mein eigentliches Ich. Möglicherweise ein Göttliches über mir, das mich mahnt zum Höheren... das also Vaterstelle verträte. Vergleich: meine damalige Situation als Vater eines unehelichen Kindes, dessen Mutter mich betrog und erpreßte... Ich nahm der Mutter das Kind. So versetzte ich mich mit obengezeichnetem Trieb «über mich hinaus» in die Situation des Kindes, war in der Phantasie zugleich Vater und Sohn, Mutter und Kind. Hinsichtlich des Sohnes betont der Dichter: «ich wollte ihm in der Mutter alles geben, was abstößt und doch nicht losläßt». Dadurch, daß ihn «die Mutter isoliert», erreicht sie nur, daß er «umso heftiger nach Gottvater langt. Was Kule, Steißbart, Alb dabei fördern oder hindern, macht ja nur seinen Kampf, die Entwicklung seines Zustandes plastisch deutlich. Er kommt nicht los und zerstört sich selbst. Er ist doch zuviel Muttersohn.» Es lag also Barlach ebenso fern, seine Mutter zu porträtieren, diese feinnervige, aber auch rastlose Frau, wie eine Inzestbeziehung zu konstruieren. Sein Erleben von Weib und Mutter war es, das sich ins Mythische steigerte. So entsteht eine neue Gestalt, verwandt den gleichzeitigen Plastiken. Die Lithographien haben den ihm vorschwebenden Typus eindeutig festgelegt, diesen massigen Körper mit der breitbeinigen Haltung, den schweren Händen und dem verhärmten Zug im Gesicht. Man betrachte sie «am Herde», im Gespräch mit Kule, und ergänzend etwa ihre Weisung an den Kobold Besenbein, das von ihr getötete Sonnenroß zu zerstückeln.

Erscheint in den Lithographien mitunter die Ausstattung noch real, so ist im Drama alles noch stärker in mythische Vorzeit entrückt; bäuerliche Verhältnisse bringen alles auf wenige, aber große Linien. Alles speziell Mythologische ist jedoch vermieden. So erwächst im Leser das Gefühl, als wenn eine altgermanische Saga ihm erklänge. Barlach schreibt selbst (an Piper 5. 11. 12), er habe sein «Drama aus einer plattdeutschen Eddastimmung herausgeholt» und es ärgerte ihn schwer, daß die Besprechung im «Berliner Tageblatt» es sofort als «russisches Bauerndrama» abgestempelt hatte. Auch bei der Aufführung am 1. Mai 1923 im Volkstheater zu Berlin schien der fassungslosen Presse am ehesten nach dieser Richtung ein Ausweg statt eines Zuganges sich zu bieten. Und doch könnte man eher an eine isländische Saga denken. Die schöne Auswahl von trefflich gelungenen Übertragungen hatte ja Arthur Bonus bereits veröffentlicht. Barlach sagte gesprächsweise (Gspr 17) selbst: «Die Sagas haben es mir angetan. Wenn es mir nicht an Zeit gebräche, hätte ich nachgerade Lust, ein oder das andere Stück in Holz zu schneiden». So produktiv regten diese Gestalten seine Phantasie an, aus innerer Verwandtschaft.

Betrachten wir nun das Stück selbst. In der Welt der Mutter ist der Knabe zur Mannbarkeit herangewachsen. Die große Diele des norddeutschen Bauernhauses mit ihrem ewigen spukhaften Halbdunkel umfängt uns vom ersten Augenblick an mit ihrem lastenden Brodem. Einsam waltet hier die Mutter als Herrin, mit den zwei dienstbaren Kobolden Besenbein und Steißbart. Der Mann hat die Schwangere einst verlassen, als er einsah, wie der Sohn ihr alles, ihr der einzige Sinn ihres Lebens war; der Sohn, der nicht sein Kind, sein

Abklatsch ist, sondern ein Neues, ein von Gott Gewollter,
ihm Bestimmter. Sein Wanderstab führt den vom Lebensleid
erblindeten Alten, Kule, zurück zum Hause der Mutter, um
die Schicksalswende mit zu erleben, mit zu leiden, die sich
vollzieht: durch Träume vorbereitet, weiß die Mutter, daß die
Entscheidung naht; denn bringt der scheidende Sohn der
Welt auch Heil, ihr bräche der Verlust des Einzigen das Herz.
Der von der Sonne geblendete Sohn berichtet hereinkom-
mend das Eintreffen des ihm im Traum verheißenen Füllens,
froh des nahen Augenblicks, in die sonnige Zukunft hinaus-
reiten zu können. Wie die Sonne das Leben zu sehen und
nicht blind zu werden von seinen Nöten wie Kule, sondern
liebend es zu umfassen und zu bejahen, das wäre die neue
Heldentat, die der Welt ein neues Gesicht voll Schönheit
schüfe. Aber habgierig wehrt sich die Mutter gegen solche
«Sohnes-Zukunft»; die «Mutter-Vergangenheit» bedeutet:
«Bin ich wie eine Wiege? Laß ich ein Kind in mich legen
und von mir nehmen wie aus einer Wiege? Mich zum Gerümpel stecken? Mein, mein, mein Sohn ist es gewesen und
mein soll er bleiben» (28 f).

Stärker betrachtsam und nachdenklich bei manch tiefem
Wort verweilend, kreist der zweite Akt um das zentrale Problem. Was ist die Wahrheit: Göttersohn?: «Und wir sind
nicht allein mit unseren Schmerzen und Freuden. Es hat
Menschen gegeben und wird wieder welche geben, die mit
dem Hauch ihres Mundes sprechen können zu einem Gott:
Vater! Und dürfen den Ton in ihren Ohren hören: Sohn»
(34). Oder Muttersohn? Und nun kommt die grandiose Szene,
der Kampf mit dem Alb. Er erscheint, um den Sohn zu
quälen. Nicht aus Bosheit, sondern um die Menschen zu
bessern, muß er die Menschen quälen. Aber Kule bestellt ihn
Nacht für Nacht zu sich, um stellvertretend die Qualen zu
dulden und den Peiniger von den Menschen fernzuhalten.
Der Ringkampf mit dem Alb bringt die Probe für den Sohn.
«Du bist kein Gott», nur ein «armes Gottluderchen. Das bist
du!» Das stoßende Herz des Alben vermag er nicht aus der
Brust zu reißen; hin und her wirft es ihn, bis er erschlafft und
verzweifelt – und ruft – Mutter! «Ein Göttersohn und ruft

Mutter?» «Ja, ja, erstanden war der Welt gute Hoffnung, aber geboren ist nichts worden, eine Mißgeburt allenfalls. Es grauste eine wollüstige Erwartung und zutage kam eine Mißgeburt, ein Muttersohn erschien. Die Welt wird warten müssen, bis sein Finger geheilt ist oder bis sein Mut im Herzen ein Junges bekommt, einen echten Mut» (43). Die Mutter, die von dem Ruf aus dem Schlaf geschreckt an das Lager des ermattet schlummernden Sohnes tritt, sieht des pulsenden Blutes Drang. Nur eine Rettung bleibt, daß sie selbst das Götterroß tötet. So entschlossen geht sie mit dem Messer hinaus.

In einem nur vier Seiten langen dritten Akt wird der Kadaver des Pferdes vom dienstbaren Geist Besenbein im Keller verborgen. Auf den vier Hufen des Tieres sprengt dieser Kobold ins Freie. Voll überheblichen Trotzes trumpft die Mutter gegen Gott auf: «Mußt es geschehen lassen, daß deine Beschlüsse über dich spotten, hast du den Anfang beliebt, habe ich mich des Endes angenommen. Jeder mag seines Teiles froh werden» (48). Aber am Lager des Sohnes dämmert ihr die Tat in ihrer Vergeblichkeit, er träumt noch immer vom Reiten. – Die Freveltat hat die Sonne in Scherben geschlagen, ein tiefer Nebel füllt mit trüber Dämmerung die Erde. Der Sohn sieht das Roß entsprungen, die Sonne abgewandt. Er steht betroffen wie ein Ertappter, und zerreißt seine Seele wie ein Schuldbeladener. Sein Versagen in dem Kampfe der Nacht glaubt er als Ursache des toten Tages, der Verlust des Rosses sei die Strafe. Noch bäumt sich das Gefühl seiner Berufung dagegen auf, in der Nacht der Hütte unterzutauchen, wo er zum Gnom verschrumpeln müßte. «Jeder ist einer, der kein anderer sein kann; kein anderer, niemand sonst ist der, der ich bin – ich, ich, kein anderer –» (56). Um ihn vom zersetzenden Schmerz der Schuld zu befreien, bringt Kule das Opfer, und nimmt es hin, daß die Tat ihm von der Mutter zugesprochen wird. Doch wie soll man das motivieren? Den Tod des Pferdes als von der Vorsehung bestimmt hinzustellen, genügt nicht, den Sohn zu beruhigen, ans Haus zu fesseln. Er begehrt auf gegen solch Schicksal und zerbricht den Wanderstab Kules, der diesen als Schicksalsbote bisher geführt hat. «Das ist das Ende nicht, nur ein Anfang!»

Vergeblich bleibt dieser Versuch, durch Übernahme der Schuld die Tat zu verhehlen, von Mutter und Sohn die Qual zu nehmen. Das vergossene Blut schreit. Den Sohn treibt es in den Nebel hinaus, aber man hört ihn nach einer Weile «Mutter» rufen. Und noch einmal wiederholt sich im Hause als Vision dieser Versuch, von der Mutter fort, dem unbekannten Vater entgegenzugehen. Aber er schickt den andern, der ihm begegnet – das Bild des Vaters, sein höheres Selbst – heim zur Mutter und ruft endlich von der Öde überwältigt nach der Mutter. Er verliert wie in dem nächtlichen Albenkampf den Mut, noch einmal nach dem unbekannten Vater zu rufen. Er träumt, wie er reitet auf der Bahn der Sonnen, und hört ihr Sausen über dem Nebel. Aber dagegen dröhnt mit dumpfem Glockenton das Hämmern des Herzens der Erde. So reißt es ihn nach oben und von unten. Er findet nicht den Vater, tappt dran vorbei. Er ist ein Wandhorcher, kein Finder, nur ein Horcher zum Vater, «an der Wand, wo das andere beginnt, was kein Mensch weiß. So einer! Der weiß, da ist nur eine Wand, und auf ihrer andern Seite lebt es, das man atmen hören müßte, wenn man nur recht hart das Ohr anlegt. Wärst du so einer, du wärst vielleicht ein Wandhorcher deines Vaters und dein Vater der Wandhorcher seines Sohnes. Du solltest auch ein Belaurer werden und ein Schauloch in die Wand stoßen. Das solltest du tun, daß du siehst, wie dein Vater ist» (87). Als es ihn doch noch einmal hinaustreiben will, da ersticht sich die Mutter und verriegelt ihm durch ihr Geständnis den Rest Hoffnung. Er folgt ihr: «Mutters Art steht mir doch besser an». Der Gnom Steißbart aber führt den Blinden hinaus auf den «Botengängerweg, daß die Welt weiß, was wir wissen». Und das ist: «Alle haben ihr bestes Blut von einem unsichtbaren Vater» (95).

Das Ringen des Trieb- und Erdhaften im Menschen mit seinem tieferen Selbst und geistigen Wesen tritt in diesem tragischen Kampf und die Berufung gleich in Barlachs Erstlingsdrama klar als das Grundproblem unseres eigentlichen Lebens zutage und verläßt den Künstler nicht. Auch in sei-

nem zweiten 1918 gedruckten Drama «Der arme Vetter»
kreist die Handlung um dieses Thema.

2. «DER ARME VETTER»

An seinen Vetter Karl schreibt der Dichter (6. 10. 1920):
«Ich bin zu einseitig Mensch, armer Vetter, Verbannter,
Zuchthäusler, sehe mit einer... hellseherischen Unerbittlichkeit im Menschen die Hälfte von etwas Anderem». Schon im
Frühjahr 1919 bestätigte er dessen Vermutung: «Du hast
Recht: ich habe das alles tödlich und schwer erlitten und
habe mich durch die Arbeit befreit; man braucht nicht zum
Revolver zu greifen, sondern kann Vertrauen haben und hoffen». Jedoch, meint er weiter, für das Drama «ist ein Beweis
vonnöten, daß es dem Ivo (der Hauptfigur) wirklich bitter-
ernst ist, daß er nicht nur redet. Zudem: es brennt den Einen
mehr als den Andern; es sind Naturen, die nicht darüber weg-
kommen, daß sie in der Falle stecken; sie wollen heraus und
müssen tun, was Ivo tut». Er verdeutlicht dessen Art noch
durch den Hinweis (10. 2. 18 an Karl) «Ivo steht auf einem
andern Stern, gehört nicht hierher. Das Gefühl habe ich
jahrelang mit mir getragen: Man ist hier überflüssig. Ich
dächte, sowas genügt, um einen zu zermürben». Auch bei
seinem Freund Däubler hatte er den Eindruck eines «verirr-
ten Herrn aus einer höheren Existenzform» (23. 4. 16).
«Man ahnt das Bessere, Vornehmere, man spürt in Sehnsucht
über sich hinaus» (12. 4. 16). Das vermag ein österliches
Ahnen und Aufbrechen zu geben. So hieß der erste Entwurf
auch die «Osterleute». Bereits während der Lithographien
zum «Toten Tag» (1911–12) geschahen die ersten Niederschriften und im Sommer 1913 wurde es überarbeitet. Dann
tritt es 1916 dem Dichter wieder nahe und nun hat es mit
seinem endgültigen Titel wohl auch den Wortlaut gefunden
«Armer Vetter». Und zwar weil es «aus dem Bewußtsein aufgebaut ist, ... daß man eine Art mißlungene Seitenlinie des
Höhern darstellt» (12. 4. 16); oder ähnlich formuliert (23. 4.
16): weil es «den Menschen als verarmtes und ins Elend ge-
ratenes Nebenglied aus besserem Hause ansieht (uneheliche,
bastardhafte Beschaffenheit)». Dieses Gefühl spricht Iver

direkt aus zu Siebenmark seinem Gegenspieler, und das ist
wohl die Kernszene (128). Es gibt zugleich den Maßstab für
das Verhalten dieser Leute auf dem Osterausflug (daher
«Osterleute»). Solch geistige Vertiefung spiegelt sich auch in
der Kleinigkeit, wie der Name der Hauptfigur vom Vor-
namen Ivo in Hans Iver geändert wurde. So lautet der Titel
einer Ballade von Klaus Groth (Nr. 8 der Gruppe «Wat
sik dat Volk vertelt»). Es ist nicht ein zufälliger Anklang an
den von Jugend an gekannten Holsteiner Dichter; es liegt
innerer Bezug vor. Denn der Bauer Hans Iver irrt als Werwolf Erlösung suchend bei Nacht umher und wird durch den
Anruf der jungen Magd befreit zum Sterben. «Denn is he
storbe, bi Nacht, alleen», aber «Gott hett sin arme Seel erlöst». Soweit Klaus Groth. Barlach hält die Einsamkeit in
einer Bleistiftzeichnung (wohl 1917) schon fest, die zur Illustration mit einigen kleinen Änderungen benutzt wurde. Auf
der kahlen Kuppe des hohen Ufers der Elbe steht die kleine
Gestalt mit dem dreimal so langen Schlagschatten verloren
da. Mehrfach variiert wird dann der große Abschiedsmono-
log mit der Laterne am Ufer vor dem Sternenhimmel. Überhaupt enthalten die großformatigen Lithographien viel bedeut-
samere Formulierungen als jene zum ersten Drama. Sie wurden meist 1917 gearbeitet und erschienen 1919, die Textaus-
gabe ein Jahr früher. Auch die Bühne griff gleich zu. Die
Hamburger Kammerspiele brachten das Stück im März 1919
ohne die Anwesenheit des Dichters. Es soll, so berichtet er
Piper (14. 4. 19), «interessant gewesen sein und ein lebhaftes
Widerstreben und Mitgehen mit- und durcheinander statt-
gefunden haben. Stilisierte Bühnenbilder? Da schaudert mir
gelinde. Ich hätte die allergrößte Selbstverständlichkeit und
Milieuechtheit gewünscht, gerade den richtigen Hintergrund
für die inneren Vorgänge, die davon losplatzen und heraus-
drängen müßten. Die Hauptrollen wurden offenbar nach
Möglichkeit einwandfrei gebracht». Sein Vetter Karl schrieb
seine Eindrücke und Barlach dankt ihm (Frühjahr 19) für
den ausführlichen Brief über die «‚Armen Vetter'-Misere».
Der Dichter ist «erstaunt, daß man die Vorgänge nicht gelas-
sener hinnimmt», sondern «schwerer belastet» findet, was

ihm «ganz natürlich» erschien, ja es als «niederdrückend und gewaltsam» bezeichnet. Auch die Aufführung vom Anfang Mai 1923 im Berliner Staatstheater war «nach Zeugnissen verläßlicher Leute von starker Wirkung, wenn auch die Presse natürlich völlig zwiespältig» urteilte (an Karl 27. 5. 23). Wenig beachtet wurde der Versuch von Nordhausen im November 1928. Die für München vorgesehene Vorstellung in der Spielzeit 1927/29 kam nicht zustande.

Sehen wir nun selber zu, was das Stück eigentlich bietet. Am Ostertage treffen wir auf einer buschbewachsenen Heide der Hamburger Umgebung Fräulein Isenbarn mit Herrn Siebenmark auf dem Spaziergang. Sie singt, hingenommen von dem lauen Hauch, voller Auferstehungsahnung, ihr ist, «als ob es in meine Seele aus vielen Weiten zusammenströmte, als ob etwas Glänzendes, Mächtiges, das sich verloren hatte, sich wieder heranfindet, als ob ganz altes Fremdes wieder ganz jung bekannt wird. Wirklich, als ob man auferstünde!» Er hat nur seine Uhr in der Hand, seine geschäftlichen Pläne im Kopf und geschmeichelte Verliebtheit im Herzen für die schöne und wohlhabende junge Dame aus den besten Kreisen. Ein junger Mensch kreuzt ihren Weg, der Gesang des Fräuleins hatte ihn angelockt, wirr entweicht er ihnen; im Gespräch mit dem ärmlich gekleideten Voß, einem wegen Amtsverfehlung abgetakelten Schulmeister, hören wir, was ihn hetzt. Aus bester Familie stammend, ist er verlumpt. Nicht soziale Not noch Verbrechen sondern die Erkenntnis seiner inneren Verkommenheit hat ihn zerbrochen. «Man muß auf sich passen, sonst wird man im Umsehen zu zwei Hälften zerhackt. Lieber ordentlich nichts als zweimal halb.» Diese innere Halbheit, Besseres zu wollen und zu müssen, und doch nur Erbärmliches zu können, dieser Ekel vor seiner Wirklichkeit drückt ihm den Revolver in die Hand. Den Verwundeten haben Ausflügler in die Wirtschaft des Ausflugsortes gebracht; dort liegt er oben im Stübchen über der Gaststube, in der sich vor dem draußen tobenden Schneetreiben die Ausflügler drängen. Diese haben für den armen Kerl kein Interesse; doch Fräulein Isenbarn zuliebe nimmt Herr Siebenmark sich seiner an als eines «Armen Vetters», nicht persön-

lich natürlich, und er weist es weit von sich, daß der Wunde
etwa zu ihm gebracht werde, doch die Kosten für ihn will er
großzügig bezahlen. Ein zweiter Selbstmordversuch, aus dem
Fenster zu springen, wird vereitelt, ruft aber das Brautpaar
und ein paar andere Gäste nach oben. In einer Stimmung
voll bitteren Galgenhumors und nicht ohne Bedürfnis der
Selbstrechtfertigung versucht Iver in Bildern die anderen
etwas ahnen zu lassen von dem, was in ihm vorgegangen war:
«Haben Sie nicht manchmal Momente, wo Sie, verarmter
Vetter, den hohen Herrn in seinem Glanze vorüberfahren
sehen? Das heißt: Sie spüren's in sich, als käme Ihnen etwas
nahe, von dem ein Verwandtes zu sein Ihnen wißbar wird.
Und das Herz stockt Ihnen, Sie schnappen nach Luft und Sie
brüllen wie ein Vieh auf in ihrem Elend.» Die Zuhörer verstehen so wenig wie der oberflächliche Leser, daß die Ge-
schichte von seinem Freunde Negendahl, die er nun zum
besten gibt, nur eine Einkleidung dafür ist, wie ihm die Erbärmlichkeit seines Alltags-ich klar wird, wie der Ekel davor
und die vergiftende Wirkung auf Frau und Kinder ihn zu
seiner Tat gebracht haben. Nur Fräulein Isenbarn, die alles
mitangehört hat, ist betroffen von der Ahnung dessen, was
in der Seele des Armen bohrt, fühlt einen Hauch der Verwandtschaft mit ihm, der doch ihrer Seele armer Vetter ist.
Und sie steht auch zu ihm, als er unten in dem lärmenden
Bierulk der Gäste hervorgezogen, aufgezogen und verspottet
wird. Selbst der Zettel, den er als Begründung seiner Tat in
der Tasche hatte, wird zum Gaudium der Anwesenden ver-
lesen. Aus der Gewißheit, daß doch ein göttlicher Funke in
ihm stecke, richtet er den Revolver gegen seine Brust, eben
um jenen aus seiner Umkerkerung zu befreien, um wenigstens aufzuhören zu sein, was er ist, weil er nicht werden
kann, was er sein müßte. Verwandte Töne sind in Fräulein
Isenbarns Seele aufgeklungen, während Siebenmark alles für
Windbeutelei und Schwindel hält. Doch auch ihn pflügte dies
Erlebnis auf: Der Schmerz seiner Braut über das rohe Ge-
johle, jenes aus der Seele steigende Mitleiden mit dem armen
Vetter hat ihn so tief gerührt, daß er mit einer Tat seine
Hochachtung vor ihr beweisen will. Das hieße, sie endlich in

ihrem Eigensein erfühlen und anerkennen. Aber Iver, dem er
nun eine Geldunterstützung aufzunötigen unternimmt, bringt
ihm gerade zum Bewußtsein, wie erbärmlich und egoistisch
die Liebe zu seiner Braut gewesen, die er zu seinem Abbild
umzupressen strebt: «Wollen Sie bestreiten, daß Sie in Ihrer
Braut nur sich selbst erkennen, nur verkappt, in anderer Gestalt, mit Lock- und Reizmitteln besetzt?» «Es ist alles eins:
Wir entleeren uns selbst, schütten Unrat aus und füllen andere
damit an. Sie kratzen einer Göttin die Augen aus und setzen
Ihre Boxaugen dafür ein – staunen und wundern sich und
sagen: Ihre Augen sind mein Himmel!» Ihr besseres Selbst
sogar, wollte er es sich nicht einverleiben? Das hat den Ge-
schäftsmann doch außer sich gebracht, aber was hilft sein
Toben in der Nacht am Strand der Elbe. Er vermag Siebenmark in sich nicht totzuschlagen, aus seiner siebenmärki-
schen Welt keinen Weg zu finden. Unterdessen geht Iver den
seinen zu Ende. Man kann nicht den andern erlösen. «Es
muß eben jeder selbst sehen, wie er's macht, daß diese selb-
stige Funzel nicht alle himmlischen Lichter auslöscht.» Der
andere läuft herum, er «hat Ratten im Leib – und er rennt,
weil sie ihn beißen, und bedenkt nicht, daß sie Stücke von
ihm selbst sind». «Aber es muß ja nicht gelaufen sein, es gibt
nicht rechts, es gibt nicht links mehr. Gott, ich danke dir,
Gott, daß du das alles von mir losmachst. Es gibt bloß noch
hinauf, hinüber, trotz sich – über sich.» Er verkriecht sich in
ein Gebüsch zum letzten Schlaf. – An seiner Leiche in der
Scheune vollzieht sich die letzte Auseinandersetzung der beiden Brautleute. Schon manchmal hat Siebenmark das Gefühl
unsicher gemacht, als ginge seine Anschauung von seiner
Braut nicht voll auf, als stehe so etwas wie ein unsichtbarer
Seelenbräutigam ihm im Wege; nun tritt dieser Tote als solcher ihm direkt entgegen. Noch will sie trennen, «jeder soll
seinen Teil haben», auch den Körper will sie ihm geben, wohl
weil sie sich doch dem Verlobten gegenüber gebunden fühlt.
Doch seine brutale, egoistische Art zeigt ihr den Weg, hier
gibt es nur ein Ende, der Anfang gehört ihr allein. Sie trennt
sich von ihm mit einem Kuß auf den Toten. Nun versteht er,
wie sie vorher das gemeint, was sie ihm vom Hinnehmen ins

Ohr geflüstert: «Frau Siebenmark opfert sich Siebenmark. Sie läßt sich in Siebenmark begraben, um in Iver aufzustehen». Er verlangt klare Entscheidung, frei hat sie die Wahl und scheidet sich von ihm. Ein neues Leben beginnt sie, keine nonnenhafte Entsagung, sondern mitten in der Welt, im Leben dient sie ihrem eigenen hohen Sinn, «Magd eines hohen Herrn».

Das ist die eigentliche innere Handlung, in der sich das Problem verkörpert. Ein Gerank von Einfällen, von Kontrasten schlingt sich darum; in buntem Reigen kommen und gehen Personen, tauchen Gesichter aus dem Nebel, bald scharf geschnitten, genau beobachtet in Haltung und Sprachfarbe, bald ferner stehend im halbdunklen Hintergrund. Da sind die klotzigen Genußmenschen wie das köstliche Paar des handfesten Schiffers Bolz und der mannstollen Madame Käferstein, oder der stämmige brave Wirt Jean und seine Thinka. Knapp, doch deutlich umrissen der Kapitän Pickenpack und Sieg, der pflichtgetreue Zollwächter, der seine Instruktionen kennt. Neben dem engbrüstigen Chemiker Engholm, dessen Gemüt nur für seine Familie reicht, steht der gallenbittere Skeptiker Voß, der die seine verlassen hat. Voll Drastik entspinnen sich die Situationen: Wie schlägt der Disput der drei Jünglinge beim Kaffee gleich das Thema über Gott an, voll leichter Ironie zunächst, dann steigert es sich ernsthafter in der tollpatschigen Blasphemie des Bolz und der entsprechend deftigen Abfuhr durch den Schiffer Griewank. Bitterer Drastik voll ist das Gelärm der Biermimik um den feisten, jovialen Tierarzt als Frau Venus. Ein Nachtstück in Callots Manier erscheint die Situation mit dem allegorischen Geständnis Ivers auf dem Boden zwischen Gerümpel und Gebälk. Groß und ruhig steht die Landschaft an der Elbe zunächst im Sonnenglanze, zuletzt bei klarer Sternennacht. Die Wucht der auf wenige Hauptszenen konzentrierten Handlung des Toten Tag hat sich geweitet zu malerischer Fülle in Breite und Tiefe. Doch überall klingt das Grundmotiv durch, hallt es variiert, kontrastiert oder auch nur arabeskenhaft verschlungen und umspielt weiter.

Das dritte Stück, die 1920 erschienenen «echten Sedemunds»,
geht in dem Ausbau dieser Technik noch weiter: wie von
einem Karussell gewirbelt, huschen die Gestalten und Szenen
vorüber; bunte Bilder in raschem Wechsel, schnell ausge-
schnitten, drängen und jagen sich. Verschlungen und verflochten gehen verschiedene Beziehungen und Handlungs-
stränge neben- und durcheinander, so daß dem naiven Leser
zunächst wohl etwas wirr, ja seekrank werden kann. Trotzdem handelt es sich um kein zufälliges Ragout, sondern um
ein künstlerisch wohl erwogenes und komponiertes Ganzes.
Aber da die flackernde Bewegung des Lebens in dieser Tra-
gikomödie nachzubilden und zum Erlebnis zu bringen versucht wird, ist die Verbindung nicht durch ein klares Nebeneinander, noch durch einfaches Nacheinander zu geben. Mu-
sikalisch sind die einzelnen Abschnitte der sieben Bilder gearbeitet, abgestimmt zueinander.

Aber nicht nur formal, auch geistig rückt das neue Stück
eng neben das vorhergehende und auch zeitlich liegt es ganz
nahe, da es sich nach dem Tagebuch auf Sonntag, den 19.
September 1915 datieren läßt. Seinen Ausgang nahm es von
einem realen Ereignis, (EB. Ges. 1953, S. 18 f). «Vor dem
Glevinertor in Güstrow hatte die Zirkusmenagerie Holzmül-
ler ihre Tiere heimisch gemacht.» So beginnt das «letzte Kapitel» des «Seespeck» (160). Es steht selbständig, wie ange-
hängt und enthält eine Schnurre. Die Lust zur Eulenspiegelei
kennen wir an Barlach. So mag auch die Szene mit dem frechen Kindermädchen noch einigermaßen der Wirklichkeit entsprechen, der Fiktion, daß der Löwe ausgebrochen sei. Jedoch
wichtiger dürfte das davor Geschehene sein: bei dem Ge-
gröhle der Zuschauer denkt der Sichentfernende: «Ich wollte
doch, der Löwe brächte sie einmal auf die Beine» (161). Die
ganze komisch-gruselige Löwenjagd, die schließlich mit dem
Einfangen des Ausreißers, eines Affen endet; noch mehr die
Reaktion der verschiedenen Menschentypen bei diesem Ereignis mögen bereits der ausgestaltenden Phantasie des Dichters entstammen. Schon hier vertiefen sich die Vorgänge ins

Weltanschauliche. «Er sah, daß die Wesen durch Menschsein mehr voneinander geschieden als zueinander geführt
werden. ... Wir sind ja alle Menagerietiere, dachte er; aus
unserer freien Wildnis sind wir in den Käfig des Menschentums gebracht – und hier ... im Menschsein werden wir
schlimmer zugerichtet als Eisbären, Kondoren, Affen und
Löwen ... Wenn wir ausbrechen, geht's uns wie den Bestien,
wir werden doch wieder eingefangen.» Damit kommen wir
schon dem Grundgehalt des Dramas nahe und der Gestalt
des Grude. Aber noch ein anderes Erfahrnis kam hinzu, das
sich nach dem Tagebuch auf Sonntag, den 17. Juni 1917 datieren läßt (EB. Ges. 1953, S. 30): ein Rummelplatz in Steglitz mit seinem bunten Durcheinander, mit seinem Getute
und Getue. Ist das nicht die Verbildlichung des sinnleeren
Treibens der Menschen, das sie Leben nennen? Paul Schurek
(77) fand im Nachlaß folgende Notiz: «Mir fällt ein Drama
ein, das auf dem bewußten Rummelplatz in Steglitz spielen
könnte: Begräbnis, Kirchhofsmusik, Schützenfestgeknalle,
Karussell, Tierbudengebrüll, alles durcheinander. Stimmung
vom jüngsten Tage. Motto: Gott, der diesen Wirrwarr erregt,
wie mußte er leiden; denn diese Gärung, diese Zerfleischung
von Gefühl ist Abbild eines Vorganges. Das Glück, die Harmonie wird krampfhaft, wüst, verzweifelt gesucht und Enttäuschung, Not, Leid geerntet. Was im einzelnen durchein-
anderdrängt und treibt, bedeutet des Ganzen Unbehagen.
Aufgabe: Begriff des ungeheuren Leidens zugänglich gemacht
durch die menschliche Angst und Pein, der Löwe ist los.»
Damit wird die alte Schnurre vom entsprungenen Wüstenkönig aufgenommen, erweitert, vertieft. Es ist im Grunde das
gleiche Problem wie im «Armen Vetter». Dort war es von
der tragischen Seite gefaßt, auch Siebenmark, ‚der bourgeoise
Egoist‘, rang ernstlich, obschon vergeblich mit sich. Hier nun
wird dazu das Satyrspiel geschrieben. Das Vergebliche und
Törichte der Weltverbesserer, das Verlogene der wohlanstän-
digen Stützen der Gesellschaft gezeigt. Es triumphiert das
Draußenherum des großen Krummen in Ibsens «Peer Gynt»
gegenüber dem Mittendurch des Idealisten. Wie im «Armen
Vetter» wird das Treiben der ‚Realisten‘ gemessen und be-

leuchtet von der Forderung: Mensch werde wesentlich (Angelus Silesius). Das Fundament des Stückes ist das uns vertraute Grunderlebnis Barlachs, daß der Mensch mehr ist als sein Alltags-ich. An die Formulierung bei unserem großen gotischen Mystiker, Meister Eckhart, vom göttlichen Fünklein als dem Seelengrunde erinnert des alten Sedemunds Empfindung in dem Moment tiefster Aufgewühltheit: «Ich möchte mir aber ausbitten, daß diese meine gegenwärtige famose Form nicht Herrn Sedemunds einzige ist! Da ist noch eine andere großmächtig wie ein Punkt. Dieser Punkt namenlos ist mit Herrn Sedemund eins, so eins, daß es sein Eigentliches ist, und so kommt es heraus, daß Herr Sedemund eigentlich gar nicht Herr Sedemund ist, sondern der Punkt, den keine Faust fassen kann; daß Herr Sedemund nur der Kofferträger seines selbst ist, das wie ein Punkt ohne Ohr, ohne Odem, ohne Qual, rein wie das Nichts, sündlos wie die Sonne – ganz gemütlich drin sitzt. Wohin Herr Kofferträger Sedemund den Punkt abzuliefern hat, das weiß er nicht.» In jedem Menschen schläft der kategorische Imperativ seines höheren Soll und überfällt ihn unversehens wie ein Löwe. Dieser Grundgedanke wird gleich im Anfang als Bild an einer Menagerie vorgeführt und verkörpert in dem dort gezeigten Prunkstück, dem Löwen Cäsar. Doch der Wüstenkönig brüllt nicht mehr, ist krank und verscheidet. So ist's auch mit dem Bewußtsein vom geheimen Königtum des Menschen: im Käfig verdorben und gestorben, nur ein «Kafferngewissen» bleibt übrig, das ihn gelegentlich schreckhaft überfällt, ihn zerfleischt, im günstigsten Fall ihn auffrißt. Aber das ist dann doch Vernichtung, weit entfernt von der intuitiven Sicherheit der als Führer anerkannten Stimme. Grude bringt dadurch die ganze Welt kleinstädtischer Ehrbarkeit in Gefahr, daß er verbreitet, der Löwe wäre ausgebrochen, Gewissensbisse fallen die honnetten Bürger an, die Scheinfassaden best renommierter Häuser wackeln. Dennoch tritt kein jüngstes Gericht ein, nur ein Erdbeben mit einigen Stößen, dessen Risse rasch überkleistert werden. Nicht der Löwe überfällt und verschlingt die Beteiligten, nur sein Fell erschreckt, das Grude auf dem Titelbild mit schmerzlicher Skepsis ausbreitet: «Kusch dich, Schesar,

bist brav! Was wollt ihr denn? So geht's in der Welt, in euren
Hosen und Jacken hängt euer Selbst selbst, euer Fell ist eure
Farbe, und die Farbe bringt den Furor hervor. Das Löwen-
wams wirkte den Löwenwahn, Schesars Kleid und Ruf war
so gut wie der Kerl und sein Gebrüll selbst, wie jeder sehen
kann, der hören kann». Aber was soll die Welt damit? Grudes
Tun war doch nur närrische Äfferei, wie sie der für einen
Nachmittag zu einer Beerdigung aus der Nervenheilanstalt
Entlassene eben noch fertigbringt. Er hat selbst so einen
Spukgeist in sich: «Wir sind eben immer zwei, der Löwe hinter mir ist auch ein Stück von mir, eine Art eigentliches Ich».
Mit einem Gruwelmann im Gewissen bleibt der Mensch für
die materielle Welt unbrauchbar, darum geht Grude wieder
in die Anstalt und seine Tat bleibt schließlich doch nur ein
Narrenstreich, der die braven Leute wohl aus ihrer Bierruhe
etwas erschreckt, doch nicht gewandelt hat. Denn skeptisch
endet alles, auch der junge Sedemund will seinen Freund dorthin begleiten. Als Führer einer neuen Gemeinschaft, die ein
neuer Anfang wahrhaftigen Menschentums sein wollte, war
er zurückgekehrt in die Vaterstadt; aber ihn faßt es auch. Was
er als Recht und Wirklichkeit fest geglaubt hatte, die Schuld
des Vaters und das edle Sich-Hinausgrämen der Mutter aus
einer miserablen Ehe, es muß von mehreren Seiten angeschaut
werden: was ist gut, was bös, wer heißt gut, wer darf als böse
völlig verworfen werden? Die Welt reformieren zu wollen,
ist's nicht eine Narretei; war solch Versuch nicht würdig eines
«echten Sedemund», dem eine klangvolle Wendung nur zu
leicht zur Hand ist und als Fassade die tiefere Wahrheit zu-
deckt? So will er zu seinem Freund Grude in der Anstalt sich
internieren lassen für einige Zeit und dadurch den Ruf des
Vaters restaurieren. Der Wissende duldet freiwillig, aus Liebe
für die anderen! Wir sind allzumal Sünder. Was hilft es, vom
Blinden zu fordern «sei sehend». Christus risse in solchem
Falle «ein Streichholz an und wies ihm den rechten Weg, das
war die ganze Kunst. Im Dunkeln brauchen wir alle Stöcke,
die Blinden wie wir Gesunden – alle stockblind». Nicht «ge-
rechtes Tun», sondern gütige Gesinnung ist einzig das wahrhaft Gute.

Dieses gedankliche Thema gibt den inneren Zusammen-
klang der Szenen. Sie bekommen noch dadurch innigere Beziehungen zueinander, daß stets dasselbe Motiv abgewandelt
wird, nämlich die elementarsten menschlichen Verknüpfun-
gen: Eltern und Kinder, Gatte und Ehefrau. «Unsere Söhne
sind unsere Richter und Rächer unserer Unwerte.» «Die
Frauen bedenken nicht, daß ihre Kinder von Geistes Gnaden
sind, sie vergiften sie im Leibe mit gemeiner Menschlichkeit,
sie glauben an keinen Geist als Gewissen um sich und in
sich.» Frau Grude überwindet die Versuchung, in habgieri-
ger Liebe schon an das in ihr wachsende Kind zu denken, als
Ersatz für die Enttäuschungen des Lebens. Sie reift zu frei
schenkender Liebe heran, die geduldig warten kann, und versteht des Gekreuzigten Lehre: «Jeder Geborene wird einmal
ans Kreuz geschlagen. Darum bringe deinen Sohn so auf den
Weg, daß er in der grausamsten Stunde hinaufschaut und
über der Welt schwebt». So bekehrt sich denn auch der ehr-
same Gierhahn, in Firma Ehrbahn & Gierhahn, Begräbnis-
institut, der ein uneheliches Kind durch eine erkaufte falsche
Aussage einem anderen zugeschoben hat. Der Säufer Mankmoos wird zu seiner Schneiderei und seinen verwaisten Kindern zurückgescheucht; hat er zwar nicht den Löwen gefangen, so hat sein Kafferngewissen sich eben doch geregt. Im
«Seespeck»-Kapitel ist sein Aussehen wohl nach der Wirklichkeit schon geschildert, jedoch ohne die Vertiefung und
die Ausweitung seines Schicksals. Überall leuchtet aus den
geborstenen Prunkfassaden ein Schein verborgener Echtheit,
kündigt sich das bessere Selbst an, und der junge Sedemund
behält recht: «Ich denke denn doch, schließlich klingt alles
im All zum schönsten Ohrenschmaus zusammen – nur der
Rest ist Schweigen». Allerdings, dieser Rest ist auch da, wie
der abgefeimte Phraseur und Schieber Onkel Waldemar; aber
er gehört trotz aller hoffnungslosen Erbärmlichkeit mit dazu,
eben als «Pause, die Atem- und Schöpfungspause, die Höhlen
des Nichts, die das herrliche Was gliedern».

Doch mit dieser schon beträchtlichen Zahl von wichtigen
Personen ist es noch längst nicht getan. Prächtige Typen
kommen dazu wie der seiner Amtsgewalt wohl bewußte

Oberwachtmeister Lemmchen, die drei Schützen, die mit
den sieben Schwaben verwandt sind, der Leichenkutscher
oder der italienische Menageriebesitzer und der kuragierte
Drehorgelspieler aus Sachsenland, der kein Spaß- und Spiel-
verderber ist; nicht zu vergessen die gelähmte Sabine im
Rollstuhl mit dem Heiligengesicht und der recht fleisch-
lichen Liebessehnsucht im Herzen. Prächtige Situationen rollen sich vor uns ab, voll dämonischer Satire. Unvergeßlich
bleibt einem der Zug der Höllenbrüder in Erinnerung, der
unter des alten Sedemunds Führung in der Kapelle sich entwickelt und über den nächtlichen Friedhof marschiert unter
den Klängen der Gassenhauer auf der Drehorgel. Voll innerer Wucht auch diese Gewissensqualen des Alten in der Kapelle unter dem großen Kreuz und gegenüber der gotischen
Christusstatue. Ganz anders, als bei Tolstoi etwa, die Art
seines sich brockenweise entringenden Geständnisses. Wie
einzigartig berühren die schauerlichen und durch ihre groteske
Zuspitzung an das Komische streifenden Gespensterszenen;
mehr komisch bei Mankmoos, mehr schauerlich bei Gierhahn. Daneben wieder schallende Komik. Die Leichenträger
beim Schoppen nach schwerer Arbeit; vor allem die famosen
nächtlichen Löwenjagden, die drei Schützen vor dem leeren
Karussell und ihr Sturmangriff auf diesen vermeintlichen
Unterschlupf des Untieres, wobei sie den kuragierten Dreh-
orgler nach der alten Devise ‚Hannemann, geh du voran'
als Trommelfeuer draufgehen lassen, sie selbst aber rückwärts avancieren; oder schließlich der reputable Herr Ehrbahn, der beschwört, die Augen des Wildes leuchten gesehen
zu haben, und mutig drauflos schießt. Tragik und Komik
verschlingt sich unentwirrbar in buntem Wirbel, das Leben
ein Affentheater. Wie ein Karussell müßten bei einer Aufführung die Szenen sich atemlos jagen. Aber kein Kasperl-
oder Marionettentheater darf daraus gemacht werden; im
Gegenteil: dadurch verlöre das Ganze den tieferen Sinn und
seinen tragischen Beigeschmack. Es ist kein Künstlerulk, sondern bittere Erkenntnis, aus Leid gekeltert. Diese Personen
sind ja so lebenswahr, eben durch ihre ‚Echtheit' erschrek-
kend; sie gibt es nicht nur in dem gerade gewählten Milieu

einer mecklenburgischen Kleinstadt. Daß nun aus solcher
ungeschminkten Wirklichkeit etwas aufsteigt, das kein Ge-
spensterspuk ist, sondern Überwirkliches, das dennoch darin-
nen verborgen steckt und lauert ans Licht zu kommen, das gibt
dem Ganzen einen eigenen Hauch von Magie, wie ihn selbst
E. T. A. Hoffmann nicht zu beschwören vermocht hatte.

Wird aber eine solche Fülle von Personen und Nachdenk-
lichkeiten, die bei erster und flüchtiger Lektüre wohl kaum
voll zum Bewußtsein kommen, nun gar auf der Bühne sich
zur Wirkung bringen lassen? Eigentlich war es erstaunlich,
daß bald nach dem Erscheinen des Buches (1920) schon die
Uraufführung geschah, und zwar in den Hamburger Kammerspielen (März 1921) und bald danach (1. April) in Berlin.
Dort hatte nicht Max Reinhardt, wie es zunächst schien, sondern Jeßner es im Staatstheater herausgebracht. Barlach
wohnte der zweiten Vorstellung bei. Es wurde ihm eine Erfahrung, von deren negativer Wirkung er nicht loskam sein
Leben lang. Schon bei dem Besuch des Intendanten erstaunte
der Künstler, daß er «keineswegs Bühnenbilder von seiner
Hand» haben wollte, «und nachdem ich seine Skizzen gesehen, erkannte ich, daß da für mich nichts zu tun ist» (13. 3.
21). Sie waren «für meine Vorstellungsart völlig neu». Zwar
erkennt er sie als Ergebnisse eines starken Stilwillens an, aber
«hinterher beschleicht mein Herz eine Ahnung, daß zwei
Dinge zusammengebracht werden, die nicht zusammen stimmen». Und so war es tatsächlich. Er fand «ein Stück von
Herrn Jeßner, aber nicht von mir oder doch nur da von mir,
wo die mehr oder weniger nebensächlichen Personen ... das
Wort hatten. Filmtempo und Expression; damit will ich
nichts zu tun haben. Der Schützenplatz war menschenleer,
das Grabmal war eine weiße Wand, groß wie ein Pharaonen-
grab, die ‚große gegenwärtige Menge‘ eben keine Menge,
die Kapelle keine Kapelle, der Kirchhof ein Regisseurkniff
und der Grundton des Hauptsächlichen Geschrei- und Mo-
numental-Stilbums» (an Piper 19. 4. 21). Er berichtet (an
Düsel 13. 8. 21) daß er «Jeßner, wenn auch mit leichter Be-
klommenheit, so doch unmißverständlich gesagt habe, daß
ich mich nicht wiedererkenne. Was ich leise gedacht habe,

war laut, was ich brutal und wüst gemeint, unterdrückt – na
...als bloßer Zuschauer wäre ich vielleicht der stärkste Pfei-
fer gewesen». Tatsächlich «gab es eine fast einhellige Ablehnung und teilweise Verhöhnung» des Stückes (27. 5. 23).
Viel später erst brachte Altona eine Inszenierung von Kurt
Eggers-Kestner, im Frühsommer 1935, gegen Ende der Spielzeit, die auf Verlangen der Amtsleitung der Kulturgemeinde
gleich wieder abgesetzt wurde (Schurek 38).

4. «DER BLAUE BOLL»

Hatten die bisherigen Aufführungen Barlach eher seinen Ruf
gekostet, ihn in den Verruf des Undramatikers gebracht, so
konnte man am «Blauen Boll» doch umlernen. Gewiß war es
ein Glücksfall, daß Heinrich George schließlich diese Gestalt
des mecklenburgischen Gutsbesitzers verkörperte. Sie war
ihm gemäß, «er hat Schwere und Streben in sich», sagt Barlach selbst (28. 10. 32). So gab George seine reife Meisterschaft und warme Menschlichkeit in aller Selbstverständlichkeit hinein. Aber auch schon die Uraufführung in Stuttgart
am 13. Oktober 1926 war ein Erfolg. Das Stück war erst im
Frühjahr dieses Jahres fertig geworden und bald gelang es
der Begeisterung von Edzard Schaper, am Stuttgarter Lan-
destheater, wo er Regieassistent war, die Aufnahme des
Stückes durchzusetzen. Auch die Inszenierung von Eggers-
Kestner am Altonaer Stadttheater im Frühjahr 1934 machte
Eindruck und Barlach freute es «die Darstellung wurde mir
von mancher guten Seite schon gelobt» (4. 4. 34).

Es liegt auch am Stück selbst; ist es doch eindeutig um die
Hauptfigur geballt, wie schon der Titel sagt. Gewiß findet
sich auch hier keine fortreißende Handlung. Bei allem ernst-
haften Ringen werden doch nur «Wegemarken des Geschehens» beabsichtigt und man soll «die Vorstellung des Geschehens, des ‚Werdens‘, das als dunkle Gewalt schaltend und
gestaltend im Hintergrund der Vorgänge gedacht ist», behalten (26. 9. 26). Nicht der äußere Fortgang sondern die Vertiefung der Handlung macht die eigentliche Bewegung und
Dynamik des Stückes aus. Dem entspricht die Aufteilung in
sieben «Bilder».

Es geht eben um Menschwerdung. In eindeutiger Klarheit und mit voller Wucht wird also das den bisher besprochenen Dramen gemeinsame Thema hier nochmal aufgeworfen, aber diesmal im positiven Sinn gelöst. Konnte in den früheren Stücken der Mensch trotz aller Sehnsucht sich nicht frei machen von seiner Blut- und Erdgebundenheit, so triumphiert im «Blauen Boll» ein neuer Glaube: aus dem in seinem Fett erstickenden Gutsbesitzer wird nach langem Kampfe der neue, geistige Boll geboren.

Im ersten Bild ragt über dem Marktplatz von Sternberg das Massiv des Kirchturms in den kalten Nebel als Symbol des Geistigen, das über den rauchenden Schornsteinen der Häuser in eigener Wirklichkeit steht. Dort hinein führt es auch Boll, fort von der Einkäufe besorgenden Frau. Grete, der entlaufenen Frau des Schweinehirten von Parum, wies er den Turm als Versteck vor dem suchenden Mann. Dort oben unter dem Uhrwerk gesteht sie die Not ihres Lebens (2. Bild). Drei Kinder hat sie aus der Lust ihres Fleisches zur Welt gebracht, drei Seelen hineingezwungen in dies Jammerdasein; nun ersticken sie im Fleisch. Sie hört ihr Schreien, «das wachsende Fleisch verstopft ihre Stimme, aber immer noch quälen die armen Seelen, daß ich sie vom Fleisch erlöse». Darum fordert sie Gift für sich und ihre Kinder, und Boll soll es ihr schaffen. Boll findet eine verwandte Seele, das Klingen seines Leidmotivs in dieser Frauenseele. Denn dasselbe martert ihn: «wie abscheulich unangebracht ist die Kreatur in diesem Dasein – wie ist sie ins Kälberleben hineingebracht – gefragt etwa, mit ihrem Einverständnis?» «Was kann der Gutsbesitzer Boll dafür, daß Boll ein Gutsbesitzer ist? Er ist ungefragt, un-ge-fragt, ob er Gutsbesitzer Boll werden wollte. Eine Dreistigkeit geradezu, den Gutsbesitzer Boll zum Gutsbesitzer Boll zu machen – denn, was hat er davon, Herr Pastor? Sich selbst als Herrn, weiter nichts, und wie kann der Diener seiner selbst mit solchem Herrn zufrieden sein». Auch der asthmatische Uhrmacher Virgin, der von oben herabkommt, hat keine Ahnung davon, daß Boll den Boll beim Kragen hat und ihn umzubringen droht. Er sieht nur den massigen Reichen, wie er gemästet von Selbstach-

tung auftrampt. Unerklärlich zieht es Boll, dessen Vollblütig-
keit sich in einem Schwindelanfall entlädt, zu Grete; das ist
nicht nur fleischliches Gelüst, denn er übernimmt alle Verantwortung für das, was sich als Folgen ergibt. Boll, der
sonst planlos seinem Triebe folgte, hat einen Zaum sich damit angelegt, ein «Muß» beginnt ihn zu leiten. Das spricht er
offen auf der Straße aus vor seiner Frau und dem Bürger-
meister, ja zu Gretes Mann, der Rechenschaft von ihm fordert: Daß er für sein Tun einsteht, ist der erste Laut des
neuen Boll, der langsam geboren wird (3. Bild). Zwar hatte
er versprochen, zum Stelldichein am Abend das verlangte
Gift zu bringen; doch kommt er leer, es war ihm nicht gelungen, es zu besorgen, es soll nicht sein. Grete macht sich em-
pört los von ihm: «Pfui, wie wohl fühlst Du dich im Fleisch
– mein Mann und ich wissen, was im Fleisch steckt, und bei
dir ist viel zu viel – laß los». Zwar auch Grete zog ihre Seele
zu ihm: «Ich hab bloß deine Stimme lieb und die sagte das
vom Vollbringen». Doch in ihrer Verzweiflung läßt sie sich
nicht halten. Fleischlich sich ihm zu verbinden, verabscheut
sie. Doch um ihren Plan auszuführen, wirft sie sich weg,
trotzdem er sich von ihr quälen und demütigen läßt. Sie geht
in die üble Spelunke zur Teufelsküche. Boll wird nicht hinein-
gelassen, denn er gehöre zu den Halben. «Was ihr wollt, das
könnt ihr nicht, was ihr müßt, das wollt ihr nicht.» – Während er so steht, bringt der Uhrmacher einen Herrn. Ja, es ist
der Herr, der Nachtquartier sucht und nun mit Boll zur «Goldenen Kugel» geht (4. Bild). – Dort (5. Bild) zeugt eine gewaltige Batterie geleerter Flaschen davon, wie lange der Vetter Prunkhorst schon auf ihn gewartet hat. Nun will er Boll
auf den alten Weg bringen, der Verantwortungslosigkeit.
Aber der Herr bestätigt «die schöne Handlungsweise des
Herrn Boll: Er trägt Verantwortung für die Hexe, auch in
ihm keimt das hüllensprengende Drängen des Werdens». Als
Frau Martha auf schleunige Abfahrt drängt, um allem ein
Ende zu machen, weigert er sich entschieden. «Nein, nun
und nimmer fahre ich, Martha. Führe ich aber, es ginge ge-
raden Wegs zur Hölle mit mir. Grete in den Klauen des Teufels und ich soll abfahren? Grete, die nicht weiß, was sie tut,

Grete, für die ich Vormund bin, Grete, die die Hütten in
Brand stecken will, in denen ihre Kinderseelen wohnen,
Grete, der ich versprochen habe, dabei zu helfen, anstatt ihr
zum Gegenteil beizustehen!» Als sie ihn zu zwingen sucht,
droht er ihr, daß ihm nur der eine Weg dann bliebe, der
Sprung vom Kirchturm. Da ist zwar die betriebsame Haus-
frau Martha Boll am Ende ihres Lateins: «Ich versteh beinah
den lieben Gott nicht mehr, denn, was könnte er wohl mit
uns im Sinne haben, da er's offenbar anders meint als wir –
nein, o nein!» Doch ihre Liebe gibt ihr die Einsicht: «Du
mußt, Kurt, du mußt zu ihr, ich schick dich zu ihr, geh zu
Grete, Kurt, geh gleich!» Diese arme Seele finden wir im
sechsten Bild in dem elenden Logierzimmer der Herberge zur
Teufelsküche. Aber sie weigert sich, Essen und Trinken von
Elias dem Teufel anzunehmen, nur das eine will sie ja. Darum läßt sie das ihr gereichte Essenspaket von einem Stuben-
nachbar verzehren. Durch die Spalten der Wand sieht Grete
Verstorbene mit goldenen Karten spielen, deren Füße Elias
in Becken voll glühender Kohlen steckt. Als aber ihre drei
Kinder kommen und in derselben Weise bedient werden sollen, da schreit sie auf. Elias kommt und zwingt sie zurück,
mit ihm auch seine Frau, die gewaltig dicke Doris. Er zwingt
Grete, sein Gift zu trinken, sie krümmt sich, doch trinkt sie
und gibt den Verstorbenen auch davon. Jetzt ist die Flasche
leer und für die Kinder nichts mehr übrig; sie können nun
von den Toten nicht geholt werden. Da bettet sich der
Doris in den Schoß, mütterlich nimmt die sie auf: «Vergiß
alles und dich selbst, laß dich liegen im Gleichen, wo alles
herkommt und gut ist – gib her, was du hast, falsch und verflucht, ich kann's lassen, bei Elias' Satansweib ist es aufge-
hoben am unschädlichen Ort, da wächst was drüber und
wird mein und ich kann's tragen und trag's leicht. Sei getrost,
so ledig wirst du, wie ich voll, gib deinen Bosselkopf her und
hör' ins Ohr.» Sie raunt ihr auch ins Ohr, daß Boll tot sei,
der blaue Boll; der muß im Kohlenbecken des Teufels büßen, kann sich selbst nicht verzeihen, muß sich selbst richten,
aber der neue, junge, schlanke Boll spielt mit ihren Kindern.
«Ach, du armer Boll, ich verzeih dir ja – spiel mit den Kin-

dern und laß dir verzeihen», stammelt Grete aus mitleidigem
Herzen. Da klopft es; Boll ist es, dem sie wie erlöst entgegen-
eilt.

Im Innern der Kirche finden wir die beiden im letzten Bild.
Boll steht dem geschnitzten Apostel am Pfeiler gegenüber in
der Morgensonne, Grete erwacht aus ihrem Schlaf. Der Wagen wird schon angespannt, der sie wohlbehalten als «eine
heile, gesunde Frau» nach Parum zurückbringen soll. Dieser
Verzicht auf Grete ist der Anfang seines Werdens, sauer und
mühselig wie aller rechte Anfang: «Boll kann's nicht lassen
und bringt Boll zur Welt, man wird schon sehen, Bolls Geburt und turmhohe Veränderung steht vor der Tür. Jeder ist
sich selbst der Nächste bei seiner Entfaltung und muß wissen, wie er's schafft.» Da kommt Frau Martha herbei mit der
Nachricht von Vetter Kurts Schlag und wie damit Wandlung
und Werden bei ihm einsetzte. Auch bei ihr beginnt es sich
zu regen. Sie muß der andern, wie diese vorher ihr, die Hand
küssen zum Dank, daß sie Boll verzieh, und sie dann zum
Wagen bringen. Da kommt der Herr herbei, gleichsam als
Geburtshelfer. Der Weg vom Turm herab, den er ihm nochmal zeigt, ja nahelegt, wäre nur ein Enden. Der andere Boll
ist schon gebildet, der über dem alten Boll «steht und über
ihn hinaus zum Anfang strebt, der das Enden verwirft und
verbietet. Sie wissen, was ich meine, und daß ich recht habe
zu sagen: Boll hat mit Boll gerungen, Boll hat Boll gerichtet
und er, der andere, der neue, hat sich behauptet». «Es ist er-
wiesen – sie müssen, Boll muß Boll gebären, und was für
einer es sein wird – es ist bessere Aussicht auf Werden als mit
dem Sprung vom Turm herab. Gute Ausicht – denn es ist
Schwere und Streben in Ihnen; Leiden und Kämpfen, lieber
Herr, sind die Organe des Werdens. Schon ist Ihr Atem ruhig
und gleich und wird reichen, verspreche ich Ihnen, zu einem
gedeihlichen Kämpfen und wird Kraft haben zu tragen. Boll
wird durch Boll – und Werden, Herr, Werden vollzieht sich
unzeitig, und Weile ist nur sein blöder Schein» (455).

Ebenso klar wie tief sind die Einsichten Barlachs über das
Leben als geistigen Prozeß, als stetes unentrinnbares Werden
nach kosmischen Gesetzen hier in eine Handlung gewoben.

Goethes Faust führte uns wohl über Stationen der Bildung, wo Weltstoff in der Seele assimiliert, ihr anverwandelt und eingebaut wurde, auf daß sie sich entfaltete und zu schöner Frucht ausreifte. Mit dem geliehenen Pfund wuchern, was das Leben versprochen, im eigenen Werk verwirklichen, das war das klassische Ideal, wie es in Faust's Erdenweg sich darstellte. Im «Blauen Boll» schreit das bessere Selbst auf aus dem lastenden Fett und Fleischmassen der Materie; diese sind nicht zu durchformen und zu billigen, nur zu vernichten, zu verbrennen. So wird der gotische Heilige mit all seiner mageren Eckigkeit und ekstatischen Inbrunst Ideal des neuen Seins. Das Titelbild zeigt ihn deshalb auch in der Mitte mit unterstreichendem Schlagschatten hoch nach links, während der zu ihm aufblickende Boll in schwerer schwarzer Massigkeit den rechten Teil füllt.

5. «DIE GUTE ZEIT»

Während die Arbeit am «Blauen Boll» sich nur über Monate erstreckte und mit dem September 1925 zügig vorwärtsging (an Karl 2. 12. 25), machte das nächste Stück dem Dichter größere Mühe. «Es ist schwer gearbeitet und wiederholt verworfen, halbiert und im Ton des Ganzen umgestimmt», berichtet Barlach seinem Vetter (10. 11. 29). Erst im Mai 1929 ging es an den Verlag und erschien dann bald.

«Wegen der ‚Guten Zeit' bin ich auf schwerste Befremdung gefaßt», gesteht der Dichter. Selbst den unerwartet sich findenden Intendanten warnt er fast vor einer Aufführung. Trotzdem geschah sie noch im selben Jahr, am 18. November in Gera. Es war der ebenso großzügige wie feinsinnige Erbprinz Reuß, der als Intendant seines früheren Hoftheaters das Wagnis unternahm und es blieb bis heut das einzige Mal, wie überhaupt es die letzte literarische Veröffentlichung Barlachs sein sollte.

In einer «Selbstanzeige» des Stückes (1930, abgedruckt EB. Ges. 1950 S. 11 f) faßt Barlach den Sinngehalt knapp zusammen: «...nicht ganz leise fragt überall fast jedermann: Wie lebt sichs denn in diesem Leben, gehts etwa gut, sind wir in der guten Zeit, lohnt es sich oder wars etwa besser nicht –

da stimmt was nicht. Aber eine Stimme ist doch, eine feste, die antwortet: Setzt euch in Übereinstimmung mit euch selbst, schafft in euch Wissen von Wohlverhalten vor dem eigenen Urteil und ihr habt die gute Zeit. Und die da nach uns – durch uns – kommen, wie stehen wir vor denen da? ...Dürfen wir den andern, denen nach uns, so dringend empfehlen, einzutreten durch die Pforte, die wir ihnen öffnen». Dies Thema klang bereits im «Blauen Boll» an. Grete war nicht vor ihrem Mann geflohen, sondern vor ihrem Schuldgefühl den Kindern gegenüber; diese habe sie ins Fleisch gebracht, das nun droht, ihre Seelen zu ersticken; sie müsse sie vom Fleisch erlösen und dazu fordert sie Gift. Darin liegt ohne Zweifel ein wichtiges Problem, das damals allgemein besonders dringlich diskutiert wurde. Aber für Barlach dreht es sich nicht um die Abschaffung des Abtreibungsparagraphen unseres Strafgesetzbuches, ihn packt das menschliche Grundproblem, das darin sich andeutet. So ist er auch nicht darauf aus, uns psychologisch verständlich zu machen, wie eine Frau zu solchem Verlangen kommt, das eben so sehr wider ihr natürliches Empfinden wie gegen die gesellschaftliche Moralkonvention geht. Vom Geistigen her faßt er das Thema; statt sentimentalen Mit- und Einfühlens fordert er ethische Entscheidung. Diese war im «Blauen Boll» nur auf den einzelnen Menschen bezogen gewesen, nun wird Verantwortlichkeit der Allgemeinheit gegenüber verlangt: «wozu solche, aus solcher Artung wie der euren gekeimt, wozu solche ins Leben leiten? Dem Leben ist mit solcher Art nicht gedient, das Leben wendet sich ab von solcher Art; wir verschönern die Welt, wenn wir sie verschonen mit denen, die sein müssen, wie sie werden, wenn sie von uns und von euch kommen» (463). Allein solche Kinder vermögen die Eltern zu verantworten, welche die gute Zeit verwirklichen. Damit ist das eigentliche und neue Problem gestellt, ist der Handlung das geistige Ziel gesteckt und diese dem Kriminellen entrückt. Verschieden aber ist, was die Menschen als gute Zeit ansehen, und in zehn Bildern führt uns Barlach bedeutsame Variationen dieses Themas vor. Daß dies in Form einer Handlung geschieht, dazu dient das Motiv der verabscheu-

ten Schwangerschaft und das Schicksal der Celestine formuliert die Lösung.

In ahnungsloser Unwissenheit aufgewachsen, wurde sie
dem körperlich wie seelisch verseuchten Fürsten verheiratet
(471). Zu spät kam das Erwachen; voll Ekel und Angst vor
dem Herannahenden floh die Schwangere in ein Sanatorium.
In südlicher Schönheit auf einer Insel gelegen, ist es ein rechtes «Paradies der Damen»; denn der Leiter des Unterneh-
mens sieht seinen Beruf darin, die Mitmenschen von ihrer
körperlichen wie seelischen Bürde zu befreien. Allerdings
läßt er sich gutes Geld dafür bezahlen, doch allerhand reli-
giös-logenhaftes Brimborium verdeckt geschickt die Ausbeu-
tung. Jedenfalls befinden sich die zahlreichen Gäste wohl,
genießen ohne Sorge ihre Sexualität als Gesellschaftsspiel; in
überlegener Sicherheit kichern sie hinter einer schwangeren
Frau her, die mit einer Last auf dem Rücken und einem Kind
an der Hand, vorübergeht. Gegenüber solchem bösen Prole-
tarierschicksal glauben sie sich in einer guten Zeit. Aber diese
Flucht vor dem wirklichen Leben gibt nur gefälligen Schein,
solch wattiertes Surrogatdasein züchtet dekadentes Ästhetentum, kein wesenhaftes Menschsein. So bricht denn auch
am Ende des ersten Bildes, das diese Welt des Sanatoriums
satirisch malte, aus der üppigen Sybille die ganze Unbefriedi-
gung im Tiefsten und Letzten hervor und daraus entspinnt
sich ihre Nebenhandlung. Gegenüber den sie umflirtenden
gepflegten und parfümierten «Frauenmännern» denkt diese
Vertreterin animalisch triebhafter Geschlechtlichkeit sehnsüchtig an ihr erstes Liebeserlebnis voll überwältigender Unmittelbarkeit. Sie schildert das als einen Raub durch die
Wildgötter, die droben im schroffen Gebirge noch hausen.
An diese erinnert sie der schäbige Bockspelz, den der alte
Syros trägt; drum heißt sie ihn neben sich niedersitzen und
ihre pomadisierten Liebhaber müssen rücken. Oben vom
Gebirge ist der Alte hergekommen und will das kärgliche
Hungerleben mit dem Genuß des warmen Strandklimas ver-
tauschen. Er scheint aus heidnischer Urzeit herabgestiegen in
heutige Zivilisation die seiner Primitivität gegenüber ihre
Fortschritte genießen, gegenüber der einstigen bösen die

jetzige gute Zeit dankbar empfinden soll. Dazu engagierte
ihn der Herr Direktor. Aber er ist ihnen in seiner Ursprünglichkeit überlegen. Auch er lebt in guter, in «seiner» guten
Zeit, denn mit dem Verlassen seiner rauhen Heimat hat er
auch deren Fluch von sich getan; in naivem Egoismus lebt
er in einem Zustand jenseits von Böse und Schuld. Darin
behauptet er sich seinen Söhnen gegenüber, welche ihn als
Urheber ihres Elenddaseins verfluchen und vergeblich in
ihre böse Zeit zurückzugewinnen versuchen. Geschieht das
in einer Nebenhandlung, so wird seine schonungslose Ur-
wüchsigkeit für die Haupthandlung im zweiten Bilde zum
entscheidenden Anstoß. Während beim Fünfuhrtee die andern die Leistung des Sanatoriums als absolute Versicherung
gegen alle Mühsal des Lebens preisen, hat sich der Greis zu
Celestine gesetzt. Seine Worte treffen sie im Tiefsten und
werden Anstoß zur Handlung. Das goldene Kreuz an ihrem
Halse ergreift er fragend (wie die Titelzeichnung es darstellt)
und als sie es «ein gutes Ding» nennt, fragt er: «gut wie die
gute Zeit, wenn sie wirklich ist?» Hier taucht die Idee wahrer,
wesenhafter Wirklichkeit auf, die aus der Alltagswirklichkeit
erst geboren werden muß. Denn nichts Starres und Unentrinnbares ist die Wirklichkeit, sondern sich wandelnd und
werdend, zum Guten wie zum Bösen; sie wächst in uns, «wie
ein Kind Gestalt wird in der Mutter». «Wenn sie böse ist und
in mir wächst», erkennt angstvoll Celestine, «so werde ich
selbst schlecht und es wäre besser, ich stürbe, als daß die
schlechte Wirklichkeit in mir groß wird» (468) Syros bestätigt das: «ist ein Kind der bösen Zeit teilhaftig, so teilt es der
Mutter mit von seiner Art – darum ist es besser, es stürbe in
dir mit seiner schlechten Wirklichkeit, als daß du an ihm ver-
dürbest.» Damit beginnt Celestines geistiges Reifen. Auf die
üblichen Floskeln von ihren landesmütterlichen Pflichten gegenüber dem zukünftigen Erbprinzen erklärt sie im dritten
Bild, sie könnte nicht den Blick des Kindes aushalten; denn
sie ist mitschuldig an seinem elenden Dasein; Ekel beginnt in
ihr zu brennen. «O, ich war lange genug fromm, jetzt heißt
es, im Ernst wirklich werden» (473). Inzwischen hat der Fürst
den Aufenthalt seiner geflohenen Gemahlin aufgespürt und

voll Angst, daß ein Eingriff schon erfolgt wäre, sendet er den
Baron Korniloff zu ihr, um sie sofort zurückzuholen; denn
«der abnormste Erbprinz ist besser als gar keiner». Gegen
solche Staatsraison setzt Celestine in dem Gespräch mit Korniloff (viertes Bild) die ethische Entscheidung: nichts ent-
schuldige den, der «mit Wissen einer Schuld teilhaftig wird»
(485). Dazu tauchen die entscheidenden Worte und Vorstellungen aus dem Gespräch mit Syros auf: «Ist es nicht ganz
unaufschiebbar, daß jedes Ding zu seiner Wirklichkeit kommt?
Aber nicht jede Wirklichkeit ist gut. Wenn sie böse ist und in
uns wächst, so werde ich schlecht, und es wäre besser, ich
stürbe, als daß die schlechte Wirklichkeit in mir groß wird».
Kein Entrinnen scheint es für sie zu geben, schon am nächsten Morgen soll sie zurückgeführt werden. Nur ein Spaziergang bleibt ihr noch. Drohend wie ein großes Auge hängt der
Mond im rötlichen Dunst, wie ein unentrinnbarer Tyrann,
der das Wachsen in ihrem Leibe erzwingt. Während sie davor
zurückschauert, macht für ihre Begleiterin Ambrosia das gerade die geheime Bitternis ihres Daseins aus, daß ihr solches
versagt ist. «Sehen Sie, ich kann kein Kind haben; es kommt
keins zu mir. Es gab eine Zeit, wo ich mich davor fürchtete –
aber jetzt schäme ich mich, keine Seele aus der weiten Welt
hat das Vertrauen zu mir — von meiner Seele wünscht keine
andere einen Teil, um sich daraus Freude oder Kraft oder
Trost zu gewinnen, keine kommt zu mir in Erbarmen, um
mich zu segnen» (487). Dies «Wort vom Vertrauen, das die
Seele sucht, und die da kommt, sich zu erbarmen und Erbarmen zu finden», wirkt in Celestine nach (490). Doch nicht zu
einem «Gewese in Zimperlichkeit» führt es sie, sondern bestärkt sie nur in der Überzeugung, dem Kinde das Jammerdasein ersparen zu müssen. Da Ambrosia sie hinderte, sich
vom Abhang herabzustürzen, entwischt sie ihr jäh im Abend-
dämmer. Nun dehnt sich Freiheit vor ihr und von fern hallt,
«halbblau mit zitternder Stimme» ihr Ruf: «Sie kommt, sie ist
da, da ist die gute Zeit; die leichte, gute Zeit ist da!» Worin
besteht diese denn? Nicht im Negativen, im Aufhören des
Schlechten, wie Syros es nur zu fassen vermag (476); den
positiven Inhalt erkennt Celestine im sechsten Bild. Vorher

glaubte sie, «in der bösen Zeit zu sein und mit ihr bis an den bösen Tag zu kommen». Nun aber fühlt sie sich frei und glücklich, «der selbst zu sein, der sich Gutes schafft; alle Angst ist dahin ... Alles und alles ist gut und reine Güte, wenn ich gut bin, und alles ist gut und reine Güte, wenn keine Angst das Böse ruft» (493). Diese Erkenntnis unterstreicht der Dichter dadurch, daß er sie in einem unmittelbar folgenden Auftritt durch Syros noch einmal aussprechen läßt: «daß wir unserer Zeit mächtig sind ... und gleich wie die Mutter ihr Kind, die gute Zeit und die andere, die böse, in uns schaffen, zu unserer eigenen Notwendigkeit» (494). Die Beseitigung des werdenden Kindes vermag also nicht die gute Zeit zu schaffen. Das siebente Bild, welches die vergebliche Suche in der Dunkelheit nach der Entflohenen bringt, läßt diese aus ihrem Versteck die blasierten Äußerungen Korniloffs zu Ambrosia mitanhören über den zu erwartenden wurmstichigen Sproß; es trifft sie der Ausspruch, daß als Parallele zu dem Bibelwort von den Sündern der Väter es auch heißen müßte: «Die verfluchte und sündhafte Unschuld der Mütter wird an den Kindern heimgesucht» (503). Den positiven Ausweg aber, wie die gute Zeit durch Celestine zu verwirklichen ist, sehen wir bald sich öffnen. Syros ist nämlich in eine Nebenhandlung verflochten. Celestine, zwischen Wachholderbüschen verborgen, wird Zeuge von zwei Szenen des Alten mit seinen beiden Söhnen. Der eine zwingt ihn, an seiner Stelle nach altem barbarischen Brauch das Neugeborene auszusetzen, weil dafür weder Lebensraum noch Nahrung im ärmlichen Gebirglerdasein vorhanden ist. Der andere will ihn dazu bewegen, anstelle seines Enkels, Vaphio, den Kreuzestod zu leiden, weil er der schuldige Urheber ihres schlimmer als hündischen Daseins wäre (498). Die ganze Not des Menschseins und der fortzeugenden Gewalt der bösen Zeit ergreift potenziert Celestine; sie erschauert unter dem Gefühl, daß die Zeit sich erfüllen will: «Eine Stille starrt, Erwartung hebt den Lauf der Dinge auf, – die Welt will ein Wort» (495). Allmählich beginnt diese Ahnung Gestalt zu bekommen: «Und wißt, es ist ein Wort in Gestalt eines Kreuzes, das vor meinen Augen steht. Und wißt, es hängt am Kreuz mit ausgebreiteten Ar-

men der, den die Sterne aus ihrem unzähligen Gewimmel bestimmt haben. Aber ich erkenne nicht, wer es ist und sein
wird» (499). Syros will es nicht sein, er verspürt kein Schuldgefühl mehr; doch Celestine kennt die Lösung: «Das Leid ist
es, das aufwächst in der bösen und gerät zur Herrlichkeit in
der guten Zeit». Verstärkt treten diese Motive noch einmal
im achten Bild auf. Sybille, deren geiles Verlangen in der
Nebenhandlung vergeblich das große Erlebnis sich zu schaffen versucht hatte, stürzt flüchtend zu Celestine; sie ist von
panischem Schrecken vor der Grausamkeit des Lebens ge-
schüttelt. In sinnloser Angst ist sie hinweggeeilt, statt das ausgesetzte Kind, welches der Wolf im Maul trug und fallen ließ,
aufzuheben und zu retten: «aber ich will kein Leben bewahren, ich kann nicht hilfreich sein, will nicht gehorchen, wenn
alle Zustimmung in mir schweigt» (505). Auch Celestine
vermochte nicht, die Aussetzung des Kindes zu verhindern;
auch in ihr herrscht dieses Nein gegen ein Sollen, das sie
nicht wollen kann. «Tod ist in mir, Kind. Dieses Leben ist
verurteilt – ist in Verirrung und Verlorenheit abgetan, unge-
rufen, herangescheucht zu Hoffnungslosigkeit» (505). Als
nun ein Mann den Kreuzesstamm an ihnen vorbeiträgt zum
Berggipfel, da weiß sie, daß es dieses war, das sie schaute,
und küßt es. Auch berichtet der Mann von seiner Begegnung mit einem der alten Wildgötter, der das ausgesetzte Kind
in die Kluft zu den andern warf und zerschmetterte. So siegte
die brutale Auslese des ungebändigten Lebens, bei der «die
Geborenen in edlen Tagen überdauern», denn die in Elend
Geborenen werden für Ihre Erhaltung keinen Dank wissen
(507). Der weithin schallende Ruf des Davonstürmenden
«Recht auf dem wilden Gebirge macht rein von Schuld und
Schande» wird für Celestine zum Leitmotiv und bestimmt
ihre entscheidende Tat. Sie tritt im zehnten Bilde ein für den
zum Tode bestimmten Vaphio. Er will nicht sterben, weil er
sich nicht schuldig fühlt. Hat er doch den Gegner im ehrli-
chen Kampf überwunden, er leidet nicht unter dem Erbfluch
der Verelendung. Er hat überragende Kraft und Siegfrieds-
mut, er dankt seinen Eltern das Leben und fühlt sich in der
guten Zeit beheimatet. Hier ist die Stelle, wo Celestines Da-

sein sich vollendet und sie eingeht in die gute Zeit. Für solchen Jüngling lohnt es, stellvertretend den Tod zu erleiden. In ihm ist die gute Zeit wirklich, außen wie innen; statt dessen ist es «recht, daß sie sterben, die am Sein ihrer Söhne ohne Kraft und Gesundheit schuldig sind» (515); «der Tod am Kreuze sühnt die Schuld». Aber er wirkt außer diesem Negativen vor allem auch das heilbringende Positive. Sie hilft nun doch der wahren guten Zeit ins Leben und vollendet damit sich selbst. Das Gute, das zunächst nur als Sehnsucht und schließlich als Wille in ihr wohnte, bewahrheitet sich in der Tat, wird Wirklichkeit. So bedeutet ihr Opfertod am Kreuz die Geburt aus dem Geist, ihr Tod wirkt fortzeugendes Leben, Wachsen der guten Zeit.

6. «DER FINDLING»

In dem Schicksal Celestines verband sich die Not der Einzelseele, die ihr Wesen verwirklichen will, mit dem allgemeinen Suchen der Zeit. Massenelend und Massensehnsucht nach Erlösung füllt den Inhalt des 1922 erschienenen Werkes «Der Findling». Es hat seinen Namen von einem elenden verkrüppelten Kinde, das von einem Flüchtlingspaar liegen gelassen wird. (1. Teil, 1. Auftritt). Flüchtlinge sind es, die geschimpft und geschlagen, ausgehungert und krank mit einem unerwünschten Sprößling umherirren unter beißendem Sturm und strömendem Regen durch aufgeweichten Lehmboden. Des roten Kaisers Schreckensregiment scheucht sie vor sich her. «Sein Segen zersägt uns, sein Brägen verbrennt uns, sein Hegen macht Unbehagen, sein Zahn kaut uns klein, er frißt uns auf, er schluckt uns über: Kaiserkot ist unser Sein.» Es ist offenbar das Schreckensregime des russischen Kommunismus in der roten Glorie seines Blutrausches, das hier vorschwebt. Hinter des Steinklopfers Windschirm hatten sie Platz gesucht. Da dieser ausholte, den Mann zu erschlagen, fliehen sie und lassen das Wurm in den Lumpen dort liegen. Plötzlich steht da ein Mann an einem Stück Brot schmatzend. Der rote Kaiser ist's selbst, der mit seiner schiefen Schulter alles auseinanderschiebt. Nun bittet er um Rast hinter dem Schirm: «Morgen und Abend, Tag und Nacht, durcheinandergedacht,

weggewacht, haben mich müde gemacht. Geschlafen, eh' ich
weiter kam.» Der Steinklopfer erschlägt ihn und verbirgt ihn
unter einem Steinhaufen, froh des Wildbrets für die kanniba-
lische Mahlzeit. Flüchtendes Volk bricht herein und drängt
sich in den Schutz des Schirmes, ihnen werden Erlasse des
roten Kaisers mitgeteilt, die wie Hohn klingen in dieser entsetzlichen Not voll Hunger und Elend: «Wir alle werden täglich angeklagt, / Der Menschenfraß wird allen nachgesagt, /
Wir alle leben von der Menschenjagd», – «Gott ist im Menschen, und wer Menschen frißt, frißt Gott. / Euch wird nach
mir der Heiland geboren. / Schafft euren Heiland, Weiber,
zur Welt!» Aber der Steinklopfer hat die rechte Antwort auf
diese gotteslästerliche Utopie: Ja, nach dem roten Kaiser wird
der Heiland kommen, seht dort das Heilandskind, die Geburt
der Zeit. Schaudernd weichen die armen Hungernden davor
zurück. «Der Schreck der Zeit hat es im Schlamm geheckt, /
Die Angst hat sich diese Gestalt zurechtgebogen, / Die Sorge
hat sich solchen Sohn aus dem Bauch gezogen». Der Prophet
deutet es recht «aller Weltsohn schlecht und recht und echt, /
Euer aller Kind und Kindeskind, / Euer aller Schuld, Euer
aller Schande, / Euer aller aufgedeckter Schaden, / Wenn es
nur nicht ihr selber wärt, / In einem Knäul und Greul von
Offenbarung». Er zieht daraus die Mahnung: «Erstickt seine
Erbärmlichkeit in euch selber, / Biegt den Jammer seiner
Krummheit in euch gerade, / Gesundet selbst von seinem Ge-
würm, / Macht gut an euch, daß euch das Kind nicht gleicht, /
Dann ist das Versehen von tausend Vätern, / Und die Pfu-
scherei von tausend Müttern vergessen». Aber das Volk denkt
nur an seinen Hunger und stürmt davon, als der Steinklopfer
ihnen im fernen Dorfe gefüllte Räucherböden vorgaukelt.
Nun hat er Zeit, seine Beute zu vertilgen, fort mit dem Wort
vom Menschenfraß, in den Kessel mit dem roten Kaiser. –

Im Mittelteil des Stückes keucht Mutter Kummer mit ihrer
Tochter Elise zu dem abendlichen Feuer unter dem Kessel
des Steinklopfers. Sie schrecken vor dessen Menschenfresser-
miene zurück, dennoch wagt das Mädchen ihn um Rast zu
bitten, im Vertrauen auf die göttliche Gnade: «Die Güte,
guter Mann, unser aller Erbe, das uns ein Irrtum abgelistet

hat, macht uns mit dir zu gleichen wahren Waisenkinder einer
umgewälzten Welt. Mach bei dir einen Anfang mit der Umkehr, hilf nur die Welt vom tiefen Fall mit einem Fußbänkchen höher heben, halt nur ein wenig guten Willen her, ein
Spänchen, eine Spur Willen wider den Weg ins Wüste».
«Weiß man, ob an meinem Feuer der rechte Punkt des An-
fangs ist, oder beim Findling, um die Welt wieder rückwärts
zu wälzen», entgegnet er und stellt sie auf die Probe. Aber
sie tritt zurück vor der Fratze des Kindes. «Überall ist Gnade
und hier ist ihr Grab, hier ist die Kammer, in die sich Gott
zum Sterben hingelegt hat. Zum Selbstmord in einem wütenden Wahnsinn, er verstümmelt sich vor unseren Augen, er
verunehrt sich vor unseren Augen, er verunehrt sich vor
unseren Ohren – ein Spiel der Fratze, des verzweifelten Gottes ist das Findelkind. Fort, Mutter, höhne freudig Gottes
Graulgestalt». Da treibt er sie zurück in die Nacht. Von der
andern Seite kommen Puppenspieler herbei, Vater und Sohn,
mit der großen Lade des Kasperltheaters auf dem Rücken.
Der Vater drängt sich zum Feuer und schmeichelt sich ein
beim Herrn des Kessels, der ihn mit seinem Fraß labt. Der
Sohn Thomas steht erstarrt, er hat Elise erkannt, die einst
ihm wohlgetan. Zudem hatte es in dem alten Stalle, darin sie
letzthin genächtigt, ihn gepackt: «Die Nacht im Stall war
eine Himmelspforte». Nun begegnet er Elise wieder, der
gnadenreichen, barmherzigen, da wendet er sich ab vom
Puppentand. In einem phantastischen Puppenspiel wird diese
innere Entscheidung symbolisiert. Der Alte führt Kaspar und
den Tod vor, den er davonprügelt: Der Magen siegt bei einem
mit Menschenfraß Gefütterten. Bei Thomas bedrängt der
Teufel den Kaspar und schleppt ihn zur Hölle, doch alle
Qual vermag ihn nicht zu bewegen, die Seele ihm als Lösegeld
abzulassen, er heißt sie am Himmelstor bleiben und betteln.
Fürchterlichen Fluch schickt der Vater auf den ungehorsa-
men Sohn, der um seiner Seele willen eigene Wege einschlägt;
denselben entsetzlichen Spruch schleudert Mutter Kummer
auf die Tochter, weil sie sich zu Thomas bekennt und von
ihr löst: ein Krüppelkind möge ihnen beschieden sein, wie es
dort unter dem Windschirm in Lumpen winselt. Noch aber

ist Elises Qual damit nicht beendet. Was ihrer Mutter Art ist,
wird ihr erst jetzt recht deutlich. Zwei verkommene Lumpen-
gestalten kriechen herbei, Diebitz und Stiebitz; Krücke und
Holzbein haben sie gegenseitig aneinander zerschlagen. An
Mutter Kummer halten sie sich, an sie, die ihr Gut gefressen,
ihrer Kinder Mark gesogen hat; sie hegen und halten sich in
Nacht und Kälte, diese drei, setzen sich zum Menschenfraß;
ach, und auch der Vater Kummer kommt herzu, weiß, daß
er dorthin gehört; klebt doch noch Blut an seinen Kleidern,
in die Banknoten als Polster eingenäht sind. Durch die Qual
dieser Erkenntnis von Unwert und Gemeinheit der Eltern
müssen die zwei Kinder (Thomas und Elise) hindurch: «Wir
müssen wissen, wessen Kinder wir sind, Quellen müssen
fließen, Gnadenwellen sich ergießen – aus dir». Abwehrend
entgegnet Elise: «Puppenspieler dürfen von tausend Jahren
sprechen, deine Worte springen vom Himmel zur Hölle, Puppen spazieren durch spannlange Zeit und Ewigkeit, und ge-
spielte Gecken bringen Gnaden – Fäuste voll getragen, du
bist auch einer von den Gecken mit großen Gütern in der
Hosentasche. Ich Gnadenquelle brauche selbst Gnade um zu
springen – wenn das Meer vertrocknet, müssen die Quellen
verdursten». Weiter mahnt sie: «Thomas der Neue ist ein
Thomas Redegut, er sollte bersten und ein Thomas Tugut
sein – seh sie sitzen, so stehen wir ratlos dabei – sie sind voll
von ekler Erfüllung, wir sind leergelaufene Fässer, unsere
Tüchtigkeit ist taub und unser Wert ist der von weggeworfe-
nen Puppen». «Wie ist unser Wesen verweht und verkrümmt,
du ohne Stimme, die dich reden heißt, ohne Hand, die dich
handeln läßt». Da ergreift der Jüngling die vom Vater fort-
geworfene Puppe der Prinzessin und schiebt seine Hand hinein: «Aber eine Hand wird in uns fahren und eine Stimme
wird uns handeln heißen. Wir werden erfüllt werden wie sie,
die da sitzen, aber nicht mit gefundenem Fressen, nein, mit
geschöpftem Schicksal. Geborsten und neu geboren wie die
Pracht der Prinzessin werden wir sein, / Verworfen und neu
erkoren, / Gestorben und neugestaltet, / Verwest und frisch
gewaltet, / Veraltet, erkaltet und wieder entfaltet werden
wir sein, / Verlöscht und entfacht, vergessen und neu ge-

dacht, / Gekrümmt und wieder gegradet, / Verstoßen und
begnadet.»

Der dritte Teil stellt diese Begnadung dar. Das Volk strömt
wieder zurück, genarrt war es von jener Weisung des Steinklopfers, es stürzt sich gierig auf dessen Kessel. Wie fürchterlich wirkt die Erkennung, was sie gefressen. Aber «grauer
Kummer, wie hast du die Welt befleckt, und unsere Hoffnung, erst krüppelig, ist bösartig geworden, Treu und Glauben verfault und verfummelt – eine Welt, eine Welt! Unser
Liebstes ist darin verpfuscht – spuck aus wie ich, wenn der
Rechte kommt». Doch der feiste Kummer freut sich und um-
armt die Brüder: «Ein Stein, kann ich euch sagen, Freunde,
ist mir vom Herzen gefallen – alle verfault und verpfuscht,
die ganze Welt mit uns vereint, lauter Menschenfresser.
Glaubt mir, ich bin glücklich, mir ist wie gerettet und gebor-
gen, nie war ich so recht selig bis jetzt – was kann uns nun
noch geschehen – spuckt aus, spuckt aus. Keiner ist der
Rechte, keiner ist da.» Während die Menge ratlos und hilflos
durcheinanderwogt, stehen die beiden jungen Leute vor dem
Kind. Es muß sein; wir kennen dieses Muß aus den vorange-
gangenen Stücken, es ist die innerste Stimme im Menschen,
Gottes Wille. «Es muß sein, Thomas. Auf dieses Kindes
grausame Gestalt lege ich die Hände gleichwie auf die wehste
Wunde der Welt. Wir müssen der schwersten Not die erste
Hilfe bringen. Er soll unser erster Sohn heißen. Es muß sein,
Thomas – Thomas, soll es sein?» Sie hebt es auf und zeigt
dem Volk ein verwandeltes, lächelndes, schönes Kind; nun
ist sie eine Gottesmutter geworden. «Unser aller Kind und
Kindeskind» strahlt dem Sünder in der Dunkelheit, «mit
Leuchten ist sein Leib geweiht». Zu diesem Wunder der
Gnade hebt die Herde der verkommenen und bekümmerten
Flüchtlinge die Hände empor. Der Steinklopfer hat die Welt-
wende vernommen. «Sie wälzt sich, sie wälzt, sie dreht sich,
sie steht, sie geht langsam leise voran – und seht, als wir alle
um uns staunten und unsere Nasen sich in die frische Richtung reckten, da, da löste sich leicht ein Wesen aus dem Unwesen, seht, da wurde Böses gut, seht, da hat sich Leere voll
gemacht, da ist krank gesund geworden, seht!» Das Reich

der schenkenden Güte hat Brauch und Gebot gegenseitig sich
zerfleischenden Kampfes, des Menschenfraßes überwunden.
   Der Menschen Tierheit, der Zeiten Wirrnis löst sich, wenn
Gottes Gnade einströmt in das Herz, daß aufsprudelt aus ihm
der heilende Quell erbarmender Güte. So weitet sich die Le-
bensauffassung zur Weltanschauung, und künstlerisch greift
der Dichter deshalb von der Zeichnung des Einzelschicksals
zur Gestaltung des Massenelends, ihrer körperlichen und seelischen Not. Aus seinem religösen Grunderlebnis aber weiß
er eine Antwort zu bieten: Kein vages Phantasma, ästhetischen Stimmungsrausch, keine intellektuelle Konstruktion
einer Gesellschaftsutopie, sondern lebendig wirkende Tat-
handlung des Menschen aus liebewarmem Herzen.
   Dies Stück ist das einzige, das Barlach gleich bei der Niederschrift mit Zeichnungen versah. So entstand ein einheitliches Ganzes, das auch beim Druck durch die Abstimmung
von Schriftbild und Holzschnitt gewahrt wurde. Auf die einfache Ausgabe von 1922 folgte eine Sonderausgabe im gleichen Jahr, deren Blätter vom Künstler signiert waren. Barlach hat an dem Werk besonders gehangen, es «war einst seine
große Hoffnung» und schmerzlich berührte ihn das man-
gelnde Echo «dieses gewissermaßen unter den Tisch gefallenen . . . liebsten meiner Stücke» (17. 11. 36). Wichtig ist auch,
daß es «Buchstabe für Buchstabe in der hiesigen Landschaft
zusammengebaut» sei. Es ist aber nicht nur äußerlich, mehr
noch innerlich aus tiefster Seele aufgestiegen. Zur Zeit der
ersten Niederschrift schreibt er an Piper (14. 4. 19): «Nein,
ich gehöre nicht unter die Massen und fühle doch eine Art
Apostelzuneigung zur Allgewöhnlichkeit als einem mystischen Boden, aus dem plötzlich das Wunder ausbricht und
der mit Wunderblümchen und Blüten im Verborgenen und
ahnungslos übersät ist». Man erinnere sich auch an die ergreifende Zeichnung ‚Evakuierung', die als Lithographie 1915
erschien. Hier wurde aus tiefstem Mitleiden gestaltet, das
dann im Drama sich vertiefte durch den geistigen Gehalt.
Barlach hatte Recht, es noch 10 Jahre später «als unbändig
aktuell» zu empfinden, und das könnte man auch heute noch
sagen. Aber so ergreifend die Lektüre auch wirkt, für die

Realisierung auf der Bühne ergeben sich bedeutende Schwierigkeiten. So blieb es bisher bei dem einzigen Versuch, den man am 21. April 1928 in Königsberg machte und von dem die Theaterwelt keine Notiz nahm. Desto stärker beachtet wurde das nächste Drama, die «Sündflut».

7. «DIE SÜNDFLUT»

Das Manuskript wurde am 28. März 1923 abgeschlossen, der Druck erfolgte im Frühjahr des folgenden Jahres und die Uraufführung bereits am 27. September 1924 in Stuttgart. Im Frühjahr 1925 wagte sich Berlin daran, es blieb bei der einen Aufführung; im Herbst 1927 rangen drei Bühnen um die Verkörperung: Köln, Frankfurt am Main und Rostock, wo es wenigstens viermal (30. Januar 28 zum letzten Mal) gegeben wurde. «Alles ohne Nachhaltigkeit», wie der Dichter resigniert konstatiert (27. 12. 27). Auch in Stuttgart gab es nur einen «Achtungserfolg», obwohl einzelne persönlich einen Hauch des Großen verspürten. Der Grund lag wohl nicht so sehr darin, wie Barlach meinte: «Die Leute fühlen sich durch die Zumutung an soviel Denkerei beleidigt». Vielmehr trug die Art der Inszenierung die meiste Schuld. Zugegeben, sie ist schwer, sogar recht schwierig und man begnügte sich damit, sie mit den gerade gängigen Mitteln zu «bewältigen». Da das Stück bis heute das meist umworbene Drama Barlachs blieb, könnte man den Reigen der Stilmoden an seiner Darstellung demonstrieren. Barlach selbst war entsetzt. «Welcher Teufel reitet die Theaterleiter, daß sie aus meinen Dramen nur Oratorien und Mysterien machen wollen, statt unterhaltende Stücke! Es ist ein Berg Humor in der Sündflut, sollte ich denken, aber er wird zum Maulwurfshaufen gemacht. Dann dieses Dogma von ‚Barlachscher Plastik'! Die Leute werden in Säcke gesteckt und zu Vogelscheuchen verkleidet. Man sieht nirgends langweiligere Bühnenbilder als bei meinen Stücken» (27. 12. 27). Schon mit Stuttgart war er unzufrieden auf Grund der übersandten Bühnenbilder (18. 10. 24). «Da stehen denn zwischen expressionistischen Stilisierungen ganz natürliche Menschen und ahnen offenbar nicht, wie schlecht sie dahin gehören. Noah sieht mehr aus wie King

Lear, Kalan könnte besser als Japhet gelten, der Bettler hat ersichtlich den überlieferten Tatterich von verflossenen Jahrtausenden. Mir wird nicht wohl, wenn ich die Bilder ansehe und wundere mich, wozu ich die ganze Bande gezeichnet habe.» Diese Zeichnungen sind glücklicherweise erhalten. Diesmal gibt er auch eine Beschreibung, wie er sich den Noah gedacht, richtiger wie er ihn vor sich gesehen hatte, leider die einzige Beschreibung neben den Figurinen. Er hatte ihn «gedacht als leicht bequem gewordenen Großgrundherrn mit einem kaum fühlbaren Bäuchlein, ging am Stock und hatte so seine kleine Schwäche – ein wenig gnädig bei aller Menschenfreundlichkeit und so weiter – aber nun frage ich, was sollen so spezialisierte Individuen zwischen expressionistischen Einseitigkeiten – es sah aus wie auch die Sedemunds aussahen, wie ein Bild vom ‚Toten Tag' in der Woche und wie Jeßner sicher den Findling machen wird: eine Grabesdunkelheit, eine Gruftstimmung, zum Brechen langweilig» (18. 10. 24). Das Scheitern verschuldete überall der gleiche Grundfehler: Das Einzwängen in ein statisches Formschema, das man wohl als monumental und als adäquat einem Plastiker erachtete, wozu die Schauspieler dann auch noch zu Statuen versteinert wurden. Dagegen ist gerade das Dynamische als stilgebend angemessen, und wenn nirgends so hier als entscheidend deutlich. Das zeigt sich in der tragenden Antithetik der Hauptfiguren, zumal von Calan gegen Noah, darüber hinaus zwischen Calan und Gott, ja Gottes zu den Menschen überhaupt. In all den vorigen Stücken war ja schon die Spannung Mensch zu Gott die eigentlich treibende Kraft. Hier nun wird sie abgewandelt, vertieft und verstärkt. Da geht es direkt um die Begegnung Gottes mit den Menschen. Aus dieser Akzentuierung des Themas ergibt sich der Bau der Akte. Mit Ausnahme des letzten nämlich enthalten die ersten vier stets als Einleitungsszene das Auftreten Gottes in menschlicher Gestalt, den Engel auf seiner Erdenwanderung erkennen und grüßen. Enttäuschung und Zorn über die frevelhaft entartete Menschheit gibt das Leitmotiv und bereitet zugleich die hereinbrechende Strafflut vor.

Als Reisender betritt Gott im ersten Akt die Bühne voll

Entrüstung und sendet Engel, daß sie den Einen vorbereiten
auf seine Ankunft: Noah, sein Kind und Knecht, ihn, der
allein wert sei, Gottes Geschöpf zu heißen, weil er ist, wie er
sein soll, weil er denkt, was der Herr ihm verleiht, weil er
will, was Gott will. Der Mensch aber, der dem Herrn sogleich
begegnet, ist Calan, der Mächtige, Eigenwillige. Er betet
nicht, sondern spricht mit sich selbst; er herrscht blutig als
Einziger durch sein Schwert; er steht auf sich selbst, besitzt
den «Mut und den herrlichen Sinn, der nicht schwankt in der
Not, Augen, die Blut zu sehen nicht blendet, Ohren, in die
kein Grausen eingeht, wenn blutende Kinder schreien». Voll
Überhebung schiebt er seine wütige Art auf Gott, der ihn so
geschaffen und gewollt; doch dieser lehnt ihn als fehlgeraten
ab. Und gar wie Noah ihm dienen, ist das nicht schlauer Han-
del; oder gar ihn lieben? «Lieben – liebt er mich? Ich ver-
traue, er hat meine Liebe und mein Gebet nicht nötig und
gibt mir nicht darum Gedeihen, weil ich ihm zu Willen bin.
Kann ich mich zu ihm erheben, der erhaben ist, da ich es
nicht bin? Wenn er ist, so weiß er nicht von mir und ich gönne
ihm seine Gebiete, nur soll er mich in meiner Wüste und meinen Zelten für mich leben lassen.» Seine Forderung, als Sohn
Gottes auch von des Vaters Art sein zu müssen, frei und willkürlich alles beherrschend, wird durch die Schickung widerlegt. Denn seine eben geraubten Herden werden durch einen
Hornissenschwarm zur Raserei gebracht, Tiere und Hirten
versprengt; nur der treueste Diener blieb zurück, um die
Schreckensbotschaft zu melden. Der aber hält zu Calan nicht
aus Lohn und Furcht, sondern aus Liebe; also wie Noah zum
Herrn. Diese Gegenbeweise bleiben nicht ganz unwirksam,
so daß Calan wenigstens ein Gelübde, besser eine Wette eingeht. Er will die schöne geraubte Tochter des Gebirges Noah
schenken, falls ihm seine Herden wieder von Gott in die
Hände gelegt werden. So geht die Handlung nun beim Patriarchen weiter. Einleitend wird uns sein frommes Empfinden
vorgeführt, das Gott mit schönem Opfertier danken will,
während die drei Söhne geizig davon abhandeln wollen. Auch
sind sie unzufrieden, da Noah sich weigert, ihnen Frauen von
gottlosen Nachbarn zu gewähren. Aber diese ihrerseits sind

dem Patriarchen nicht weniger abgeneigt, stehen ihm nach
dem Leben. Mit Schwertern unter den Kleidern nahen ihrer
drei, ihn zu zwingen, aus den fruchtbaren Ebenen zu weichen
zusamt seinen sich ständig mehrenden Herden; denn ein dürrer Sommer kündigt sich an. Nur ein Zufall bewahrt Noah
vor dem Tode, nämlich der Sohn holt den Vater zum inzwischen bereiteten Opfer. Er folgt weinend, nicht weil die
Feinde ihm all sein Vieh abgenommen, sondern weil auch
seine Knechte erschlagen wurden. Doch auch diesen Schlag
hat Gott schon pariert. Calan nämlich, der nun erscheint, hat
eingegriffen und ihnen alles wieder abgenommen. Er stellt
Noah sein Eigentum zurück und mehr noch, die schöne, edle
Sklavin bringt er ihm; ein Opfer bedeutet Calan die Gabe,
denn «sie ist gut und gut bei ihr zu wohnen», die Wette gegen Gott hat er verloren; er zahlt den Preis. Wer aber hat
hier geholfen, Calans Macht und Hilfe und der Zufall, der
ihm den Plan der bösen Nachbarn verriet, oder aber Gott
und seine Fügung? Einen Platz neben dem Herrn, ja, diesen
Platz selbst ihm, dem Kraftvollen, einzuräumen, will Calan
den Frommen verführen: «Du hast keine Lasten davon zu
den alten: keinen Dienst, kein Opfer, keine Dankbarkeit. Bin
ich nur ein geringer Gott, so hast du Ohren, mein Wort zu
hören, hast Augen, was das beste ist, als Zeugen dafür, daß
ich bin. Sieh, Noah, für Ansprüche, die du wohl machst, bin
ich so gut wie er.» «Keine Dienste, Noah, keine Knechtschaft
und nicht mal Gehorsam – frei sollst du sein vor mir, nicht
unfrei wie vor ihm.»

Die Hauptszene des zweiten Aktes knüpft an diese Versuchung an. Calan will Noah zum Gebet um Regen bewegen,
und ein Menschopfer zu bringen. Weit weist Noah solch Tun
von sich, denn der «Mensch ist kein Ding», Gott verabscheut
und straft solchen Mord. Um zu zeigen, daß er «gottmächtig»
sei, läßt Calan einem gefangenen Hirten die Hände abschlagen und sie an einen Pfosten nageln. Gott hat nicht die Freveltat gehindert, also ist er ohnmächtig und mußte es zulassen,
oder vielleicht freut er sich gar bösartig dieses Wehgewinsels?
«Denn es schreien viele, ohne daß er ihr Schreien in Gnade
ersäuft». Was muß das für ein lächerliches Wesen sein, die-

ser Gott des Noah, sieht er nicht aus wie der bucklige Aussätzige, der dort über den Weg springt. Er läßt ihn von seinem Knecht fangen und in einen Sack stecken. – Wie aber
Gott aussieht, das zeigt sich sogleich: Ein Bettler tritt auf;
wie der Anfang des Aktes uns belehrte, hat der Herr heut diese
Gestalt gewählt. Noah erkennt in dem Greisen die Züge seines längst verstorbenen Vaters; tut ihm alle Liebe trotz Calans Spott. Nach langem Zaudern verspricht Noah auch einen
letzten Wunsch ihm zu erfüllen, all seine Habe, Hof und Herden aufzugeben und mit den Söhnen ins Gebirge zu wandern
und dort die Arche zu bauen. Denn jeder Tropfen unschuldig
vergossenen Blutes wird eine Welle herbeirufen, jeder Seufzer
einen Orkan entfesseln; Gott reut es, daß er Menschen gemacht hat. Lächelnd trumpft Calan auf, ein Zweikampf soll
es sein zwischen seinem und Noahs Gott. Zu sehen aber vermag Noah den Herrn nicht. Nur Awah wird entrückt, «die
Welt ist winziger als Nichts und Gott ist alles – ich sehe nichts
als Gott. – Gott ist die große Stille». Ihr allein ward diese
Gnade von den Engeln geschenkt als Dank, weil sie ihnen die
Füße gewaschen, während Noah mit seiner Geschäftigkeit
und den vielen Anordnungen die Zeit ungenützt verstreichen
ließ.

Aber die Menschen verhalten sich im dritten Akt gegen den
göttlichen Bettler nicht nur blind und taub, sondern plagen
und verfolgen ihn; selbst der bucklige Aussätzige prügelt ihn
und flucht Gott wegen seines Elends: «Verflucht ist der Gott,
der die Guten gut und die Bösen bös gemacht hat». «Ich –
ich habe Ekel vor ihm – nicht vor mir, wie ich sonst dachte –
vor ihm, der an mir schuld ist». Allein Noah war gehorsam,
hat allen Reichtum verlassen und arbeitet mit den Söhnen an
der Arche hoch oben im Gebirge. Seine Söhne dagegen sind
nicht mit dem Herzen dabei. Nur Awah und Sem haben Gott
lieb; doch nicht der Begnadung Überfluß wird ihm geschenkt
wie ihr; nicht sieht Sem wie sein Vater Gott überall und Gott
sei auch nicht alles. «Er verbirgt sich hinter allem, und in allem sind schmale Spalten, durch die er scheint, scheint und
blitzt. Ganz dünne, feine Spalten, so dünn, daß man sie nie
wiederfindet, wenn man nur einmal den Kopf wendet». Drei

verschiedene Arten Frömmigkeit spiegeln sich in diesen drei
Menschen, und Awah wird der Unterschied ihrer religiösen
Überzeugung noch deutlicher, als Noah lieblos mit einer
Stange den Aussätzigen und den Hirten forttreibt. Denn dessen Verstümmelung kann nimmermehr des Höchsten Werk
sein, auch nicht die Strafe für Gottlosigkeit, wie Noah will.
Nein, ist es nicht Noahs Schuld, wie der Aussätzige es ihm
entgegenschreit, auf den Hirten zeigend: «Er ist Gottes Kind
und du hast es nicht gehindert, daß Calan ihn schlug. Er wird
dich bei Gott verklagen, wird sagen: er hat es nicht gehindert –
Noah heißt der Mann, Noah, der Gottes Knecht ist». Ach,
Noah erweist sich als schwach; wie er Awah verschenkte, Japhet zur Frau, um des geliebten Friedens willen, so scheidet
er sie jetzt, weil der Sohn ihrer überdrüssig geworden.

Im vierten Akt sehen wir Noah auf der Wanderung hinab
zu Calan. Selbst Gott, der ihm unerkannt als Reisender begegnet, vermag ihn nicht davon abzuhalten, für seinen unzu-
friedenen Sohn Japhet die dicke Zebid als Frau zu holen. Dies
Urbild dirnenhafter Fleischeslust verschafft ihm Calans Gewalt von seinen gottlosen Nachbarn. Doch dessen Plan, die
Arche bei steigender Flut von seinen Knechten anzünden zu
lassen, wird vereitelt; denn vor dem Berg spaltete sich die Erde
und die hervorbrechenden Fluten haben alles, Tier und
Mensch, vernichtet. Nur der eine Trost bleibt ihm, daß durch
den eigenen Willen, durch ihre Eigenwilligkeit, sie sich das
Weib als Gebärerin des Bösen und Unruhestifterin in die Arche geholt: Zebid, der allerdings die andere entgegensteht,
Awah, die reine Magd, «ein Samenkorn, vom Wind aus den
seligen Bereichen in die verfluchten Bereiche geweht. Keim
der Freiheit, Keim der Freude». Rings peitscht die wogende
Flut schon die Flanken des Berges. Chus, der Diener, den
Calan wie einen Sohn liebt, erbittet von ihm den Tod in dem
fürchterlichen Schweigen. Zebid und Japhet laden den Feind
in die Arche; sofort gewinnt er natürlich die Oberhand, wird
ihr Tyrann, er statt Gottes droht zu siegen und zu herrschen.
Angstvoll wagen die Söhne sich nicht gegen sein Schwert.
Doch als der Aussätzige, außer sich vor Grauen über die sich
heranwälzenden Scharen von Leichen, krampfhaft an Calan

sich klammert, da werfen Sem und Ham Stricke um die beiden, umschnüren sie. Die zwei Flucher, zum wüsten Paar geeint, wälzen sich am Boden. Keiner wagt sie zu töten. Gottes ist die Rache und grausig vollzieht sie sich. Denn dem Hirten, der herbeischleicht in der Dunkelheit, hatte Calan ja die Hände abschlagen lassen, die jetzt die Bande hätten lösen können. Der giftige Geifer des Aussätzigen beizt Calans Augen. Schlimmer noch, all das nagende Getier wimmelt zum Gipfel und nagt an dem Wehrlosen: Fürchterliche Vergeltung! «Ich schmecke, was durch mich geschah, mir geschieht recht», gesteht Calan, aber der rächende Gott ist doch nicht der Rechte. Damit beginnt die große Erkenntnis in Calan, die sich im grandiosen Zwiegespräch mit Noah, der letzten Szene des Dramas, vollendet. Der Patriarch will den draußen Liegengebliebenen mit Wasser und Brot laben; aber er findet nur einen kaum menschenähnlichen Klumpen im Schlamm. Entsetzt weicht er zurück, er kann diesen Anblick von Gottes Gewalt und Gericht nicht ertragen. Aber Calan sieht Gott – mit seinen ausgenagten Augenhöhlen. Dem Vertrauen Noahs in den väterlich helfenden, mächtigen Herrscher der Welt setzt er den Gestaltlosen entgegen: «und Glut ist Gott, ein glimmendes Fünkchen und alles entstürzt ihm und alles kehrt in den Abgrund seiner Glut zurück». Wandlung ist das Leben der Welt, wie auch sein geistiges Leben sich durch Wandlung jetzt entfaltet, während der sich gleichbleibende fromme Noah nur den unwandelbaren Jehovah von Ewigkeit zu Ewigkeit anbetet. Sein grausiger Todeskampf wird Calan Weg zu Gott: «Auch ich, auch ich fahre dahin, woraus ich hervorgestürzt, auch an mir wächst Gott und wandelt sich weiter mit mir zu Neuem – wie schön ist es, Noah, daß auch ich keine Gestalt mehr bin und nur noch Glut und Abgrund in Gott – schon sinke ich ihm zu – Er ist ich geworden und ich Er – Er mit meiner Niedrigkeit, ich mit seiner Herrlichkeit – ein einziges Eins».

Von Akt zu Akt werden wir mit ständiger Steigerung und Vertiefung zu diesem grandiosen Ende geführt. Tief erschüttert uns das Geschehen und wir spüren, daß es aus aufgewühlter Ergriffenheit aufstieg. Das sind keine tastenden Andeutungen eines bloßen ‚Gottsuchers‘, nein gültige Aussagen eines Wissenden, tief Überzeugten. Barlach steht zu diesem seinem direktesten Bekenntnis und erläutert es. Er betont: «Calans ‚Nihilismus‘ ist für mich keiner ... Calan ahnt den Gott, der keine Gestalt mehr hat. Das erlöst ihn von sich selbst, dem Selbst, das bis zum äußersten seiner Möglichkeit gekommen ist, so reif geworden, Teil einer höheren Gemeinschaft zu werden. Damit ist der Mensch vernichtet als Ding für sich ... so ist er erlöst ... von dem Leiden an sich selbst» (4. 2. 30). Aber, so sagte er ein andermal (27. 3. 25), «es ist nicht leicht zu erkennen, daß ein leibliches und äußeres Untergehen ein inneres Triumphieren sein kann und daß der Gesegnete und Gerettete nicht der Größte zu sein braucht». So gestaltet er den Noah mit freundlich verstehendem Humor, mitunter fast wie einem mecklenburgischen Grundbesitzer voll selbstgerechter Kirchlichkeit. «Die Noahs brauchen einen Gottvater Jehovah, der ihr Geschöpf ebenso ist wie sie seins. Ein Stück Wahrheit und immerhin eine großartige Gestalt» (4. 2. 30). Ergänzend schreibt er Pastor Schwarzkopff (3. 12. 32): «In meiner Sündflut habe ich dem Bibelgott ja wohl nach Vermögen das Letzte an Größe gegeben (ich weiß: «gegeben» ist eine Art Lästerung), aber es ist vor meinem Gewissen doch der Gott, wie ihn die Menschen als das Erhabenste zu sehen vermögen, weil sie sehen, sich vergegenwärtigen müssen, den sie so und nicht anders zu erkennen vermeinen». Diese Gebundenheit unseres Anschauungs- und Vorstellungsvermögens an das Sinnliche muß ergänzt werden durch unsere Ahnung von dem ganz Anderen, Größeren, einer «unvorstellbaren Göttlichkeit». Dazu gehört auch die Ergänzung des Statischen durch das Dynamische, des Seins durch das Werden, wozu wohl auch die Antithetik von gut und böse gehört.

Selbst das Bühnenbild wandelt sich aus der ruhig weiten Landschaft zu Unruhe und Bewegung bei der andringenden Flut.

Fürwahr, die «Sündflut» gehört zu den wirklich großen Dramen unserer Literatur. In der markanten Geschlossenheit der Form ist sie Barlachs vollendetste Leistung. Sie verdient immer von neuem von der Bühne umworben zu werden.

NEUNTES KAPITEL

Der Graf von Ratzeburg

Ein nachgelassenes Drama erschien erst 1951 als Liebhaber-
ausgabe und ist mit Recht in die Gesamtausgabe der Dramen (1956) aufgenommen. Es wurde zunächst unter dem
Arbeitstitel «der tolle Graf» entworfen, und zwar 1927 vom
Anfang des Jahres bis zum 15. Mai. Es ist also dasselbe Jahr,
in dem Barlach am «Selbsterzählten Leben» schrieb und ihm
seine Jugenderinnerungen an Ratzeburg naherückten. Es blieb
dann liegen. Resigniert berichtet er an Karl (2. 7. 30): «Drei
Dramen, davon eins annähernd fertig, verwandeln sich in immer nebelhaftere Vorstellungen von etwas mit Ernst und
heißem Willen zusammengetragen; es ist aussichtslos, dergleichen festzuhalten, es will mit schwellender Seele geformt
werden oder gar nicht». Doch blieb es nicht bei solchen
Flauten. «Manchmal krame ich in den alten Blättern, Dra-
menentwürfen, sichte sie, suche ihnen, wenn auch nur den
Entwürfen ,festere Form' zu geben.» So war es auch mit dem
«Grafen von Ratzeburg». Unter diesem Titel machte mich
Barlach 1934 damit bekannt, als wir einst abends in der Ecke
des halbdunklen Ateliers saßen. Er arbeitete darauf 1934/35
wieder etwas daran. Zeitweilig hatte ich das Heft, wie üblich,
ein Diarium mit schwarzem Wachstuchdeckel unter meinen
Kollegheften stehen, um es vor befürchteten Durchsuchungen
zu sichern. Einmal noch wurde 1937 daran geschrieben.
Wenn das Vorhandene die endgültige Fassung auch nicht er-
reichte, mit allerhand Wucherungen belastet ist, so bietet es
doch vom Menschlichen her soviel Bedeutendes und hat dich-
terisch so ergreifende Partien, daß es volle Aufmerksamkeit
fordern darf.

Rein zeitlich gesehen, wurde allerdings die Arbeit am «Grafen» verdrängt durch Ausarbeitung und Abschluß der «Guten
Zeit». Insofern besteht auch eine innere Berührung, daß das
Motiv der Verpflichtung dem Kinde gegenüber wieder verwendet wird. Hier geht es Barlach, eigener Erfahrung nahe
bleibend, um Vater (Graf) und unehelichen Sohn (Wolf), der
sich selbst überlassen innerlich und äußerlich verkommt.
Aber das liefert nicht das Thema des Stückes, es ist keine

Vater-Sohn-Tragödie gemeint. Graf Heinrich ist die beherrschende Figur und sein Schicksal ersteht vor uns in zehn Bildern als «Wegemarken des Geschehens». Das billige Schlagwort vom ‚Gottsucher‘ müssen wir von vornherein sorgsam fernhalten, um nicht in falscher Perspektive alles schief zu sehen und zu deuten. So wenig wie Barlach selbst, ist der Graf so gezeichnet, sondern seinem Schöpfer entsprechend ein Wandernder. Mahnend heißt es ja schon im «Toten Tag»: «ein Weg braucht kein Wohin, es genügt ein Woher». Grade 1934 schrieb Barlach: «Wer möchte dem ins Blinde tappenden Sucher den Weg weisen, wer hat studiert das Unbegreifliche des Werdenden, auch das Kommen des noch Unbekannten?» (EB. Ges. 1950, 17 f).

Das erste Bild umreißt deutlich das Thema in dem Zusammentreffen des Grafen mit dem riesenhaften Offerus, der nachts auf dem Heimweg durch seinen Wald ihm begegnet. Heinrich ist auf dem Weg heimwärts zur Burg, reichlich schwer vom Abschiedstrunk mit dem Rat der Stadt Mölln. Gleich seine ersten Worte sind bezeichnend: «Wo meine Beine gehn und stehn, ist Weg und Steg». Er sucht kein Ziel: «wo der Weg endet, ist das Ziel» (519). Eindeutig bezeichnet er dann seine Einstellung, nennt sich Herr, Haber und Heger und fragt den andern nach dessen Geltung. Die Antwort enthält den Sinn des Ganzen: «Es geht nicht um Gelten, es geht um Sein» (519), und der Weg wird das Wesentlich-werden zeigen. Offerus ist ein Sucher; er will und braucht einen Herrn. Das treibt ihn das ganze Stück hindurch vorwärts: «nicht gerastet und die Hoffart abgetan – Hoffart hält auf, Hoffart hat schlechte Fahrt». Er tritt in Heinrichs Dienst. Aber dessen Zustand ist gar nicht herrenmäßig: «ich spürte, als wir von den Rossen stiegen, was platzen», nicht nur in seinen Taschen, nein: «es heulte was in mir und war schaurig zu wissen, daß dies meiner Seele höhnendes Heulen über mich war» (520). Die Ausgangsposition ist damit formuliert: «Mein Zutrauen ist vom Wege abgekommen» (522), von der gebahnten Landstraße, wo er die Pferde weiterschickte, er selbst wandert durch den dunklen Wald.

Er hat nicht «heim» gefunden. In seinem Schloß finden

wir ihn als einen offenbar Irren wieder, im schweren Keller-
gewölbe, dessen niedrige Decke dem ihn Bedrückenden, Be-
lastenden entspricht, «so besessen zu sein von seinem Besitz».
So empfindet er die Gemahlin, den Bruder, seinen Sohn, den
Kanonikus. Er weist sie alle von sich: «ich bin aller dieser
Geltung überdrüssig». Auch als die einst Geliebte ihm von
dem gemeinsamen Sohn berichtet, von seiner Ungebärdig-
keit, lacht er wohl: «ich hab den Bengel nun mal lieb». Aber
weiter kümmert er sich nicht darum. Er benutzt die Gelegenheit, sich dem vorbeiziehenden Herzog von Lauenburg anzu-
schließen und ihn als Narren auf seiner Pilgerfahrt ins Heilige
Land zu begleiten. Auch Offerus schließt sich diesem als dem
Mächtigeren an, denn «keines anderen als des höchsten Herren Dienst» ist sein Wille (528). In einem phantastischen
Tanz mit dem Gespenst verkörpert sich dies Entweichen aus
allem Haben, Halten und Gelten.

  Das dritte Bild zeigt das Lager der Pilger am Meeresstrand.
Sie meinen befriedigt, glücklich angekommen zu sein im gesuchten Land, und der Herzog genießt die Weite des Blickes
gegenüber der heimatlichen Enge. Aber Offerus empfindet
unbefriedigt «unsere Bahn hat keinen Rückgrat und keine
Richtung». Dieser Dienst ist nicht der rechte, «wir müssen
auf den Weg, wir schleichen auf Bahnen daher» (531). Heinrich teilt diese Empfindung. Die Ruhe der Ausgangssituation
zerstören zwei unheimliche Begegnungen. Ein uraltes Paar
taucht auf, es sind Adam und Eva. Sie sind nicht gestorben,
sondern geistern noch umher. Eva will den stattlichen Ur-
enkel, den Herzog Albrecht küssen. Aber dieser schaudert
zurück, ebenso wie sein Lehnsmann. Statt ihrer kniet Heinrich vor der Urmutter nieder und empfängt ihren Kuß mit
dem Segen: «Dein Leben ist dein Spiel ... Tu gut und spiel,
so lang du kannst» (534). Was hat das zu bedeuten? Bereits
im ersten Bild war gegen Ende (521) das Urelternpaar aufge-
taucht, hatte ohne zu sprechen seinen Weg gekreuzt. Wir
werden ihnen noch weiter begegnen. Sie dienen als Chiffern
für eine tiefe Bedeutung, die sich etwa so umschreiben läßt:
Das urtümlich Menschliche taucht durch die Oberflächlich-
keit empor, ein Wesentlichwerden beginnt. Es muß zunächst

ein Ent-werden, ein Loskommen, ein Sprengen der harten
Schalen sein. Für Offerus wird eine andere Begegnung wichtig.
Marut tritt herein, «der gefallenen Engel einer, Statthalter des
Satans auf Erden». Er ist gekleidet ganz in Rot mit schwarzem Bart, eine zackige Goldkrone auf dem Haupt. Er hat
die Gewalt auf Erden «und so dient mir die brünstig brau-
sende Lust an der Gewalt» (534). Das ist der mächtige Herr,
ihm schließt Offerus sich an und geht nun den Weg der «wirklichen und wahren Gewalt». Emphatisch sagt er dem Herzog
Albrecht ab: «fahrt hin in Eurer Verlorenheit, weg mit Eurer
Weglosigkeit, bleibt, wo Ihr seid, in Eurer Wenigkeit!» Gleichsam im Sog der fortgehenden beiden Gewalthaber folgt die
Flucht aller vor der hereinbrechenden Schar türkischer Krie-
ger, womit das Los der Pilger besiegelt ist.

In Ketten und zerlumpt als Galeerensklaven treffen wir sie
im vierten Bild wieder. Heinrich bittet für den Herzog und
dessen «blutig gebeulten Rücken» um einen Trunk und ein
Tröpfchen Öl. Allein die Witwe Chansa gewährt es und reicht
auch noch etwas Brot. Das sah aber ihr Nachbar, der Bader
Orkob, der grade Marut frisierte. Es brauchte kaum dessen
Hinweises; er begriff schon, daß er die Barmherzige verleum-
den und sich deren Haus aneignen kann, was auch geschieht.

Die Ärmste ist im fünften Bild bereits fürchterlich gestraft,
mit einem eisernen Haken an den Pfahl gespießt. Ringsum
röchelt es von Sterbenden an der Richtstätte, wo der Henker
grade den letzten der Galeerensklaven auch töten will. Es ist
Heinrich, der aber durch den Aufseher gerettet wird, weil
man Rudersklaven braucht. Sein Rasseln mit den Ketten
schreckt den Henker und er wird auf den Weg der Zwangs-
arbeit getrieben. Offerus, der zu inspizieren kommt, ob der
Henker auch in der Nacht jetzt weiter sein grausiges Amt
ausführt, wird von Chansas Schicksal zum Fürchten gebracht:
«Furcht bricht in mich strömend und strafend. Ich fürchte
das Sein, das ich bin, und muß es doch lieben. Unschuld ist
nicht und Schuld ist nicht, aber Liebe ist und Furcht» (543).
Das bringt ihn in ein Dilemma: «die Furchtbarkeit zu fürchten und ich bin ein Feind aller Furcht». Das leitet zum
nächsten Bild.

Der abgedruckte Text macht es dem Leser jedoch sauer, den Faden zu finden. Es sind nämlich nicht fünf zusammenhängende Szenen, was da von eins bis fünf numeriert wiedergegeben wird. Ausscheiden können wir sofort Nr. 5. Es ist ein Satyrspiel, wobei vergessen wurde, daß der Herzog und sein Begleiter vorher als hingerichtet angenommen werden (542 oben). Die verbleibenden vier Nummern sind parallele Fixierungen der gleichen Station des inneren Weges von Offerus und Heinrich. Wegen ihrer besonders hohen Bedeutsamkeit wurden es zwei Fassungen. Es handelt sich nämlich um den Drehpunkt des Weges. Dieser zeigte bisher eine Entäußerung, ein Loskommen von allem Gelten und Haben in der Außenwelt, ausgeübt im Dienen, gesteigert und sichtbar gemacht durch die Ketten des Sklaven. Hier nun (550) nimmt ihm schließlich Offerus die Ketten ab und behängt sich selbst damit. Das geschieht nicht aus Mitleid, sondern als äußerste Selbstüberwindung: «wie fürchte ich den Weg der Ketten und wie muß ich bangend nach ihm begehren». Vorher hatte Hilarion ihn angewiesen: «sei bis dahin dein eigener Knecht» (549). Damit meint er: «Jener, der du als Vollendeter sein würdest, der sei dein Herr», also das erstrebte wesenhafte Ich. Dazu gehört Warten, bis er «zum höchsten Dienst gerufen» wird. Offerus stöhnt: «Warten ist ein saures Werk» und Hilarion bekräftigt das: «so saures Warten ist unser in Dunkel und Tiefe Verlaufenen angeborene Knechtschaft». Das ist Hilarions eigene Not. Er bekämpft am Anfang dieser Szene (VI, 3) seines «Wunsches Frechheit», nämlich durch Askese «das Schauen Gottes ergnaden», erzwingen zu wollen (548). Das weist zurück auf den Beginn der als VI, 1 bezeichneten Szene (543). Auch hier klagt Hilarion: «gib mir die Gabe des Schauens deiner zurück». Ich «harre aus und trage des harten Gottes Vergessen meiner...». Dann kommt Marut mit Offerus. Dieser soll den Einsiedler aus dem Weg räumen. Vor dem Zeichen des Kreuzes weicht der Dämon der Gewalttätigkeit zurück. Offerus erkennt dessen Schwäche und wendet sich von ihm ab. Jedoch Hilarions Art des Dienens bloß mit Wachen und Fasten lehnt er ab und «geht langsam fort.» Er kommt dann VI, 3 zurück mit der erneuten Absage von Fasten und Wachen. In VI, 1 kam danach Orkob als Räuber mit erbeuteten Sklaven, darunter Heinrich, zu Hilarion. «Heinrich, einer der elendesten unter ihnen, wirft sich weinend vor Hilarions Füße», aus Seelennot, «ob solcher Weg des weiten Wanderns lohnt» (546). Der Asket antwortet: «er lohne, wenn er Frucht brachte» und bittet Heinrich los. Das bedeutet für den Grafen: «deine Wallfahrt geht hinfort nicht hin und her ... schweig und neige dich in Ehrfurcht vor der steinigen Stille des Sinai» (547). Nachdem in VI, 3 Heinrich die Ketten von Offerus abgenommen wurden, mahnt Hilarion wiederum (550): «Das Winseln... unserer Seele ersticke im Schweigen des Sinai. Horch seiner Stimme und antworte ihm mit dem Stillewerden deiner eigenen Seele», damit endet diese Szene.

Es folgt eine an sich grandiose Szene, die einzige, die Barlach selbst zur Veröffentlichung (1932) frei gab. «Das Gespenst des Moses» erscheint dem Hilarion, gleichsam als der «ewige Jude» hinkend und suchend «auf ziellosen Wegen». Auf seinen einst «im Zorn zerschmissenen Tafeln des Gesetzes» sitzt nun Hilarion als deren Besitzer. Moses vertritt die Forderung des «du sollst», Hilarion des «du darfst» (551). Zwischen beiden steht Heinrich, frei nun von Ketten. Er kniet nicht voll Angst, «unter der wölbenden Last» des Fluches von Moses, weil «Das Hängen im Schweigen ... sein Unvergehbares geboren» hat (552). Er «fürchtet sich nicht». Gegenüber dieser Fassung berührt die mit VI, 2 bezeichnete (547 f) als kurze Vorstufe, weil sie allein den Gegensatz bringt von «Wandern und suchen» zu «sitzend besitzen das versteinte Wort» und bloße Ablehnung des «du sollst» und «nichts als dienen» fordert.

Es scheinen beide nun für den Vollzug ihres Schicksals reif geworden. Bild VII bringt dem Fährmann Offerus die Begnadung, das Christuskind durch die Furt zu tragen, und Christoffer zu werden. Zu ihm kommt Heinrich. Die Erinnerung an seinen unehelichen Sohn Wolf hat ihn in die Heimat zurückgeführt. Damit dämmert das Ziel seines Weges auf. Deshalb lehnt er ab, wie jener zu dienen «dem Herrn, dessen Weg eins ist seinem Ziel». «Ich diene nicht und begehre keines Herrn Namen zu tragen» (558). Auf der Flucht kommt

Wolf herbei, der zum Raubritter wurde. Da Christoffer sich
weigert, ihn über den Fluß zu tragen, wird er von den Ver-
folgern ergriffen. Heinrich verlangt als «der Anstifter seiner
Streiche» mit gefangen genommen zu werden; sie tun es und
nehmen das Urelternpaar mit. Diese waren nämlich in Heinrichs Begleitung. Eva mahnte: «nun fürcht dich nicht – wer
weite Wege geht, lernt ohne Furcht wandern». Adam deutet
die Wegrichtung: «alle Wege führen aus der Welt in die Welt.
Sternschein erleuchtet aller Wege Lauf und aller Dinge Anfang und Ende» (557). Er endet mit der Mahnung: «lerne
urjung sein von uns Uralten, du Jüngster von unseren Jungen».

Als ganz kurzes Bild VIII, wird vorgeführt, wie die Nachricht von der Gefangennahme Wolfs und seines wieder auf-
getauchten Vaters den jetzt regierenden Grafen, seinen Bruder Jos, außer Fassung bringt. Er läßt Heinrichs Gemahlin
und ehelichen Sohn Rolf herbeirufen.

Bild IX zeigt Heinrich im gleichen Burgverlies, aus dem er
einst (Bild II) aus seinen Bindungen flüchtete. Jetzt will er in
freier Hingabe das vom Schicksal Geforderte auf sich nehmen. Als demütig Duldender bettelt er bei den vier ihm am
nächsten Stehenden um wahrhaft menschlichen Kontakt.
Alle versagen sich ihm und flechten so seine Dornenkrone.
Wolf hält ihn für einen Schwindler, der es nur auf ein Gold-
stück von seinem verborgenen Geld abgesehen hat; sonst
würde er ihn anders behandeln, den «Vater, der einem Sohn
das Erbe der Verlassenheit schenkte» (564). Auch der Bruder,
Graf Jos, empfindet keinerlei Gefühl, nur Schauder vor dem,
der «wie aus der Gruft hervorgekommen» vor ihm steht: «Ich
kann deine Hand nicht fassen, deinen Leib nicht brüderlich
berühren, da er in meiner Seele verwest ist und in mir ver-
gangen» (565). Die Gemahlin wendet sich noch grausamer er-
schrocken ab und geht kalt davon. Auch der echte Sohn, der
inzwischen Bischof wurde, weiß mit der Bitte um einen Pfen-
nig als Almosen nichts anzufangen. Vergeblich kniet der Vater
vor ihm, der nur das Wort nicht den Sinn versteht, das Suchen nach dem Menschenherzen jenseits der Verpflichtung
vor den Augen der Welt. Ohne Verständnis geben die beiden

Nächsten schließlich zu, daß Heinrich den gefesselten Wolf begleitet, der zur Hinrichtung nach Mölln ausgeliefert wird. Sie halten für Narrheit, was bei ihm «Wissen ist ohne Furcht und ist das Wissen über alles Wissen, und gehorcht sich selbst, gleich als ob es sich selbst geschaffen hätte» (568).

So endet im Bild X Heinrichs Weg in Mölln, von wo er ausgegangen war; nur scheinbar im Kreis, tatsächlich in einer Spirale verlief er. Materiell fing er an in der Stadt mit dem Abschiedstrunk. Es wurde ein Passionsweg. Heinrich hatte zu Wolf im Burgverließ gesagt (564): «alle Wege, die ich wanderte hin und her, führten einzig zu dir und nirgendhin sonst.» Seltsam klang es am Sinai (VI, 4, 551), es soll nicht Sollen sein sondern Dürfen. Nun sollte es doch wohl «aus sein mit Hin und Her, und ich bins so zufrieden, als hätte ichs gedurft. So ist Sollen und Dürfen eins!» Darin liegt der demütige Glaube: ich «bin der Güte gewiß, die verborgen ist in aller Dürre und lebt in der Kälte wie die Stimme über Strom und Eis», wie sie ja für Christophorus entscheidend wurde. Dieser taucht im letzten Bild auch wieder auf. Er befreit schließlich Wolf aus den Martern, so daß er entfliehen kann, noch mit einem Fluch auf den Vater, der tatenlos sein Schreien und Leiden mit ansah. Daß Heinrich das als schlimmste Marterung tief in sich aufnahm, das eben empörte den Unbändigen. Vor solchem Äußersten erkennt Christoffer, daß jener seinen Weg zu vollenden im Begriff steht: «meinen Segen auf deinen Dienst und deinen Gehorsam aus Deiner eigenen Gewißheit» (572). Das Ziel des Weges wird erreicht, indem die zurückkehrenden Kriegsknechte Heinrich erstechen: «Man sieht ihre Spieße von allen Seiten gegen Heinrich gerichtet, der von ihnen wie von einem Strahlenkranz umgeben steht».

Christoffer aber ist weiter gegangen zu den Heiden in «nie ermattender Unzufriedenheit». Auch er erreicht damit eine «letzte Lust, die Gemeinschaft des Gehorsams mit seinem Widerspruch, die Einigkeit der Selbsterbauung mit der Selbstverschwendung ... so bin ich zugleich Knecht und Herr». Einer Frömmigkeit von äußerster Dynamik begegnen wir darin, ähnlich wie bei Calan am Ende der «Sündflut». Aber sie wird nicht als die einzig wahre oder gar höhere behauptet.

Dem militanten Verkünder des Christkindes gesteht Heinrich als der gehorsam dem Gekreuzigten Nachfolgende ganz schlicht: «ich habe keinen Gott, aber Gott hat mich» (571).

ZEHNTES KAPITEL

Menschenbild

Fragen wir, was uns denn schließlich von der Lektüre eines Dramas oder von seiner Aufführung in der Erinnerung blieb, so sind es vor allem die Personen, weniger der Gang der Handlung. Diese versetzt sie nur in die wichtigen Situationen, in denen ihr Schicksal sich erfüllt. Was uns letztlich von einem Dramatiker bleibt, sind einige seiner markanten Figuren; an sie denken wir, wenn wir seinen Namen hören; sie sind für uns die eigentilchen Begegnungen mit ihm. Menschen haben wir kennengelernt und an ihren Leiden und Nöten teilgenommen. Menschen voller Lebendigkeit zu schaffen, darauf kommt es an, sowohl für den Dichter wie für den Schauspieler. Nicht minder doch wohl auch für den Plastiker! Behalten wir den Laokoon etwa wegen der kunstvollen Stellung der Gruppe, nicht vielmehr wegen dieses Gesichtes voller Weh im Gedächtnis? Gibt nicht die gestraffte Männlichkeit dem Colleoni den unvergeßlichen Eindruck? Ist es uns vergönnt, bei Lebzeiten des Meisters das Atelier des rüstig Schaffenden zu betreten, so ergreift uns, hier mehrere seiner Gestalten, werdende und gewordene beieinander zu sehen. «Ihr meine Kinder, ohne Leid», läßt C. F. Meyer seinen Michelangelo sprechen, «Ihr stellt des Leids Gebärde dar». Das Wesentliche des Künstlers ward verewigt. «Des Lebens überwundne Qual» hält sie zusammen. So stehen die Geschöpfe eines Künstlers nicht isoliert und fremd nebeneinander, sie haben als seine echten Kinder etwas Gemeinsames. Mehr als eine äußere Ähnlichkeit ist es, ein durch alle hindurch schimmerndes Menschenbild verbindet sie. Es steigt empor aus dem tiefsten Erleben ihres Schöpfers, aus seinem Erleben und Erleiden, seinem Ringen und Erahnen. Denn schließlich entspringen Drama wie Plastik, ja alle Kunst wohl der Selbstbegegnung des Menschen und seiner Deutung von Art und Sinn seines Daseins.

So ist es wohl angemessen, am Ende unserer Beschäftigung mit Barlach, das Menschenbild zu betrachten, das in den Gestalten seiner Plastik und Dramatik wie auch seiner Graphik sich ergänzend spiegelt. Seinen Ruhm gewann Barlach und behauptete er als Holzbildhauer. Grade vom Aussehen seiner Statuen her wurde er bekämpft und wegen des von ihnen repräsentierten Menschenbildes verfehmt und verfolgt. In der Tat, unvergeßlich prägen sie sich uns ein, nicht allein wegen ihres Aussehens, nicht minder wegen ihrer Aussage. Das ist nicht Zeitmode, sondern nur der Eine, der Eigene, eben Ernst Barlach.

Scharf heben sich diese Barlach-Figuren ab von denen seiner Zeitgenossen wie Lehmbruck, Maillol oder Kolbe. Verdeutlichen wir uns das an einem Beispiel: Die Kniende von Georg Kolbe (geb. 1877). Mit Wohlgefallen erfüllt uns das Spiel der Glieder: Dieser wechselseitige Bezug ihrer Bewegung, dieser Kontrast oder Gleichlauf der Linienzüge. Solch gesunde innere Lebendigkeit des Organismus macht auf den Beschauer einen ästhetischen Eindruck voll Wohlgefallen. Wir fühlen, wie in uns sich dabei die Verkrampfungen des Alltags lockern, ja direkt physisch lösen.

Wie anders dagegen wirkt Barlachs «Frierende Alte» (1937), wie geradezu erschreckend ist der erste Eindruck. Schweres Tuch schließt alles zu einem kompakten Klotz zusammen. Direkt auf den Knien ruht der Kopf. Das breite Gesicht mit den plumpen Zügen ist ganz erfüllt von der stumpfen Not des Daseins. Als Gegenpol dazu lagern breit die Hände über den nackten Zehen. Die Arme halten nicht nur die Unterschenkel zusammen, sondern sie rahmen zugleich die ganze Figur. Damit vollenden sie den Eindruck dumpfer Ratlosigkeit. Der schweren Materialität der Gestalt entsprechen die deutlich sichtbaren Kerben der Schnitte und zeugen von Härte und Widerstand des Holzes, recht im Gegensatz zur glatten Oberfläche des Marmors bei Kolbe. Die drückende Not des Menschen in seiner materiellen Kreatürlichkeit schlägt uns bei Barlach erschreckend entgegen, doppelt erschütternd durch die machtlose Bewegungslosigkeit und das wortlose Schweigen dieser Figur.

Ein ganz anderes Erlebnis vom Menschsein beflügelt Georg Kolbe, wie die Tänzerin zeigt. Das Beglückende der Leibhaftigkeit klingt wie Musik und strahlt aus in den Armen, als ob sie zu fliegen vermöchten. Diese Fassung von 1928 ist kein Impressionismus, kein Einfangen eines zufälligen Eindruckes. Endgültig formuliert Kolbe selbst 1928 «Form ist Gebilde, also kein Abbild». Sie ist vielmehr Ausdruck eines Lebensgefühls und einer Deutung des Menschseins.

Grade dies ist so anders bei Barlach, wie es seine Tanzende, diese Tanzende Alte verdeutlicht. Das ist gewiß nicht harmonisch-schön, sondern grimmig-grotesk. Der Körper wird nicht wie bei Kolbe als Leib beseelt, nein gegen die lastende Materialität der Stoffmassen wirkt die Willenskraft der greifenden Hände, beherrscht von dem Enthusiasmus des Gesichts. Das erhobene Tanzbein verstärkt den Eindruck der Magerkeit in den Unterarmen. Hier handelt es sich nicht wie bei Kolbe um ein Leib-Erlebnis, sondern um etwas grundlegend anderes: um ein Bedeutungserlebnis. Damit ist keineswegs irgend etwas Intellektualistisches gemeint oder etwa gar abwertend Materialistisches einem höheren Geistigen gegenübergestellt. Es handelt sich nicht um «besser oder tiefer», durchaus nicht um «oberflächlich» gegen «innerlich». Vielmehr um zwei verschiedene Typen künstlerischer Produktivität schlechthin, wodurch bereits die Konzeption, aber auch die Ausgestaltung entscheidend bestimmt und geführt werden.

Ein durchaus geistiges Motiv kann vom Bildhauer sehr wohl auf Grund des Leiberlebnisses erfaßt und dargestellt werden. Betrachten wir Rodins bekannte Statue Le Penseur, den Denker. Ganz erfüllt ist diese sitzende Figur von der Stimmung der Nachdenklichkeit. Sie durchwaltet alle Gliedmaßen und bringt sie zu harmonischem Zusammenklingen.

Dagegen Barlach. Seinen «Lesenden» (Entwurf 1922, Bronze, 1936) kleidet er wieder in ein kuttenähnliches Gewand. Dessen schwere Falten führen zu einem Mittelpunkt: nämlich dort, wo der Ellenbogen sich auf das Knie aufstützt, und von wo der Unterarm in schrägem Winkel das Buch emporhält. Damit springt dieses heraus aus der kompakten Masse des Körpers. Zu diesem gehört auch der Kopf. Und er steht in deutlichem Spannungsverhältnis zum Buch. Welch Kontrast zu Rodins Bildwerk mit dem geschlossenen Kreislauf von Kopf, Arm und Bein! Hier wurde die Stimmung des Nachdenklichen eingefangen und auch in den Gliedmaßen

des Grüblers mit zum Ausdruck gebracht. Bei Barlach
herrscht die Spannung zwischen Mensch und Buch. Und das
ist nicht irgendwelche Lektüre, die man genießt und hinnimmt. Dies Buch gehört nicht dem Menschen, es steht ihm
gegenüber, es bedeutet etwas für sich, ist eine eigene Macht.
Wir merken: ein Bedeutungserlebnis trägt das Ganze, liegt
bereits der Konzeption zugrunde.

Es liegt nahe, einen Blick auf eine der berühmtesten Gruppen Barlachs zu werfen, auf die «Lesenden Mönche» (1933).
Wir erblicken zwei Menschentypen in ihrem Verhältnis zum
Buch, verkörpert durch die Art ihres Lesens. Der willig An-
eignende hält das dicke, schwere Buch wie darbietend, während der grübelnd Forschende darunter seine Hände hervor-
schiebt. Er hat sie gefaltet wie im Glaubenskampf; nun liegen
sie zwischen den Knien und pressen den schweren Stoff der
Kutte in zwei breite Falten. Wieder waltet hier ein polares
Verhältnis zwischen Kopf und Buch. Und das grade macht
den geistigen Gehalt der Gruppe aus. Offenbar drückt sich
auch hier ein Bedeutungserlebnis aus, eben die Spannung
zwischen Menschlichem und Göttlichem.

Am einleuchtendsten beherrscht dieses Grunderlebnis Barlachs die Holzfigur des «Lesenden Klosterschülers» (1930).
Breit ruht das Buch auf den Knien wie auf einem Pult, es
bedeckt den ganzen Oberschenkel und ist ganz für sich da.
Die breiten Hände halten es nicht, sie stützen sich vielmehr
auf den Sitz. Die Arme tragen den leicht gekrümmten Oberkörper des Jünglings. Sie leiten hin zum Kopf, der leicht vorgeneigt das Spannungsverhältnis zu dem weit entfernten Buch
intensiv verkörpert. Im Gesicht kulminiert ergreifend die
Innerlichkeit des jungen Menschen. Die fast geschlossenen
Augen lesen nicht fleißig einen vorliegenden Text, – nein, sie
verraten, wie hier ein Sinn von weit her gehoben und innerlich empfangen wird. Aus einem Bedeutungserlebnis erfüllt
diese Statuen alle eine Spannung, die sich in Haltung und
Gebärde ausdrückt, die in Linienführung und Faltenzug
schaubar wird. Das hier komprimierte Leben wird nun in den
Stücken greifbar als dramatische Situation und die Personen
sprechen es direkt aus.

Gleich das erste Drama kündet vom Grunderlebnis Barlachs: «Alle haben ihr bestes Blut von einem unsichtbaren
Vater», heißt es am Schluß. «Sonderbar ist nur, daß der
Mensch nicht lernen will, daß sein Vater Gott ist.» Eben dies
ist die innere Not, die sich hier nun zur tragischen Situation
zuspitzt. Der Sohn ist herangewachsen im Dämmer eines
norddeutschen Bauernhauses, umhegt allein von der Mutter,
ohne Vater. Im Sohn aber gährt die Sehnsucht nach dem Vater und erfüllt die Mutter mit Angst vor solchem Drängen
fort von ihr, in die Welt hinein. Sie tötet drum das Götterroß,
das von fernher kam, um den Sohn fortzutragen. Da erfüllt
dicker Nebel die Welt. Es ist ein «toter Tag», wie der Sohn
nun hinausgeht, dem Vater entgegen. «Toter Tag», so lautet
der Titel mit Recht. Der Sohn ruft nach der Mutter, ihn
verläßt der Mut. «Du bist kein Gott», nur ein «Armes Gottluderchen», so faßt schließlich der Alb, mit dem er ringend
vorher schon versagt hatte, das Ergebnis zusammen. Nur im
Traum bleibt ihm die Sehnsucht: seine «Seele dunstet Sehnsucht... dein Auge sieht Nebel». Das ist die Not: die Sehnsucht reißt ihn empor zum Vater, aber die Erde zieht ihn
herab zur Mutter. So wird er ein «Wandhorcher, kein Finder,
nur ein Horcher zum Vater». Doch sollte er es dabei nicht
bewenden lassen, er sollte ein Belaurer werden, der durch
einen Spalt, durch ein Guckloch wahrnimmt, wie der Vater
ist.

Das gilt Barlach als eine echte Möglichkeit des Erlebens.
Deutlich beschreibt sie Noahs Sohn Sem in der «Sündflut». Er
sagt: «Gott ist nicht überall und Gott ist auch nicht alles, wie
Vater Noah sagt. Er verbirgt sich hinter allem, und in allem
sind schmale Spalten, durch die er scheint, scheint und blitzt.
Ganz dünne Spalten, so dünn, daß man sie nie wieder findet,
wenn man nur einmal den Kopf wendet» ... «Ich seh ihn oft
durch die Spalten, aber es ist so seltsam geschwind, daß es
klafft und wieder keine Fuge zu finden ist.» Diese Beschreibung ist kein Hirngespinst, sie beruht vielmehr auf eigenem
Erleben. Barlach hat in seinem «Selbsterzählten Leben» von
dergleichen Augenblicken mehrfach berichtet, wo ihn die
göttliche Wirklichkeit wie ein Blitz traf und dabei doch so

vertraut berührte wie – so vergleicht er es – wie «das Zwinkern eines wohlbekannten Auges durch den Spalt des maiengrünen Buchenblätterhimmels». Noch genauer ist ein anderer Bericht, als er «bei voller Stille des leeren Hauses und verlassenen Gartens in der Veranda von einem Buch aufsah». «Hier widerfuhr mir abermals eine Erschütterung, die im Augenblick durch mich ging und ganz sinn- und gegenstandslos war und vielleicht doch das heftigste Erleben, das mir beschieden gewesen ist» (SL 167). Diese Haltung der Betroffenheit hat der Künstler in die Statue «Der Beter» (1925) gebannt. Die kniende Gestalt neigt sich überwältigt leicht nach hinten, der Kopf noch etwas mehr. Die Augen sind geschlossen, in höchster Intensität hingenommen vom Einstrom des Göttlichen. Diese halb-lebensgroße (70 Zentimeter hoch) stumpfsepiabraune Figur strömt eine Stille aus wie die Weite einer gotischen Hallenkirche im Abendsonnenschein.

Wie lieb und wichtig ihm diese Verkörperung war, erweist die Benutzung im Drama. Im Schlußteil des Stückes «Der Findling» (1921 abgeschlossen) stellt er «einen regungslos stehenden, in sich versunkenen Beter» mitten in das Gewirr der aufgeregten Menge. Man stößt ihn an; er sagt: «Armer Freund, mußt du mich auch arm machen? Ich war drauf und dran, im Wohl zu ertrinken». Dann gibt er für uns die authentische Interpretation jener Statue und ihres inneren Erlebens: «Kein Anfang, Freund, und kein Ende, es geht nicht mit Worten zu – (tippt sich auf den Mund) – es fängt mit Stillschweigen an. Die Zunge ist dabei das allerüberflüssigste und was am letzten gilt – es läßt sich nicht sagen, hinter der Zunge und hinter den Worten fängt es an.» Ganz verwandt und ganz Barlachs persönlicher Überzeugung gemäß formuliert der Hirt in der Sündflut: «Ich schäme mich von Gott zu sprechen... das Wort ist zu groß für meinen Mund. Ich begreife, daß er nicht zu begreifen ist.» Das deckt sich mit mehrfachen Briefstellen des Künstlers. Grade dieses ergreifendste Drama, die «Sündflut» hat ja das Ringen um Gott zum Thema und zeigt Noah mit seinem gesetzestreuen Gehorsam in seiner ehrenwerten Einseitigkeit und Beschränkung. So bleibt für Barlach und sein Menschenbild letztlich diese Spannung, sehnsuchtsbitter und schicksalsschwer, zwischen Mensch und Gott.

Damit erschließt sich uns erst der tiefe Gehalt der letzten Statue (1937), die man den «Zweifler» genannt hat. Noch einmal hat Barlach hier die Gestalt eines Knieenden verwertet. Lebensgroß (108 Zentimeter hoch) in rötlichem Teakholz leitet der pyramidische Aufbau zum Gesicht, das des Künstlers Züge in leichter Abwandlung trägt. Der etwas seitlich geneigte und gedrehte Kopf sendet fragend-anklagend einen Blick scheu empor. Diese Seele scheint machtlos ausgesetzt den Schlägen des Schicksals. Die Arme hängen schwer herab, die Hände haben sich verschränkt. Sie bilden den Gegenpol zum Gesicht. – Die ganze Last der Qualen, die dem Künstler selbst die Angriffe der letzten fünf Jahre brachten, erleben wir hier zusammengefaßt. Die Not der Seele, das schmerzliche Warum.

Ein drittes Mal erhält die Gestalt des Knieenden besondere Ausdruckswucht. Es ist das Bild auf dem Umschlag des Dramas «Der tote Tag». Wieder ist es der Antagonismus der verschränkten Hände zum Gesicht. Der Blick des Profils ist voll nach oben gewandt. Die schweren schwarzen Falten des Gewandes laufen alle zu den Händen am Boden. Sie sind wie auf ihn festgebannt. Das ist die Situation des Menschen: verhaftet dem Irdischen und doch voll Sehnsucht nach oben. «Ich soll wohl, aber ich kann schlecht», das ist das tragische Motto, das über allem Ringen Barlachscher Helden steht. «So sind wir Menschen», schreibt er seinem Vetter (6. 10. 20), «alle Bettler und problematische Existenzen im Grunde». Und weiter: «Ich bin zu einseitig Mensch, armer Vetter, Verbannter, Zuchthäusler, sehe mit einer hellseherischen Unerbittlichkeit im Menschen die Hälfte von etwas anderem». «Ohne den göttlichen Funken kein Mensch», formuliert er energisch (12. 2. 33) an Pastor Zimmermann. Aber der Mensch ist nicht das Gotteskind, nein, er stammt aus einer verarmten Seitenlinie des «hohen Herrn», ist nur ein «armer Vetter» von ihm. Dies ist ja der Titel des zweiten Dramas, dessen Text 1918 erschien. Schon 1911 begann die Arbeit an dem Stück, das zuerst die «Osterleute» hieß. Nicht nur am

Ostersonntag ereignet sich das Geschehen, der Freitod von
Hans Iver, auf dem hohen Geestrücken über der Elbmündung. Das eigentliche Problem ist die österliche Sehnsucht
nach Auferstehung, nach Neuanfang, nach Selbstwerden.
Iver, aus guter Familie stammend, ist verlumpt. Die Erkenntnis davon hat ihn zerbrochen. «Man muß auf sich passen,
sonst wird man im Umsehen in zwei Hälften zerhackt», so
gesteht er, und zieht die Folgerung: «Lieber ordentlich nichts
als zweimal halb». Solche Halbheit, Besseres zu wollen und
zu müssen, und doch nur Erbärmliches zu können, dieser
Ekel vor sich selbst drückt ihm den Revolver in die Hand.
Doch der Schuß ist nicht tödlich. Man trägt den Verwundeten in die nahe gelegene Gastwirtschaft. Dort wartet ein Rudel
von Ausflüglern bei Bier oder Kaffee auf den abendlichen
Dampfer zur Rückfahrt. In deren schale Lustigkeit platzt
diese Sensation eines Selbstmörders mitten hinein. Er stört
ihre Selbstzufriedenheit, entlarvt die Dünkelhaften. Das
macht die eigentliche Handlung des Dramas aus. Den neugierig Anteilnehmenden sucht er den Grund seines Handelns,
sein entscheidendes Erlebnis zu verdeutlichen, im Bilde zu
veranschaulichen: «Haben Sie nicht manchmal Momente, wo
Sie, – verarmter Vetter, den hohen Herrn in seinem Glanz
vorüberfahren sehen? Das heißt: Sie spüren's in sich, als
käme Ihnen etwas nahe, von dem ein Verwandtes zu sein
Ihnen wißbar wird. Und das Herz stockt Ihnen, Sie schnappen
nach Luft und Sie brüllen wie ein Vieh auf in ihrem Elend.»
Die wenigen, die sich noch um ihn kümmerten, stehen ver-
ständnislos. Nur Fräulein Isenbarn versteht es. Doch das vermag ihm nicht zu helfen: «Es muß eben jeder selbst sehen,
wie er's macht». Das ist seine letzte Erkenntnis in seiner letzten
Einsamkeit. Diese Situation seiner Todesstunde am Flußufer
hat Barlach in einer Lithographie festgehalten. Schmal steht
die Gestalt Ivers am Elbufer in kalter Nacht und blickt zum
sternklaren Himmel. Die Laterne des Zollwächters war stehen geblieben. Im Text heißt es: «Er faßt die Laterne, und
hält sie hoch». Dazu spricht er: «Es läßt sich nicht leugnen,
vor meinen Augen ist die Latüchte heller als der Sirius, eine
Tranlampe überscheint ihn». Er «setzt die Laterne wieder

hin». Danach spricht er zu den Sternen als zu «leuchtenden
Seelen», deren mißratene Doppelgänger wir sind. Schließlich endet er mit den Worten: «Ich danke dir, Gott, daß du
das alles von mir losmachst. Es gibt bloß noch hinauf, hinüber, trotz sich – über sich.» Er verkriecht sich ins Gebüsch,
wo er stirbt.

Barlach hat diese Situation, die ja Ziel und Sinn der ganzen Handlung ist, zum Titelblatt der Buchausgabe komprimiert: dieselben Gegenstände auf die endgültige Formel gebracht und darin die notvolle Existenz des Menschen verewigt. Der Hintergrund wird in drei Streifen streng horizon-
tal geschichtet: unten grau der Erdboden, darauf hell das
Wasser, darüber der schwarze Himmel mit einer Menge von
Sternen geblümt. Alle drei Schichten durchschneidet senkrecht die hagere Gestalt Ivers. Sein Kopf reicht fast bis zum
oberen Bildrand. Er hat ihn in seitlicher Drehung zum Himmel erhoben und blickt zu den Sternen. Aber der Linienzug
der Ärmel führt hinab zu den Händen. Unser Blick wird
dorthin geleitet wie bei dem «Zweifler» und wie dort bilden
sie das Gegengewicht. Aber sie sind nicht gefaltet, sie haben
den Mantel eng um den Fröstelnden geschlagen, sie halten
nicht nur das Kleidungsstück zusammen, sie halten gleichsam
dieses Ich fest. Wie bedeutungsvoll ist die Veränderung
gegenüber der Lithographie. Jetzt liegt der Horizont höher:
so daß nur Kopf und Schulter Ivers vor dem Himmel stehen,
und der Erdboden reicht bis zur Hüfte. Welch Gebrechlich-
keit wird in dieser Einschnürung ausgedrückt. Das wird recht
deutlich, wenn wir die Holzplastik «Der Wartende» dagegen
setzen. Dieser massige Kopf, dessen Typus an den grübeln-
den der zwei lesenden Mönche erinnert, ist auch etwas zu-
rückgeneigt. Es ist als wenn die Nase, nicht eigentlich die
Augen, etwas Fernes spürte, einen Wind witterte. Die Unterarme sind verschränkt, aber breit stehen die Füße fest auf
dem Boden.

Das Motiv der gekreuzten Unterarme findet sich gesteigert
zu besonderer Ausdrucksgewalt in der Statue der gefesselten
Hexe. Zieht auch zuerst das Gesicht uns an, diese Gebärde
ratloser Ohnmacht, so führt doch der Linienzug des Haares

zu den Armen herab, zu den gekreuzten und gefesselten Unterarmen. Auch die beiden engen Parallelen der Beine leiten empor zu dieser Verknotung. Wie betäubt von einem unverstandenen, unverstehbaren Schicksal sitzt dieses Menschenkind in stummer Starrheit.

Was diese Statue an Lebensnot komprimiert, wird in den beiden späten Dramen ausgesagt. Da ist Grete im «Blauen Boll». Sie fordert Gift für sich und ihre Kinder. Drei Kinder hat sie aus bloßer Lust ihres Fleisches in die Welt gesetzt. Nun ersticken sie im Fleisch. Sie hört das Schreien der unschuldigen Seelen in diesem Jammerdasein eingekerkert. Darin besteht ihre Not: «das wachsende Fleisch verstopft ihre Stimme, aber noch immer quälen die armen Seelen, daß ich sie vom Fleisch erlöse». Diese Schuld und Verpflichtung gegenüber den Kindern erfüllt als Thema das letzte Drama. Nur solche Kinder können die Eltern verantworten, die eine «gute Zeit» verwirklichen. So lautet ja auch der Titel des Stückes «Die gute Zeit». Celestine, die unwissend-Unschuldige ist mit dem körperlich wie seelisch verseuchten Fürsten verheiratet. Zu spät kam das Erwachen und Erkennen. Nun sieht die Schwangere voll Angst und Ekel dem Herannahenden entgegen. Sie findet schließlich die Erlösung durch freigewählten Opfertod für den jungen Mann. In ihm empfindet sie die neue, die gute Zeit. –

Nirgends gibt Barlach ein fertiges Rezept, propagiert eine Doktrin als Universalmittel. Er bekennt: «Das Phänomen Mensch ist auf quälende Art von jeher als unheimliches Rätselwesen vor mir aufgestiegen. Ich sah am Menschen das Verdammte, gleichsam Verhexte, aber auch das Ur-wesenhafte; wie sollte ich das mit dem landläufigen Naturalismus darstellen?» Als Künstler empfindet er sich «getrieben», «gedrängt» und so fährt er in einem Brief an Pastor Zimmermann 1933 fort: «weil er gedrängt ist, ganz und gar sein Menschentum durchlebt, durchleidet, oft mit der Verschärfung, tiefer leiden zu können, schwerer leben zu müssen, ist der Künstler, was er ist».

Nicht der ethisch sich Entscheidende wie bei Schiller, nicht der bewußt Handelnde wie bei Hebbel, auch nicht der immer

Strebende wie bei Goethe entspricht dem Menschenideal von Ernst Barlach. Es ist eine Gestalt, die ihm ganz allein zu eigen ist, die niemals bisher ein Plastiker konzipierte und der er unvergeßbare Wirklichkeit verlieh: Die Figur des Bettlers.

Zunächst ist es der Gaben Erbittende. So sah er es in Rußland, wo er im Herbst 1906 seinen Bruder sieben Wochen besuchte. Dieser so schicksalsschwere Aufenthalt wurde für die Schau des Menschen, für die Ausgestaltung seines Menschenbildes auch entscheidend.

Da ist der hockende Bettler mit der Schale. Er bettelt nicht die Vorbeigehenden an. Sein Kopf zeigt jene uns schon bekannte Haltung nach hinten; der Blick geht nach oben, nicht gläubig entrückt, auch nicht anklagend-verbittert; es liegt eher ein Warten in diesem Gesicht.

Die bettelnde Frau hat ihr Gesicht verhüllt, sie streckt nur die Hand aus der schweren Masse der Tuchumhüllung.

Gesteigert noch wird dieses Motiv in der verhüllt Knieenden, die nun beide bloße Unterarme hervorstreckt mit den offenen Händen. Sie schreien um Gabe aus dem Schweigen der verborgenen Seele. Man hat dieser dunkelbraunen Holzfigur die Bezeichnung «Barmherzigkeit» beigelegt; nicht zu Unrecht: sie heischt Barmherzigkeit von uns, unvergeßbar!

Und doch gelang Barlach darüber hinaus noch eine Steigerung ins Monumentale. Nicht nur äußerlich im Format oder auch nur wegen des Aufstellungsplatzes: im Giebel der Katharinenkirche in Lübeck. Die Figur steht jetzt aufrecht in dürrer Hagerkeit des Greises. Dazu aber gesteigert im Physischen und zugleich im Menschlichen: zum Blinden an Krükken. Die Parallelität der Beine und Füße erinnert stark an die der Hexe und macht den gleichen Eindruck der Hilflosigkeit. Die herabhängenden Arme führen diese starre Parallelität weiter, die Krücken seitlich rahmen sie. So wird unser Blick geleitet zum Kopf auf dem mageren Hals. Er ist halb nach hinten geneigt wie oft bei Blinden. Die Nase scheint das eigentliche Organ witternden Spürens und Ahnens. Weder die Augen noch der halb geöffnete Mund verraten eine Anklage, kaum einen Seufzer. Er steht nicht an einer Straßenecke zur Schau, er bettelt niemanden an um milde Gaben.

Er scheint langsam weiterzugehen, ohne Führer und Ziel und dennoch geleitet von innen her.

In seinem ersten Stück bereits hat Barlach die Figur des Blinden verwendet. Kule kehrt erblindet durch die Not des Lebens, von seinem Stab geführt zurück zu dem Ort, von dem er ausging und die Frau mit dem Knaben verließ. Nicht Vateranspruch erhebt er. Nicht sein Abklatsch soll der Sohn werden, sondern der Neue, Eigene, Stärkere. Was er zu helfen vermag, ist, stellvertretend die Qual jenem abzuhalten, sie auf sich zu laden. Und doch bleibt alles vergeblich, selbst als ihm von der Mutter die Schuld am Tod des Sonnenrosses zugeschoben wird. Das ist seine Tragik.

Nochmals gesteigert wird das Leid in dem Cyclus «Die Wandlungen Gottes». Gleich zu Anfang trägt ein Blatt die Bezeichnung «der göttliche Bettler» (1921 veröffentlicht, 1920 entstanden). Es zeigt einen Greis auf Knien, der auf nur armlangen Krücken fortkraucht und die gelähmten Füße und Unterschenkel nachschleift.

Im Drama wird Gott ebenfalls gezeigt. In der Sündflut wird der 2. Akt bestimmt durch das Erscheinen Gottes als «Bettler an Krücken». Die Engel erkennen ihn, als er «mit schleppenden Schritten» – wie die Vorschrift lautet – daherkommt. Danach tritt er vor Noah: «Der alte Bettler mit Krücke erscheint und steht flehend da», so schreibt der Dichter vor. Er beschreibt sein Aussehen Noah: «die wölfischen Kinder sind über mich gekommen, ich bin zerschunden und blute. Erbarmt euch!» (zeigt seine Wunden). Noah steht langsam auf und geht erschüttert näher. Da spricht der Bettler: (mit vertraulicher Unbeholfenheit) «Sieh, ein Steinwurf am Kinn und Kratzwunden überall – Schläge, soviel Schläge – Hunger habe ich auch. (Er sieht Noah lächelnd an) Noah: Schläge? Auch hungern mußt du?

Bettler: Ich bin ganz mager und alt, bin hilflos und brauche wenig, (lächelnd) und doch muß ich hungern.» Nach kurzem Wortwechsel, der von Noah «scheu», vom Bettler «leise» geführt wird, sagt dieser: «Nicht wahr, du jagst mich nicht von deiner Tür, hetzest keine Hunde auf mich – ich bin so einsam in der Welt und wagte weither zu wandern, weil ich dachte, du nähmest mich auf. Habe viel Mühe unterwegs gehabt.» Noah glaubt seinen Vater zu erkennen, er «stürzt zu seinen Füßen, umfaßt seine Knie, steht wieder auf und sieht ihn prüfend an: Bist Du es, Vater? Bettler: Ja, Noah, ich bins, hast du mich vergessen? Noah schüttelt den Kopf.»

Danach führt er ihn zur Vorlaube seines Hauses. Trotz der Wasserknappheit badet er ihm seine Füße, wäscht Gesicht, Arme und Hände, später bringt er ihm Essen. Awah, die «reine Jungfrau» trägt einen Krug Wasser herbei. Da spürt sie Gottes Gegenwart und schaut visionär die kommende Flut. Daraufhin entschließt sich Noah, dem Gebot des Bettlers zu folgen, alles aufzugeben, ins Gebirge zu ziehen und die Arche zu bauen. Der Anfang des dritten Aktes zeigt wieder den Bettler. «Eine Meute wilder Kinder mit tierischen Gebärden und Wolfsgeheul schwärmen um ihn; sie schnappen nach ihm, schlagen ihn; indem er geduldig still hält, mißhandeln sie ihn. Die Engel kommen und stellen sich zu seinen Seiten, worauf die Meute auseinanderstiebt.» Wie zu Beginn des vorigen Aktes zieht der Bettler das Fazit: «Mein Werk höhnt meiner selbst». Er gesteht: «Ich erliege unter der Last meines Grimmes, ich ergrimme gegen mein Werk und ergrimme gegen mich selbst». Aber noch Schlimmeres geschieht. Der buckelige Aussätzige tritt auf und verflucht Gott, der ihn «in diese wütende Welt gebracht». Er schlägt verzweifelt mit den Fäusten um sich und berührt dabei den Bettler, der zurücktritt. In grotesker Steigerung häufen sich seine Vorwürfe und Flüche, bis er den Bettler, der nicht einstimmt, schließlich an Gottesstatt schlägt: «So sei Er geprügelt, so ins Gesäß getrampelt, so gezaust. Und zum Schluß laß dir noch ein bißchen schäbigen Aussatz ins Gesicht schmieren, damit Er weiß, wie ichs mit Ihm meine.» Zu dieser geradezu beängstigenden Wucht hat sich hier das Bedeutungserlebnis ‚Bettler‘ ausgewachsen!

Noch einmal gestaltet der Plastiker die Gestalt des blinden Bettlers mit Krücken. Gegen Ende seines Lebens geschieht es, bei der letzten, lieben, großen Aufgabe, für den Fries der Lauschenden, ursprünglich für ein Beethoven-Denkmal gedacht, dann für ein Musikzimmer ausgeführt. Noch schmaler wurde der Körper und stärker gereckt. Die Linien der Falten verstärken die Parallelen der Arme und Stöcke. Aber der Kopf mit den geschlossenen Augen ist nur ganz wenig geneigt, das Gesicht ist entspannt im Lauschen der lösenden Töne. Und diese Züge ähneln trotz starker Stilisierung denen des Meisters.

Recht eigentlich ein Blinder ist der Mensch nach Barlach, denn er rennt nicht nach einem Ziel. Sein Stecken führt ihn, sein Ziel ist der Weg und der führt ihn wundersam. Zurück zur menschlichen Pflicht, zum Sohn, so im ersten, so im letzten, unvollendeten Drama, im «Grafen von Ratzeburg». Und jedesmal ist das Gleiche zu leisten, die stellvertretende, mitleidende Liebe. Erst dadurch kommt der Mensch zu sich selbst, wird er selbst. Dabei gilt es zu überwinden! Durch all die «Geltungen» (wie es in diesem Drama heißt) gilt es hindurchzudringen, durch das überwuchernde Fett der feisten Selbstsucht.

Nicht ein problematischer Wegsucher soll der Mensch auf dem Wege sein, er ist ein Schreitender. Eine Statue faßt dies einprägsam zusammen. Man hat sie den Spaziergänger genannt. Die breite Tuchfläche der Brust stemmt sich gegen den Wind; wie mit Matrosenschritten schieben die Beine diesen massigen Körper vorwärts. Die Hände sind hinter den Rücken gelegt. Stiernackig wird der Kopf zurückgelehnt und das Kinn vorgereckt. Nicht ein Ziel visieren diese Augen, ein «Muß» scheint ihn zu leiten. So wie es im Drama vom Gutsbesitzer Boll, der «Blaue Boll» genannt, die eigentliche Handlung ausmacht, wo aus dem Mecklenburgischen Gutsherrn der solide Mensch geboren wird. Dieses «Werden» ist das Ringen mit der Eigensucht und das Aufsichnehmen der Verantwortung, nicht allein für sein eigenes Tun, sondern im Helfen für den anderen, in diesem Fall für Grete und ihre Verzweiflung.

Wir sahen ja auch schon, daß, um die «gute Zeit» heraufzuführen, sich Celestine opfert, nicht nur für diesen einen bestimmten Jüngling, sondern für eine höhere Art Mensch, für einen, der ungespalten und aus sich lebt: «Das ein Werden geschehe und eine Wirklichkeit komme».

Höchste Kraft im Menschen ist allein die schenkende Liebe. Allein sie schafft echte Menschengemeinschaft. Das findet sich am ergreifendsten verkörpert in dem Drama «Der Findling» (1921 abgeschlossen, 1922 gedruckt). Ein rechtes Inferno von Flüchtlingselend geistert auf der Bühne. Von Furcht gehetzt, von Hunger geplagt, stürzen sie sich auf den Kessel des Steinklopfers und essen gierig das Fleisch, ohne zu ahnen, daß sie Menschenfleisch, Fleisch von Erschlagenen, verschlingen. Dort unter dem Schutzdach des Steinklopfers liegt auch der Findling, das Elendskind, zurückgelassen von Flüchtenden, ausgesetzt. Jeder, der es sieht, entsetzt sich über seinen ausgemergelten Körper: «Der Schreck der Zeit hat es im Schlamm geheckt, die Angst hat sich diese Gestalt zusammengebogen, die Sorge hat sich solchen Sohn auf dem Bauch gezogen». Dies Jammerbild erinnert an das Gipsmodell der Gruppe Hunger, die vor 1924 entstanden ist, also recht wohl in Erinnerung an den Kriegs- und Hungerwinter von 1917. Es ist tief ergreifend, wie die Mutter hier ihre Hand dem halbtoten, ausgemergelten Kind in den Mund steckt. In stumpfem Weh hat sie den Kopf leicht nach oben gehoben wie anklagend. Ähnliche Kopfhaltung bei der Gruppe Mutter mit Kind (1936) scheint eher abwehrend gegen einen Anspruch. Als Gegenpol wirken wieder die breiten Hände, die das Kind im Schoß haltend und schützend umschließen. Anders geschieht die Lösung im Drama. Zwei junge Leute lösen sich von ihren Eltern, da sie sich zueinander fanden: Thomas, der Sohn des Puppenspielers, und Elise, die Tochter des Wucherers Kummer. Sie beginnen ihr Leben, ein neues Leben. Während die Masse den Tod des Roten Kaisers erfährt und ratlos steht, entschließen sich die beiden von dem inneren Muß gedrängt, das Elendskind als ihren Erstgeborenen anzunehmen. Als Elise es voll Erbarmen aufhebt, wird es ein strahlendes lächelndes Kind, sie ist eine Gottesmutter geworden. So zeigt sie der Holzschnitt. Barlach schenkte mir Weihnachten 1936 einen Abzug von dieser Platte mit der Unterschrift: «Heil, Herz und hoff». Es ist der Gehalt des Stückes, die ganze Stelle heißt: «Heil, Herz und hoff. / Das Wort ward Stoff. / Und zur Gestalt erblühte seine

Lichtgewalt». «Ertränkt ist das Elendskind in uns selber», und zwar Kraft erbarmender Liebe. In dieser Vision von einem wesenhaft gewordenen Menschentum vollendet sich Ernst Barlachs Bild des Menschen.

Barlachs Werke

Dramatische Werke

Der tote Tag, 1912, Paul Cassirer, Berlin.
Der arme Vetter, 1918, Paul Cassirer, Berlin.
Die echten Sedemunds, 1920, Paul Cassirer, Berlin.
Der Findling, 1922, Paul Cassirer, Berlin.
Die Sündflut, 1924, Paul Cassirer, Berlin.
Der blaue Boll, 1926, Paul Cassirer, Berlin.
Die gute Zeit, 1929, Paul Cassirer, Berlin.
Der Graf von Ratzenburg, 1951, Grillen-Presse, Hamburg.
Die Dramen, 1956, Piper, München. (Alle Stellennachweise
   geben die Seitenzahl dieser Ausgabe.)

Prosawerke

Rundfunkrede, 1947 (Gabe der EB Ges. 1).
Sechs frühe Fragmente, 1948 (Gabe der EB Ges. 2).
Seespeck, 1948, Suhrkamp, Berlin und Frankfurt a. M.
Der gestohlene Mond, Suhrkamp Berlin und Frankfurt a. M.
In eigener Sache, 1949. (EB Ges.)
Sechs kleinere Schriften zu besonderen Gelegenheiten, 1950. (EB Ges.)
Güstrower Fragmente, 1951. (EB Ges.)
Drei Pariser Fragmente, 1952. (EB Ges.)
Kunst im Krieg, 1953. (EB Ges.)

Zeichnungen und Graphik

Eine Steppenfahrt (13 Lithographien) in «Kunst und Künstler», 1913.
Der tote Tag (27 Lithographien), 1912, Pan-Presse.
Lithographien für die «Kriegszeit», 1914/15.
Lithographien für den «Bildermann», 1916.
Der arme Vetter (34 Lithographien), 1918.
Der Kopf (10 Holzschnitte), 1919.
Einzelblätter (meist Holzschnitte), 1919.
Der Findling (20 Holzschnitte im Text), 1922.
Die Wandlungen Gottes (8 Holzschnitte), 1922.
Die Ausgestoßenen (7 Lithographien), 1922.
Die Walpurgisnacht (20 Holzschnitte im Text Goethes), 1923.
Goethes Gedichte (31 Lithographien im Text), 1924.

Das Lied an die Freude (10 Holzschnitte), 1927.
Vier Selbstbildnisse (Lithographie), 1928.
Lithographien, 1930.
Der neue Tag (letzte Lithographie), 1932.
(Alles erschienen bei P. Cassirer, Berlin.)

Zeichnungen, 1935, Neudruck 1948, Piper, München.
Zwischen Himmel und Erde (45 Zeichnungen), 1953, Piper, München
(Piper-Bücherei 65).
Taschenbuchzeichnungen, 1955, Insel, Wiesbaden (Inselbücherei 600).
Gisela Lautz-Oppermann: *Ernst Barlach, der Illustrator* (24 Abbil-
dungen), 1952, Franz Westphal, Wolfshagen.

Plastik

Ein selbsterzähltes Leben (mit 91 Abbildungen), Neudruck 1948, Piper, München (abgekürzt P).
Carl Dietrich Carls: *Ernst Barlach*, 1957 (abgekürzt C).
Paul Fechter: *Ernst Barlach* (Anhang), 1957, Bertelsmann, Gütersloh
(abgekürzt F).
Bernhard Wächter: *Der junge Barlach*, seine Entwicklung zum Bildhauer bis 1905, Diss. Jena 1955.

Biographisches · Werkbibliographien

Ein selbsterzähltes Leben, 1928, Neudruck 1948, Piper, München.
Aus seinen Briefen, 1947, Piper, München (Piper-Bücherei 5).
Leben und Werk in seinen Briefen, 1952, Piper, München.
Barlach im Gespräch. Aufgezeichnet von Friedrich Schult, 1948, Insel,
Wiesbaden.
Paul Schurek: *Begegnungen mit Ernst Barlach*, 1946, Claassen & Go-
verts, Hamburg.
Gaben der Ernst-Barlach-Gesellschaft (abgekürzt EB Ges. und Jahres-
zahl).
Friedrich Schult: *Ernst Barlach: Das graphische Werk* (1958, Verlag
Hauswedell, Hamburg).
Wolfgang Gielow: *Ernst Barlach*, Bibliographie, 3 Teile, 1954,
Gielow, München (Maschinenschrift).

Zu Kap. 6, besonders S. 155 ff.

Die literaturwissenschaftlichen Grundlagen für die Beurteilung eines Dramas hinsichtlich seiner Gattungsstruktur enthält mein Buch «Epik und Dramatik», 1955 (Dalp Taschenbücher Nr. 311).

Verzeichnis der Siglen

C	Carl Dietrich Carls, *Ernst Barlach*
EB Ges.	*Gaben der Ernst-Barlach-Gesellschaft*
F	Paul Fechter, *Ernst Barlach*
GMo	*Der gestohlene Mond*
Gü. Tgb.	*Güstrower Tagebuch*
P	*Ein selbsterzähltes Leben*, 2. Aufl. Bildteil
Sed.	*Die echten Sedemunds*
SLP	*Ein selbsterzähltes Leben*, 2. Aufl. Text
Sp	*Seespeck*

INHALT